U0093081

# 盛期之風貌

## 臥龍生作品　帶動武俠風潮

**《飛燕驚龍》開一代武俠新風**

《飛燕驚龍》(1958)爲臥龍生成名作，共48回，約120萬言。此書承《風塵俠隱》之餘烈，首倡「武林九大門派」及「江湖大一統」之說，更早於香港武俠巨匠金庸撰《笑傲江湖》(1967)所稱「千秋萬世，一統」達九年以上。流風所及，臺、港武俠作家無不效尤；而所謂「武林盟主」、「江湖霸業」等新提法，竟成爲社會大眾耳熟能詳的流行術語了。

《飛燕》一書可讀性高，格局甚大。主要是寫江湖群雄爲覬覦傳說中的武林奇書《歸元秘笈》而引起一連串的明爭暗鬥；再以一部假秘笈和萬年火龜爲餌，交插敘述武林九大門派（代表正派）彼此之間的爾虞我詐，以及天龍幫（代表反方）網羅天下奇人異士而與九大門派的對立衝突。其中崑崙派弟子楊夢寰偕師妹沈霞琳行道江湖，卻如夢似幻地成爲巾幗奇人朱若蘭、趙小蝶之絕世武功技驚天龍幫，而海天一叟李滄瀾復接連敗於沈霞琳、楊夢寰之手；致令其爭霸江湖之雄心盡泯，始化解了一場武林浩劫云。

在故事佈局上，本書以「懷璧其罪」（與真、假《歸元秘笈》有關）的楊夢寰屢遭險難，卻每獲武林紅妝垂青爲書膽（明），又以金環二郎陶玉之嫉才害能，專與楊夢寰作對(暗)爲反派人物總代表。由是一明一暗交織成章，一波未平，一波又起，極盡波譎雲詭之能事。最後天龍幫冰消瓦解，陶玉帶著偷搶來的《歸元秘笈》跳下萬丈懸崖，生死不明，卻予人留下無窮想像空間。三年後，作者再續寫《風雨燕歸來》以交代陶玉重出江湖，爲惡世間，則力不從心，當屬狗尾續貂之作。

在人物塑造方面，臥龍生寫男主角楊夢寰中看不中用，固然乏善可陳，徹底失敗；但寫其他三名女主角如「天使的化身」沈霞琳聖潔無瑕，至情至性，處處惹人憐愛；「正義的女神」朱若蘭氣質高華，冷若冰霜，凜然不可犯；「無影女」李瑤紅則刁蠻任性，甘爲情死等等，均各擅勝場。乃至寫次要人物如「賓中之主」海天一叟李滄瀾之雄才大略，豪邁氣派；玉簫仙子之放蕩不羈，爲愛痴狂；以及八臂神翁聞公泰之老奸巨猾，天龍幫軍師王寒湘之冷傲自負等，亦多有可觀。

與

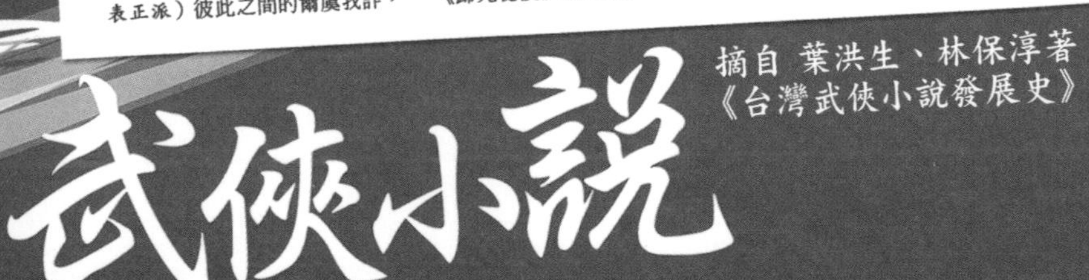


摘自 葉洪生、林保淳著《台灣武俠小說發展史》

台港武侠文

流行天

臥龍

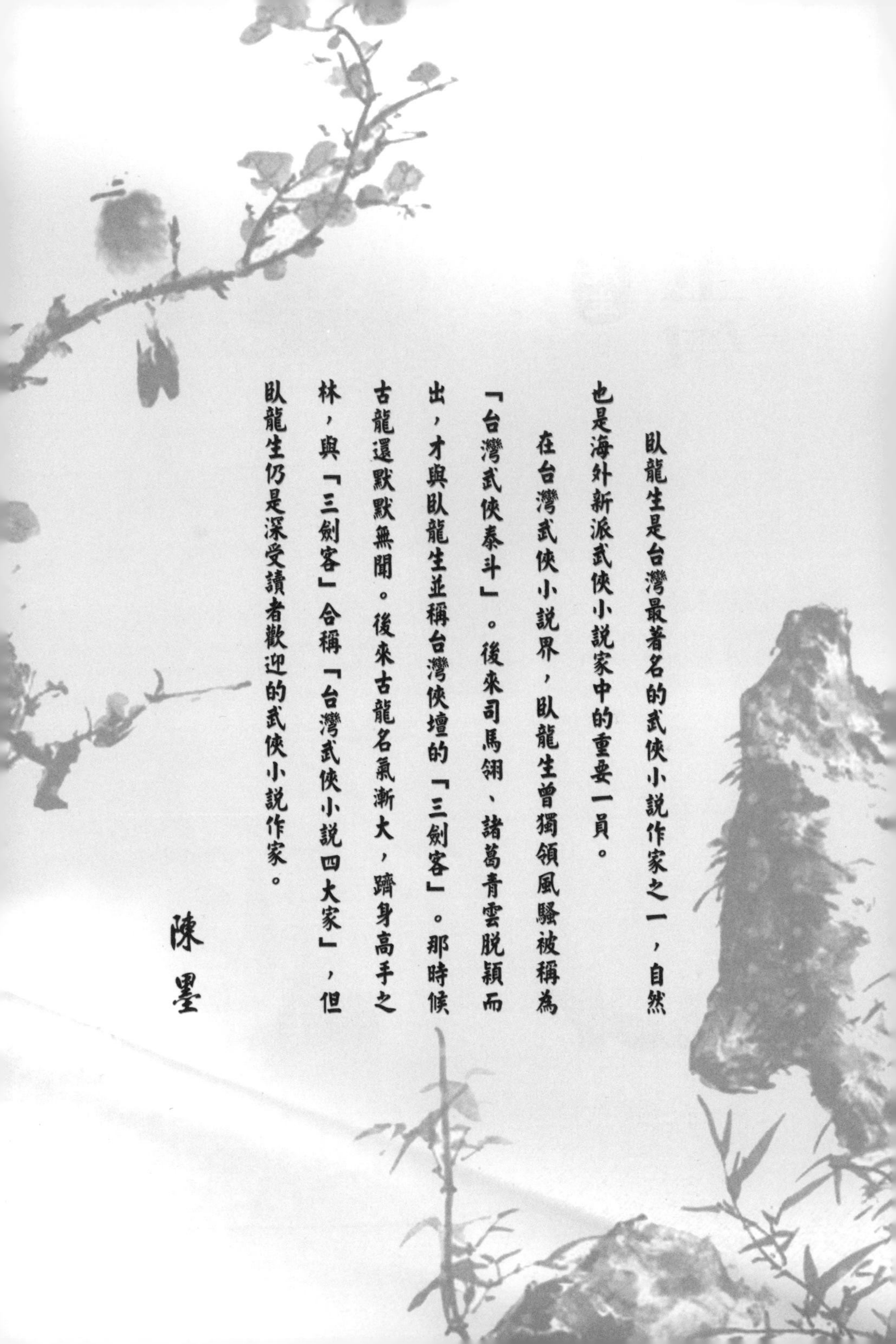

臥龍生是台灣最著名的武俠小說作家之一，自然也是海外新派武俠小說家中的重要一員。

在台灣武俠小說界，臥龍生曾獨領風騷被稱為「台灣武俠泰斗」。後來司馬翎、諸葛青雲脫穎而出，才與臥龍生並稱台灣俠壇的「三劍客」。那時候古龍還默默無聞。後來古龍名氣漸大，躋身高手之林，與「三劍客」合稱「台灣武俠小說四大家」，但臥龍生仍是深受讀者歡迎的武俠小說作家。

陳墨

臥龍生
武俠經典珍藏版 8
玉釵盟（四）
大結局
臥龍生

# 玉釵盟（四）

臥龍生精品集08

# 三一　生死抉擇

王冠中突然一撩長袍，取出一柄烏光閃閃的鐵尺兵刃，說道：「我王某人自離南海，安身中原後，從未用過兵刃和人動手，今宵之戰，勢必要分出生死，免去拳掌之爭，也可早見真章。」

徐元平微微一聳肩頭，道：「眼下初更將過，一宵時辰，在人生能值幾何，難道你們連這幾個時光，都等待不及嗎？」

王冠中冷笑一聲，道：「當今之世，高人雖多，但在下卻敬重你是一個好漢，豪氣干雲，光明磊落，才亮出兵刃……」

徐元平雙目一瞪，怒道：「既然知在下言出必踐，你就不該這般苦苦相逼，激怒於我，只怕你們也難討得到好處。」

上官婉倩盈盈一笑，回眸流盼了徐元平一眼道：「這幾句話，說得倒還有一點男子氣概。」

只聽那脅架鐵拐的紅衣人，怒聲喝道：「你要豪氣，此刻就橫劍一死，又何苦等到天亮！如若不願自絕一死，我們就只好動手了。」

徐元平肅然說道：「諸位如一定要逞強一試，那也是無可奈何的事。兵刃無眼，動上手只怕難免要有人濺血橫屍。」

那紅衣獨腿大漢，雖是殘廢之人，脾氣卻暴急異常，大聲喝道：「咱們看看是死的哪個？」一頓鐵拐，凌空直撲過來。

上官婉倩右手長劍一揮，劃出一道銀虹，封住了來路。

這一劍蓄勢而發，威勢極猛，只聽一陣金鐵相觸的大震之聲，那疾撲過來的紅衣獨腿大漢，凌空衝飛過來的身子，竟然由空中被震落下來；但上官婉倩也被那鐵拐上強猛的反彈之力，震得向後退了一步。

那紅衣獨腿大漢萬萬沒有料到，一個容色秀麗的少女，竟然有這等強勁的腕力，不禁微微一呆。

王冠中似乎也未想到上官婉倩竟敢硬擋師弟去勢，當下沉聲喝道：「姑娘好深厚的內力，無怪有幾分狂氣。」手中鐵尺一揮，直欺而上。

上官婉倩左手長劍斜斜劃出，劍勢出手，一連三變，撒出一片寒芒。

哪知劍尺將要相觸之際，上官婉倩那撒出的點點劍花，突然合了起來，不由自主地撞在那鐵尺之上，好像王冠中的兵刃之上，有著極大的吸力，把她長劍吸了過去，不禁心頭一震。

上官婉倩覺著左手長劍被那鐵尺吸住，右手長劍立時緊隨著掃過去，劍芒閃閃，橫削右腕。

王冠中大喝一聲，手中鐵尺一掃，把上官婉倩左手的長劍震開，橫尺一掃，盪開了她右手

長劍，一招「分花拂柳」，疾向她玄機要穴之上點去。

上官婉倩疾退了三步，避開一尺，雙劍齊揮，展開了凌厲的攻勢。

她劍招迅快辛辣，極盡變化之能，出手幾劍，迫得王冠中失去了還手之能。

動手到四、五回合後，上官婉倩逐漸地覺出不對來，只覺對方那烏黑油光的鐵尺，隱隱中有一種極強的吸力，劍勢的變化上，大受影響，常常無法把精奧之處發揮出來，逐漸被迫處於下風。

徐元平冷眼旁觀，也發覺了王冠中那兵刃上有一種奇妙的作用，使得上官婉倩的劍招變化，受了甚大的影響。

十回合之後，上官婉倩已被迫得盡失先機，陷身危境，看情勢再打下去，十回合之內，上官婉倩非傷在對方鐵尺之下不可。

徐元平輕輕一皺眉頭，伸手撿起了地上的戮情劍，茫無所措地望了激鬥中的兩人一眼，一副不知如何是好的神情。

上官婉倩在險象環生中，突然疾出兩劍奇招，迫得王冠中退了一步，橫劍躍出戰圈說道：「不行，你手中兵刃奇怪，這場搏鬥不夠公平。」

王冠中目光一掠手中鐵尺，說道：「今夜之戰，並非一般的比武爭名，盡可各出絕學求勝，我這兩儀尺確有不同於一般兵刃之處，但非什麼邪法鬼謀，你如畏戰，那就只有束手就縛……」

他目光一掠徐元平手中的戮情寶劍，接道：「他手中兵刃，效能切金斷玉，也異於一般兵刃，難道也不能用於動手相搏之中嗎？」

上官婉倩怒道：「寶劍乃正宗兵刃，你這兵器刀不像刀，劍不像劍，帶著一股吸人兵刃之力，奇形怪狀，自然是不能算數了！」

那紅衣獨腿大漢一頓手中鐵拐，怒道：「大師兄不要和她囉囉嗦嗦，時光已經不早了。」

上官婉倩右手一探，摸出一把金針，說道：「你要用奇奇怪怪的兵刃，那就不要怪我用暗器了？」

王冠中道：「生死之搏，不受比武規矩限制，姑娘有什麼絕技，儘管出手。」

上官婉倩嬌聲喝道：「好！你們要是傷在我暗器之下，可不要怪我心狠手辣。」說完，玉腕一振，一蓬金芒疾射而出。

王冠中大喝一聲，手中兩儀尺隨手一揮，烏光暴張，那滿天疾飛的金針，盡被兩儀尺吸了過去。

上官婉倩芳心大震，暗暗忖道：不知這兩儀尺是什麼東西造成，竟然有這等奇妙的威力，看來我這身懷暗器，只怕難以發揮作用了。

她原想在這等近距離中，以自己暗器之力，就足以使強敵傷亡，哪知王冠中手中的兩儀尺，竟是專門克制暗器之物。這一來，所恃落空，叫她如何不驚？

王冠中大笑說道：「女娃兒還有什麼歹毒的暗器，一齊用出來吧！今夜要你敗得心服口服。」

上官婉倩目睹暗器難以奏效，心中又驚又怒，大喝一聲，揮劍疾撲而上。

王冠中冷笑一聲，兩儀尺突然施展開南海門中絕學，落英十三變，封閉上官婉倩雙劍，全力搶攻。

但見兩儀尺疾變如風，剎那間連攻五招。

這五招既快又辣，著著致命，上官婉倩登時被迫得手忙腳亂，應接不暇。

如論她武功、劍招，足以和王冠中拚搏一陣，但王冠中那兩儀尺的吸力，卻使她劍招變化常受克制，精奧之處，無法發揮，處處落於被動之中，勉強應付了五招，立時鬧得險象環生。

徐元平眼看上官婉倩傷亡就在頃刻之間，再不挺身而出難再搶救，氣聚丹田，大喝一聲：「住手！」

王冠中不但未停下手，兩儀尺反而一緊，一引上官婉倩右手長劍，疾向她右手腕上劈了下去。

上官婉倩右手長劍吃他兩儀尺吸力逼住，救援不及，被迫得左手一鬆，丟下了手中長劍，縮腕避過一尺。

王冠中左腳上前一步，兩儀尺用出判官筆的招式，向「玄機」重穴點去。

徐元平大聲喝道：「我叫停手！你們都沒聽到嗎？」舉手一掌，疾劈過去。強猛的掌風，劃起了呼嘯之聲，直向王冠中撞擊過去。

王冠中右手兩儀尺原勢不變，仍然追襲上官婉倩，左掌橫裡推出，硬接了徐元平遙遙一擊。

這時的徐元平，掌力何等雄渾，王冠中分力拒敵，吃虧不小，雙掌接實，旋風突起，徐元

平被震得雙肩晃動，王冠中卻被那一撞之勢，震得向後退了兩步。

上官婉倩借勢一側嬌軀，避開兩儀尺，伸手撿起了落在地上的長劍。

那紅衣獨腿大漢氣呼呼大叫，鐵拐點地，身軀旋空橫飛，但見人影一閃，鐵拐已挾著凌厲金風，直向徐元平當頭劈了下來。

徐元平疾向左側一閃，讓開了那紅衣獨腿大漢劈下的拐勢，右手戮情劍斜斜撩擊出去。

避敵還擊，快速的幾乎是一齊出手，但見寒芒過處，一片紅色的衣袂應手而落。

那紅衣獨腿大漢一擊不中，借那鐵拐掄動帶起的風力，身子盤空一轉，飄落到七、八尺外。

回首一顧，不禁心頭一駭，再看身著紅色長衫的下襬，已被削去了一塊。

一陣羞忿泛上心頭，單足猛一點地，人又向徐元平撲了過去，半空中掄動鐵拐，橫裡掃擊過去。

徐元平看那鐵拐擊來之勢，猛惡無比，雙肩晃動，疾退兩尺。

只聽掌風盈耳，一股暗勁，當胸直撞過來。

徐元平左手一揮，接下一掌，凝目望去，看那發掌之人，正是駝、矮二叟中的歐駝子。

矮叟胡一書一撩長衫，取出一支鐵筆，縱身一躍，直向上官婉倩攻去。

他原來施用金筆，但那金筆卻被徐元平戮情劍削斷，臨時改用鐵筆。

王冠中揮動兩儀尺，側攻而上，上官婉倩登時陷入了兩面受敵之境。

徐元平戮情劍忽出奇學，一招「孔雀開屏」，撒出一片寒芒，逼退那紅衣人，急急說道：

「姑娘請和在下聯手拒敵。」

上官婉倩似已為王冠中兩儀尺所震懾，聽得徐元平一叫，立時移動身子，走了過去。

徐元平大發神威，劍勢一變，戮情劍光華大盛，把王冠中兩儀尺的招數，完全接了過來，使上官婉倩從容對付駝、矮二叟的雙掌一筆。

這是一場慘烈異常的搏鬥，爭戰之人又都是武林中一流高手，只見掌影縱橫，劍光閃閃，鐵拐嘯風，筆芒點點，攻拒之勢，奧妙引人。

上官婉倩擺脫兩儀尺的威脅之後，手中雙劍，展開了奇詭的變化，交錯的劍芒，著著指襲駝、矮二叟的要害大穴。

轉眼之間，雙方已力搏五、六十回合。

徐元平逐漸地感到手中的戮情劍，沉重起來，心中暗暗忖道：王冠中的兩儀尺，不但變化精奇，而且發出的吸引之力，愈來愈是強大，這般搏鬥下去，決難持久，看來非先把此人擊敗，或是重傷在戮情劍下，才有取勝之望。

心念一轉，殺機忽生，長嘯一聲，擺脫鐵拐，直向王冠中攻去。

王冠中突然感覺壓力大增，戮情劍寒芒如雨，招招帶著強凌的劍風，劍勢雄渾，那絲絲的劍風，已使人有著抗拒不易之感。

上官婉倩雙劍忽緊，把那紅衣獨腿大漢的鐵拐招數，也接了過來。

她這一逞強，立時感受到強大的壓力，那紅衣獨腿大漢鐵拐招數，不但狠辣無比，而且勁道強猛無匹，上官婉倩一和鐵拐相觸，立時被震得手腕痠麻，長劍脫手欲飛，但她生性好強，

暗運全身功力，咬牙苦拚，不肯示弱。

南海門的武功，本以詭辣見稱，上官婉倩的武功，也是走得偏激詭辣之路，雙方搏鬥之間，凶險之相當真是觸目驚心。

徐元平的劍招，剛好和幾人相反，他把慧空大師口授《達摩易筋經》中三十六招降魔杖法，化作劍招施用，出手劍勢，凌厲中不失正大，但奇奧處卻又有著鬼神難測之妙。

王冠中的兩儀尺，逐漸地被徐元平劍招克制。

那面蒙黑紗的紫衣少女，突然高聲叫道：「大師兄快些施出咱南海門飛鷹十八式，要不然你支撐不過十個照面了，如若你完全陷入他劍招控制之下，再想反擊，那就無能爲力了。」

王冠中只覺自己空有一身武功，但卻無法施展出來，似乎是每一個變化，都在對方劍勢的控制之下，常常被迫得中途撤招。

聽得那紫衣少女喝叫之後，似是茅塞頓開，大喝一聲，手中兩儀尺突然一變，疾向徐元平前胸點去。

徐元平運足腕力，揮劍猛向兩儀尺上掃去，他心知戮情劍鋒芒足以削金，存心要把王冠中這神奇兵刃毀去。

哪知王冠中一尺擊出之後，人隨著凌空而起，兩儀尺自然地避開了徐元平的劍勢。

他輕功極高，一躍之勢，足足飛起來兩丈有餘，懸空兩個翻身，疾撲而下。

徐元平雖然連日和江湖高手相搏，但像這般猛惡的攻勢，還是初見，不禁心頭爲之一駭，一時間想不出制敵之策，身軀橫閃，避開三步。

王冠中雙足微微一點實地，身軀二度飛起，巧妙地一翻，人已到了徐元平的身後，兩儀尺探手下擊，左掌同時發出了猛烈的劈空掌風。

徐元平搶得的先機，已完全失去，反而被對方主動的襲擊控制了局勢。

王冠中凌空襲擊，矯若游龍，而且招數愈變愈奇，四、五個照面之後，徐元平已被迫得無法還手，只有靜站原地，等待著王冠中攻勢迫身，再設法應變拒敵。

忽聽得一陣金鐵大震，上官婉倩左手長劍，被那紅衣獨腿大漢手中鐵拐震飛，銀光閃動，飛出六、七丈外。

倔強的上官婉倩，雖然震飛了一劍，但戰志仍然高昂不滅，嬌軀疾轉，閃開了鐵拐和矮叟胡一書的鐵筆，右手長劍藉機交到左手，探手入懷，摸出一把金針，玉腕一振，一蓬金雨，急射而出。

這一把金針，不下三、四十支之多，在這等極近的距離之下，威勢更足以懾人心魄，那紅衣獨腿大漢和駝、矮二叟，均被迫得紛紛仰身倒臥，以避金針。

上官婉倩藉機會一提真氣，嬌軀凌空而起，右手單劍疾向王冠中追刺過去。

徐元平急急喝道：「使不得……」餘音未了，忽見王冠中高大的身軀在空中打了一個翻轉，兩儀尺疾快無比地反擊過去。

上官婉倩疾刺過去的長劍，被兩儀尺上強大的吸力一引，突然失了準頭，斜向一側，王冠中左手一揮斜劈而下。

懸空交手，時間上更是差不得一毫一髮，上官婉倩劍勢受擾，全身完全暴露在對方掌勢籠

罩之下，眼見那急落而下的掌勢，就要擊中前胸，忽見一道青芒，電射而至。

原來徐元平一見上官婉倩的長劍被人引開，已知她要傷在王冠中手中，當下一提真氣，馭劍而起，直向王冠中左臂斬去。

那飛鷹十八式，本是專門在空中相搏的招術，乃南海門獨步武林的奇學之一，徐元平目睹形勢危殆，只好不惜耗消真元之氣，馭劍搶救上官婉倩。但他剛才一番動手之後，原來用作抗拒毒發的真氣，大為損減，劇毒立時漫散內腑，使這劍道中最上乘的武功，威勢減去甚多。

但這已使王冠中大為震駭了，急施一招「神鷹入雲」，一抬頭，身子忽然疾升三尺。

他應變雖然夠快，但仍然感受劍風冷芒，掠面而過。

徐元平一劍逼開了王冠中，人卻和上官婉倩一齊落著實地。

他雖然身負上乘武功，但因未習過那飛鷹十八式的空中換氣之法，是以不能和王冠中一般在空中翻轉自如，久停不落。

上官婉倩大險之後，仍然是一副滿不在乎的神態，望著徐元平嫣然一笑，道：「你要不救我，這一次我非得受傷不可……」忽然發覺他喘息甚重，臉上汗水如珠，滾滾而下，不禁大急，顧不得身處險境，急急接道：「你怎麼啦？」

徐元平左手疾伸而出，說道：「閃開。」身子一側，急掠而過。

只聽一聲悶哼，傳入耳際，上官婉倩回眸一瞥，只見駝叟高大的身軀，橫向一側摔了過去。

顯然，歐駝子是被徐元平掌勢擊中，但驚人的是這一掌打得無聲無息，和那奇奧絕妙的手

法，使人連看也未看清楚。

矮叟胡一書和那斷腿紅衣大漢，似是都被徐元平一擊重創歐駝子所懾，同時呆在當地。

徐元平舉手用衣袖拂拭一下頭上的汗水，傲然說道：「哪一位不服氣，但請出手，如若各位自知難以憑強使在下屈服，那就讓出一條路來，放過這位姑娘。」

那紅衣獨腿大漢突然大喝一聲，疾行而上，橫掄手中鐵拐，一招「朔風狂嘯」，攔腰掃去。

這一擊威猛驚人，只看得上官婉倩替徐元平捏了一把冷汗。

但見徐元平身子一轉，不退反進，疾如電奔般，疾欺而上，舉手一掌，拍在那紅衣獨腿大漢左肩上。

這一擊不但要身法快如星火，最重要的還是那個人的膽氣。

那紅衣獨腿大漢突然大叫一聲，整個身軀，向後倒飛過去，摔出四、五尺遠。

徐元平神威凜凜地喝道：「哪一位還有膽上來試試？」

王冠中兩儀尺平舉胸前，緩步向前走來，一面肅容說道：「閣下的掌法，乃在下生平僅見的奇學，王某人有幸領教。」

徐元平道：「我本無傷人之心，但諸位卻要這等苦苦相逼，迫我出手……」

白髮蕭蕭的梅娘，突然一頓手中竹杖，喝道：「站住，你也接不了他的掌勢，讓我這老邁的人試他一試！」

忽聽那紫衣少女嬌弱無力的聲音，由蒙面黑紗中傳了出來，道：「梅娘，你用咱們南海門中『無相神功』和『倒海三式』對付他。」

王冠中凜然止步，退到一側。

原來「無相神功」和「倒海三式」，都是南海神叟生平絕學，王冠中投身南海門十餘年，也不過只聽師父說過，現下聽師妹忽然說了出來，自知難再勉強出手，只好退到一側。

梅娘緩步逼進，竹杖著地有聲。

這時，徐元平頭上的汗水，更是滾如湧泉，全身的衣服，都爲汗水濕透。

上官婉倩奔了上來，擋在徐元平前面，說道：「你已經很累，讓我對付這老婆婆吧！」

梅娘冷笑一聲，說道：「站開去。」舉手一杖，緩緩擊來。

上官婉倩舉劍一封，架住了竹杖，正待用力把它強震開去，忽覺那竹杖上發出一股極強的勁道，上官婉倩怕僅剩的一劍再被對方震飛，全力握住不放。

但那竹杖上的力道，強大無比，上官婉倩全力握劍，竟然被連人帶劍震飛一側。

這是她生平之中，初次遇上內功如此強大的勁敵，不禁心神大震。

梅娘一杖震撥開上官婉倩，左手一揮，疾向徐元平劈了過去，口中冷厲地喝道：「小娃兒，先接我一記劈空掌試試，咱們再動手不遲。」

這時徐元平內腑的毒性，已然發作，自覺全身虛弱無力，但他生性好強，聽得梅娘一激，竟然強提真力，硬接一擊。

這一掌力道奇猛，徐元平但感全身受到強烈的一震，氣血直向胸口翻動，耳際長鳴不絕，眼前金光亂閃，頭重腳輕，再也站立不穩，仰面一跌，暈倒地上。

夜風吹飄起梅娘頭上的白髮，她冷若冰霜的臉上，閃掠過一抹殺機，竹杖一起，直向徐元平玄機要穴之上點去。

驀地裡白虹疾閃，一道劍光，電奔而到，劍杖相觸，砰的一擊脆響。

梅娘手中的竹杖，吃那疾奔而來的劍光架開，擊在一塊山石上，一塊拳頭大小的山石，應手而碎。

上官婉倩運足了全力，架開了梅娘竹杖，人已經累得有些喘息。

這位倔強的姑娘，接過白髮蕭蕭的梅娘兩杖之後，似是已自知無能相敵，並未藉機搶先，垂下手中長劍，傲然說道：「你不能殺他！」

梅娘冷漠地一笑道：「爲什麼……」但她卻似突又恍然大悟地接道：「是啦！先把你殺了之後！再殺他！」一挫腕，收回竹杖，橫搶欲擊。

上官婉倩似未把生死大事放在心上，冷漠地說道：「我打你不過，你要殺死我，那自然十分容易，但你卻未能是他的敵手……」她微微一頓後，又道：「如是他未戰得筋疲力盡，只怕你在百招之內，也無法傷得了他！」

梅娘一頓竹杖，入石三分，怒聲說道：「他連我一掌也接不下，何以我打他不過？」

上官婉倩道：「這樣搏鬥不公平！」

梅娘厲聲喝道：「討死的利口丫頭，哪裡不公平了？」

上官婉倩鎭靜地說：「他未和你們動手之前，身上所中的劇毒，已經開始發作，連番苦戰，早已不支，你在他力盡當兒，那自然是一擊成功了。」

梅娘道：「就算如此，也不能證明老身不是他的敵手！」

上官婉倩冷然笑道：「你學過劍嗎？」

梅娘道：「老身摘葉可以傷人，飛花可以殺敵，這一根竹杖已是多餘，縱有利劍，也不屑用。」

上官婉倩聽得火起，不覺擺起上官堡的小姐派頭，嬌叱道：「我問你懂不懂劍術，誰問你武功了？」

梅娘倒是被她強不畏死的豪氣所動，略一沉吟道：「老身一十八般兵器樣樣都能用得，何況用劍？」

上官婉倩道：「這就是了，最上乘的劍道，無非是馭劍傷敵，你自信能有此能力嗎？」

梅娘微微一怔，道：「馭劍之術，老身雖然不會，但也傷我不了！」

上官婉倩道：「你的武功之高，乃我生平所遇強敵中第一高人，但如說你能勝得他，只怕未必，在江湖上行走，凶險隨時難免，你如果自信能夠勝他，今宵不該傷他，七日後再來此地，好好的較量一場，那時，他體力已復，你們作一場公公平平的搏鬥，勝者心安理得，敗的也死而無怨！」

那久未出言的紫衣少女，突然冷冷地接道：「他既然已經毒侵內腑，你如何能讓他活過七日？」

上官婉倩呆了一呆，道：「這個不用你管，我自會想辦法替他解毒！」

紫衣少女冷笑道：「你不用遁詞欺我，當今之世，除了我，無人能夠救他，也無人敢於救

他！」說著移步向前。

梅娘橫跨兩步，擋住了上官婉倩，替那紫衣少女讓開一條路。

紫衣少女走近了徐元平，緩緩蹲下身子，輕掀蒙面黑紗一角，瞧了瞧徐元平的臉色，歎道：「劇毒已泛現於眉宇之間，難過今夜子時……」她仰起臉來，望望天色，接道：「他只有一個時辰好活了！」

上官婉倩雖然誇下了口，但她心中實無解救徐元平身受劇毒之能，聽得這紫衣少女之言，心中大是焦急，但又不好意思開口向人詢問，只好苦在心頭。

那紫衣少女突然站起身，冷冷地對上官婉倩道：「你守在此地，等著他氣絕吧！但有一件事，我要得到他的屍體，你只要能夠答應，我們就立時撤退，等你確定他已經死了，屍體就交給我們帶走。」

上官婉倩道：「你要他屍體何用？」

紫衣少女道：「誰也無法預料數日後的心情，也許我把他投在山谷中餵蛇，也許我把他暴放在山峰上讓兀鷹分食……」她輕輕歎一口氣，道：「也許我會替他築建一座很精巧的墳墓，以收殮他的遺體！」

上官婉倩微一怔道：「你的心可算夠得上毒辣二字，死不記仇，他人死了，你還要糟蹋他的屍體？」

紫衣少女嬌聲道：「你是他的什麼人？竟然這樣問我。」

上官婉倩臉上一熱，忍羞答道：「我是他的朋友，怎麼樣？」

紫衣少女一陣脆笑道：「朋友？既非同出一師，又不沾親帶故，自認是他朋友，你也不覺害羞嗎？」

她舉手理一下吹亂的散髮，接道：「再說他也未必會承認你是他的朋友。唉！自作多情的姑娘！」

上官婉倩生性好強，具有鬚眉之風，對那紫衣少女前幾句話，倒未放在心上；但後面兩句話，卻是深深地刺傷了她的芳心。

她凝目望著那臥仰在地上的徐元平，心中泛生起千萬愁苦，暗暗想道：是啊！不知他承不承認我是他的朋友，如若此刻能夠掙動，只要他輕微的一搖頭，我立時將羞愧得無地自容。

全場中突然沉默下來，每人的心上，都如負重鉛。

那紫衣少女忽然俯下身子，緩緩撿起了戮情劍，說道：「此劍雖然鋒利無匹，但具有此劍之人，一生都得不到快樂，名劍如名花，孤芳自賞……」

上官婉倩突然抬起頭來，喝道：「放下，不要碰他的東西。」

紫衣少女柔和地說道：「這是你們中原武林道上的傳說，凡是具有此劍之人，一生都要寂寞孤單的度過，想來你一定知道這個傳說了？」

上官婉倩道：「知道又怎麼樣？」

紫衣少女道：「知道了就最好不過，我用這柄劍刺入他的心中，這劍上沾了他的血，你再用這柄劍自絕一死，我就為你們建築一座鴛鴦墳。墓碑上刻出你以身殉情的經過，勸世人永別妄圖戮情寶劍，想那哄動之情，必然要超過孤獨之墓。」

她的聲音柔美中充滿著幽幽哀怨的魅力，婉轉地說來，字字扣人心弦，夢囈般輕訴，使人有著一種世界末日的感覺，似是天地間充滿痛苦、死亡……

上官婉倩茫然地歎息一聲道：「你說得很有道理，一個人活上一百歲，也是難免一死。如若死了之後，能留給世人深長的懷念，那也算死得值得了。」

紫衣少女道：「你答應了？」

上官婉倩緩緩地向四周看了一眼，道：「在你們重重的包圍之下，我想衝只怕也衝不出去。」

梅娘冷笑一聲，道：「你倒是有點自知之明。」

紫衣少女恐梅娘衝撞之言，啓發了她的求生之意，趕忙接道：「那我就殺他了。」

玉腕緩緩探下，直向徐元平前胸刺去。

上官婉倩幽幽地歎一口氣，閉上雙目。

這位殺人不眨眼的女劍客，忽然變得脆弱起來。

微弱的星光下，隱隱可見那紫衣少女皓腕顫抖，顯然她內心正有著無比的驚懼和激動。

鋒利的劍尖刺入了徐元平的前胸，一縷鮮血，泉水般直噴出來。

那紫衣少女嬌啊一聲，全身都急促地顫抖起來。

梅娘疾快地伸過了一隻左手，握住了她纖巧的五指。

顫慄似是有著強烈的感染，梅娘一和那紫衣少女手指相接，似是突然被人在她前胸擊了一拳，全身也爲之激劇一震。

原來那紫衣少女手掌纖指，冷若冰石。

梅娘驚呼了一聲道：「孩子，你怎麼了？」

那紫衣少女緊緊反抓著梅娘的手腕，叫道：「梅娘，我刺錯了地方嗎？」

兩人同時開口，誰也沒有聽清楚對方說的是什麼？

上官婉倩霍然睜開眼睛，首先映入眼的是那一縷噴射鮮血，她愕然地一聲驚歎，重又閉上了雙目。

那紫衣少女吃力地舉起垂下的右腕，舉動之間，有如負重千斤，她迅快地退後了兩步，全身依偎入梅娘的懷中，噹的一聲，戮情劍跌落在石地上。

王冠中、駝、矮二叟，以及那缺了一條腿的紅衣大漢，臉色都十分沉重，八道目光，怔怔地盯注在徐元平的臉上，肅然的神情中，流現出一股輕淡的感傷。似乎對才華橫溢、豪氣干雲的徐元平，默致著歉疚和惋惜。

沉默延續了一盞熱茶工夫，呼嘯的山風中，飄傳過來了一個沉重聲音，道：「倩兒，倩兒……」這聲音似是由老遠處飄傳而來，但入耳字音，卻是清晰異常。顯然，這人有著深厚的內勁。

上官婉倩迅快地撿起地上的戮情劍，對準前胸。

那鋒利芒刃，切金斷玉，上官婉倩只需一用力，戮情劍立時將刺入前胸。

只聽那呼喚倩兒的聲音，愈來愈淒涼，在黝暗黑夜裡，呼嘯的山風中，更顯得聲動心弦，親情似海。

上官婉倩目光一瞥那紫衣少女，幽幽說道：「我爹爹在呼喚我，讓我見爹爹一面，再死好嗎？」

紫衣少女淒涼地說道：「親情深重，你見了爹爹之面，如何還能夠死呢……」

她望了仰臥在地上的徐元平一眼，歎道：「只怕他的屍骨，就要涼了，你如不願意死，我們就收去他的屍體了。」

上官婉倩黯然說道：「我答應了，決不會變，見上我爹爹一面後，立刻就死！」

呼嘯而過的山風，此刻似乎突地減輕了風勢，變得有如九月時節，樓頭怨婦足下的秋風一般蕭索、幽怨而淒清……

這蕭索、幽怨而淒清的微風，一絲絲，一縷縷，將她幽怨而淒清的語聲，飄送到遠方。

紫衣少女木然而立，彷彿根本沒有聽到她的話似的，她輕移蓮步，走到徐元平身側，緩緩俯下身來，拉起徐元平的一隻手掌。

只見她十指纖纖，緩緩地將徐元平手掌握了起來，她春蔥般的玉指，雖然早已輕輕顫抖了起來，但此時此刻，卻無一人覺察。

只聽她幽幽歎息了一聲，仰面向天，緩緩道：「想不到眨眼之間，他手掌便已冰冷了。」

剎那之間，她只覺心弦倏靜，萬念齊灰，仰天一歎，道：「蒼天……你竟然真的教他就這樣平平淡淡的死去了嗎？」

徐元平的手掌果已冰冰冷冷，她就似握著一片晶瑩的寒玉一樣。

紫衣少女卻輕輕一笑道：「毒已入血，命已垂危，他即使早一個時辰死了，又有什麼可以

值得驚異和惋惜之處呢？」

上官婉倩霍然長身而起，目光垂落，滿含怨毒地望著她，右腕微抬，寒光一閃，疾向紫衣少女刺去。

梅娘突地輕叱一聲：「你要做什麼？」身形閃處，已至上官婉倩身側一尺左右，只要上官婉倩劍光再進一寸，梅娘掌中那一根多節的竹杖，便立刻會點到她的重穴之上。

哪知上官婉倩眼神卻已突地黯淡起來，根本沒有覺到梅娘的竹杖已觸及她的羅衫。她只是輕歎一聲，縮回長劍，向徐元平黯然瞧了一眼，幽幽道：「你死了，很好……」劍光一轉，回刺自己的咽喉。

就在這剎那之間，夜色中突地如飛奔來一條人影，大喝道：「倩兒，倩兒，是你在說話嗎？」

上官婉倩語聲未落，這人影已閃電般掠來，身形之迅快，有如蒼鷹束翼而下，神龍自天而降。

森森的寒芒，已觸及上官婉倩的肌肉，她腦中空空洞洞，一心一意只是想死，直待那慈愛的呼喚，傳入耳際，暈迷的神智，忽然一清。

但見一個花白長鬚，身軀高大的黑衣人，站在她身前的兩尺開外，星光下，只見他滿含著兩眶淚水，一臉愁苦神情，黯然說道：「倩兒，你受了委屈嗎？」

他深知這位剛愎倔強的女兒，從小在嬌縱之中長大，對些微委屈，也是難以忍受，看她要

橫劍自刎，便認定是受了極大的羞辱，才這般痛不欲生。

上官婉倩淒涼一笑，道：「爹爹半生寵愛女兒，恕女兒不能盡孝膝前了……」

上官嵩心頭一震，大聲喝道：「倩兒！」這兩個字，幾乎用盡了他生平之力，聲音淒厲，高拔雲霄，深夜之中，空谷傳音，滿山盡都是呼喚倩兒的回應之聲。

上官婉倩聽那震耳欲聾的呼叫聲中，充滿著無比的慈愛，無比的感傷，心中忽然一清，叫了一聲：「爹爹……」兩行清淚，已奪眶而出。

她心中很明白自己在父親心中，所佔的地位極重，眼看著年邁蒼蒼的老父，熱淚滾下雙頰，實不再忍傷害老父之心，緩緩地垂下了手中的戮情劍，幽幽說道：「爹爹就只當沒有生我這個不孝的女兒吧！」

上官嵩目光迅快地環掃了一周，道：「可是這些人欺侮你麼？」

上官婉倩搖搖頭，道：「是我答應了人家，非死不可。」

上官嵩微微一怔，道：「生死之事，也可以隨便答應的嗎？」

上官婉倩道：「事已至此，悔亦無法了。」

上官嵩淒然說道：「你不念老父惦念你死後的傷悲，也該想想你那半身癱瘓的老娘，如若知你死訊，她還能不能獨生人世……」

他長長地歎息一聲，接道：「倩兒！為父一生之中，從來言無不踐，我自是不願讓我的女兒反覆無常，如若他們以武功殺了你，我這做父親的縱然痛斷肝腸，那也是無話可說。他們巧言騙你自刎而死，算不得光明正大的行徑，縱有承諾，也不必一定遵守……」

梅娘突然一頓手中竹杖，厲聲接道：「我們不過是念她年幼無知，才讓她自絕一死，縱不自絕，也一樣難逃死亡之運！」

上官嵩冷笑一聲，道：「鹿死誰手，還難預料，且先莫大言不慚……」轉眼望著上官婉倩接道：「倩兒，過來，咱們父女聯手鬥鬥南海門……」

梅娘突然一頓手中竹杖，冷冷說道：「你們父女之情，這等深重，老身就成全你們了。」舉手一杖，疾向上官嵩劈了過去。

上官嵩冷笑一聲，橫裡閃開三步，避開了梅娘一擊。

梅娘手腕一轉，那縱擊而下的竹杖，忽的變成橫擊之勢，攔腰掃去。

上官嵩暗暗一驚，忖道：好快手法。刷的一聲，肩上的長劍出鞘。

正待用劍封架梅娘的杖，哪知梅娘手腕一挫，突然又把竹杖收了回去。兩道目光一瞥那紫衣少女，冷冷對上官嵩道：「過來，咱們找處空曠地方動手，你只要能夠接下老身二十招，立時放你們父女走！」

上官嵩掂了掂手中長劍，沉吟不語，心中卻暗暗想道：倩兒平常剛愎任性，勇猛絕倫，縱然遇上了強敵，也是從不畏縮，看她神定氣閒，並無剛剛和人力搏之相，不知何故，卻要橫劍自絕。

他只管用心推想，根本未聽到梅娘說的什麼。

王冠中一揮兩儀尺，恭恭敬敬地對梅娘說道：「老前輩請休息片刻，讓晚輩先試他一陣如何？」

梅娘冷冷地望了王冠中一眼，沉吟不語。

原來上官嵩閃避梅娘的杖勢，退到了那紫衣少女的身側，只要一揮劍，一舉手，立時可把那紫衣少女傷在手下。

王冠中似是也驚覺到了師妹所處的險境，不敢貿然出手，重重地咳了一聲，道：「在下久聞上官堡主的武功，高出楊家、查家二位堡主，心慕已久，快請過來這片空曠之處，咱們好好較量一下。」

上官嵩久走江湖，何等老辣，心中忽然一動，暗道：他們能逼死我的女兒，讓她橫劍自絕，不知何以對我這般客氣起來？目光轉動，只見那紫衣少女垂首而立，竟似不知自己在她身側。

她面上垂著黑紗，無法看清楚她的神色，但看她站的角度，似是正把目光投注徐元平的臉上，不禁心中一動，暗道：她這般呆呆地站著，不知在想什麼心事？

忖思之間，忽見那臥在地上的徐元平，身體蠕動了一下。

紫衣少女長長吁了一口氣，緩緩坐了下去，舉手對上官婉倩一招，道：「快坐下來，聽我吩咐，迫出他身上毒血……」

上官婉倩微一猶豫，但卻依言坐了下去。

雙方緊張的形勢，因那紫衣少女一句話，登時鬆懈下來。所有的目光，都投注在兩人的身上。

王冠中聽師妹口風，似乎徐元平大有回生之望，心中百感交集，也不知是喜是愁。

他深知師妹的聰明，世無倫比，她精研醫道，術絕塵寰，決不會隨口而言。

他仰臉望望天色，默然不語，對徐元平的復生，他有著極矛盾的心情，既覺著這樣一位武林奇葩真的死去了，實在大為可惜，又覺著如不能此刻把他置於死地，再過上幾年歲月，武林之世，只怕難有與他匹敵之人……

這矛盾的心情，使他對徐元平的生死，看得十分重大，只覺得這人的生死，關係整個武林的劫運。

上官婉倩蹲下了身子之後，望著那紫衣少女一眼，道：「我要怎麼幫忙？」

紫衣少女說道：「你用左手按在他前胸的玄機穴上，右手運集真力，迫他行血暢流。」

上官婉倩兩道目光，緩緩地由徐元平臉上掃過，凝注在他右胸的傷口之處，說道：「他現在死了呢？還是活著？」

紫衣少女道：「一息僅存，心脈未停。」

上官婉倩道：「那是還活著了？」

紫衣少女道：「還沒有完全絕氣，但已距死亡不遠，一盞熱茶工夫之內，要迫出他身上部分毒血，然後再閉他的穴道，這些事必須在最短時間內完成，如若拖延過久，他失血而死，縱有起死回生的靈丹，也無法救得他活了。」

上官婉倩道：「那你為什麼要刺了他一劍呢？如若不是你刺他一劍，也不會這樣危險了。」

她口中雖在抱怨，但雙手卻依照那紫衣少女的吩咐，左掌按在徐元平玄機穴上，暗中運

氣，暢和他的血脈。

紫衣少女輕輕掀起蒙面黑紗一角，望望徐元平的傷口，歎息一聲，道：「如若不是我刺他一劍，現在已經沒有救了！」

上官婉倩一運氣催動他血脈之後，徐元平本已緩和出血的傷口，突然又泉湧而出。

看到那噴射熱血，上官婉倩心中忽然泛起無比的感傷，抬頭望了那紫衣少女，幽幽說道：「你可是存心要我親手弄死他嗎？」

紫衣少女道：「如若他真的死了，我就燒光這世間流傳的醫書……」

她微微一頓又道：「是咱們兩個人弄死了他！」

上官婉倩道：「關我什麼事呢？是你殺了他！」

紫衣少女冷笑一聲，不再答理上官婉倩，靜靜地望著上官婉倩迫出徐元平身上毒血的情形。

這時，徐元平半身衣服盡爲鮮血濕透，望去使人惻然。

上官婉倩目睹其情，心頭泛起無比的淒涼，纖纖十指，也開始劇烈地顫抖。

她抬頭望了那紫衣少女一眼，問道：「怎麼樣了？」

紫衣少女默然不語，似是根本沒有聽到上官婉倩的話。

又過了一盞熱茶工夫，徐元平的身軀突然抖動了一下。

上官婉倩停下右手，忍聲喝道：「怎麼樣了，你可是要我用內力逼出他身上所有的血嗎？」

紫衣少女冷冷說道：「稍安勿躁，要你停手時，我自然招呼你。」

上官婉倩心中雖是大感忿慨，但兩隻手卻不自主地又動作起來。

徐元平身上存血，似已被上官婉倩催運內力迫出將盡，傷口的湧血，變成了眼淚一般，點點滴出。

紫衣少女長長吁一口氣，道：「好啦！」

上官婉倩應聲運指，連點徐元平四處穴道。

紫衣少女不待上官婉倩再問，搶先說道：「現在，他身上毒血已將放盡，只要再服一些祛毒的藥物，養息一陣，就慢慢好了！」

上官婉倩忽道：「我看他是難再活下去了，一個人身上的存血，被放將盡，哪裡還能活得下去。」

紫衣少女緩緩站起身來，蒙面黑紗，在山風之中微微飄動著，蓮步輕移，向前走去，神態從容，由上官嵩身前走過。

上官嵩手橫著沉重的銀劍，環目一掃四周，低聲喝道：「站住。」話出口，人也同時躍奔過去，銀劍一舉，橫在那紫衣少女後背的命門穴上。

在他喝聲出口的同時，梅娘、王冠中和那紅衣獨腿大漢，同時發動，疾向上官嵩行了過去。

幾人去勢雖快，但仍然慢了一步，他們尚未欺近，上官嵩閃動著寒光的劍尖，已抵在紫衣少女背心之上。

梅娘首先倒躍而退，厲聲喝道：「快退回去。」

王冠中和那紅衣獨腿大漢，應聲而退，躍落原位。

上官嵩仰臉一陣長笑，伸手一把抓住了那紫衣少女的左腕。

他出手用力甚大，但聽嬌嗯一聲，疼得那紫衣少女全身打了兩個寒顫。

梅娘尖聲喝道：「不要傷著她……」

上官嵩沉聲喝道：「你們膽敢向前逼近一步，我就立時把她傷斃劍下！」

那紅衣獨腿大漢暴急地叫道：「動了我師妹一根頭髮，你們父女就別望生離此地。」

上官嵩虎目圓睜，冷然說道：「老夫殺了她又能怎樣？」

那紅衣獨腿大漢，呆了一呆，不知如何回答。

王冠中輕輕咳了一聲，說道：「上官堡主，有什麼話說，儘管請講。我們力所能及，無不答應。」

顯然，這紫衣少女陷落人手，已使南海門氣焰盡消。

梅娘竹杖一頓，長歎說道：「老身向不輕作承諾，今宵破例答應你們……」

上官嵩冷笑一聲，接道：「上官嵩生平從不求人。」

梅娘突然一晃雙肩，疾快無比地欺到了上官婉倩的身側，探手一抓，扣住了上官婉倩的右腕脈門。

上官婉倩正低頭望著徐元平放血後的反應，全神貫注，對身外之事，渾似不覺。

直待梅娘抓了她的手腕，她才似霍然警覺，但也只淡淡地回顧梅娘一眼，冷冷地問道：

「幹什麼？」

梅娘暗運功力，但卻蓄勁五指不發，冷冷地說道：「要你爹爹鬆了姹兒，我就放開你的脈穴。」

上官婉倩道：「誰是姹兒……」目光轉處，只見上官嵩正扣著那紫衣少女的手腕，接道：「就是那紫衣少女嗎？」

梅娘道：「不錯，快要你爹爹放了她！」

上官嵩縱聲長笑，道：「如果老夫不放呢？」

梅娘道：「我就先殺了你的女兒！」

上官嵩道：「這紫衣女娃兒還要不要命？」

紫衣少女突然插口說道：「不要緊，你決然殺我不死，不信你就試試！」

上官嵩奇道：「什麼？我殺不死你？」

紫衣少女道：「你手中有的是兵刃，不妨試試看呢！」

梅娘淒然說道：「姹兒，你發了瘋嗎？」

紫衣少女嬌聲笑道：「我不是好好的嘛！」

梅娘道：「生死大事，豈是兒戲？你怎可以讓他試呢？」

紫衣少女笑道：「他要是聽了我的話，一劍把我殺死，你們不是可以慢慢的擺佈他女兒了嗎？」

上官嵩聽得心頭一震道：「老夫是何等之人，豈肯上你這個丫頭的當！哼！他們如何整治我的女兒，我就如何對你！」

這幾句話問答之中，已充分流露出這個被人扣制著脈穴的姑娘的死亡，都足以使對方親人們肝腸痛碎。

但也說明了，只要梅娘不加害上官婉倩，上官嵩也決不致加害紫衣少女的性命。

王冠中沉吟了一陣，道：「上官堡主請再多考慮一下，最多你只有一擊的時間，一擊不中，就再無下手的機會了，但是我們有足夠的時間，從容不迫的擺佈你的女兒！凌剮碎割，而且還要讓你親眼看著！」

上官嵩目光掃了四周一眼，冷冷答道：「我手中這柄銀劍，有二十四斤之重，天下可用之劍，大概無出我這銀劍重量之右了，它伴我三十年江湖行蹤，從未有人在我銀劍擊中下，逃得性命……」

忽聽上官婉倩叫道：「姹兒，姹兒，快些過來！」

那紫衣少女回過臉去，說道：「你叫哪個？」

上官婉倩道：「叫你呀！你不是叫姹兒嗎？」

紫衣少女道：「誰告訴你的？」

上官婉倩回頭望了梅娘一眼，道：「這位老婆婆叫你，我聽到了，沒有人告訴我。」

紫衣少女舉步欲行，但手腕被上官嵩緊緊捏住，難以擺脫。

上官婉倩低沉淒涼地叫道：「爹爹放開她吧！」

上官嵩道：「放開了她，只怕咱們父女，今宵就難以逃得……」

上官婉倩歎道：「生死有命，爹爹不用放在心上，我求你放開她。」

上官嵩緩緩垂下銀劍，鬆開五指，道：「你走吧！」

紫衣少女活動了一下左腕，緩步向上官婉倩行去。

上官嵩銀劍一揮道：「你們現在已無顧忌，哪一個先和老夫動手？」搖揮一下手中銀劍，凝神而立。

那紅衣獨腿大漢一頓鐵拐，縱身欲上，卻被王冠中一橫兩儀尺攔住了去路，低聲喝道：「二弟不可莽撞出手。」

只見那紫衣少女走到上官婉倩身邊，牽著她一隻手，一同坐了下去。

梅娘微一猶豫，自行放開了上官婉倩的右腕。

上官婉倩目光投注在徐元平身上，說道：「他剛才又掙動了一下……」

紫衣少女接道：「你一定要救他嗎？」

上官婉倩點點頭，道：「他一直認爲我逼他服下毒藥，我要把他救活，告訴他我沒有對他用毒。」

紫衣少女歎道：「好吧！我答應你，但我一生從不願吃一點虧，我救了他，你要答應我一個條件。」

上官婉倩道：「什麼條件？」

紫衣少女道：「說來容易，做去難，只怕你難以信守。」

上官婉倩道：「只要我力能所及，無不答應。你不用賣關子，快些說吧！」

紫衣少女道：「我一生做事，從不願陷人絕境……」說話間，探手入懷，摸出一只羊脂般的玉瓶，接道：「這瓶中是我們南海門的腐心神丹，服下之後，七日之內，腐心劇毒，即將深入內臟……」

上官嵩只聽得虎目圓睜，怒聲喝道：「什麼？你要我女兒服用這等絕毒的藥物嗎？」

紫衣少女冷冷地接道：「我要是有心讓她服用，也不會對她說明了。如若我說這瓶中藥物，是我們南海門中靈丹，服用後，能夠延年益壽，增長內力，不知你信是不信？」

上官嵩輕輕咳了一聲，道：「這個，這個……自然是不信。」

紫衣少女道：「我說出了這瓶中是絕毒的腐心毒丹，如若你的女兒自願服用，自是不干我事。」

上官婉倩道：「你一直說下去吧！我倒要見識一下你用什麼方法，能讓我甘願服此毒丹。」

紫衣少女道：「事情很簡單，你要我救他性命，就得答應我一個條件，但我不願使你覺得太爲難，因此提出兩個難題，由你自己選擇一個……」

上官婉倩道：「第一個是要我服下腐心神丹了？不用再說啦！你說說另外一個吧！」

紫衣少女道：「另一個更簡單，只要你立下重誓，他的傷勢好了之後，你不和他說一句話，也不許幫他一件事，就成啦！」

上官嵩高聲接道：「這很容易，倩兒快答應吧！」

上官婉倩幽怨地望了老父一眼，輕輕歎息一聲，問道：「服下這腐心神丹之後，不知還能活多久？」

紫衣少女道：「不要緊，只要你能按時服用解藥，三、五年也死不了，但如不服解藥，七日內五臟六腑腐爛而死，我可以先給你三粒解藥，每日服用一粒。」

上官婉倩沉吟了一陣，道：「我就試試你們南海腐心神丹。」

紫衣少女嬌笑道：「那很好。」伸手取過玉瓶，打開瓶塞，倒出一粒綠色的丹丸，道：「你吃下去，我立刻就動手救他，一頓飯工夫之內，我可以使他復生。」

上官婉倩接著毒丹，兩滴熱淚滾下雙頰，幽幽說道：「爹爹，我知道這選擇將傷到爹爹之心，但望爹爹原諒你的不孝女兒了。」

上官嵩早已激動得全身抖動，顫聲說道：「孩子，你可是發了瘋麼？」

上官婉倩淡淡一笑，舉手把一粒腐心毒丹，投入口中。

紫衣少女道：「此丹絕毒，入口後就化成溶液，毒隨血行，侵入肺腑，你如妄想把它藏入口中，那可是自找苦吃……」

上官婉倩怒道：「你不必以小人之心度君子之腹，我早已嚥下去了，不信你瞧瞧看！」說完，果然自行張開了櫻口。

紫衣少女又探手入懷，摸出了一個碧玉瓶子，倒出來四粒白色的丹丸，說：「你倒是很守信用，這三粒解毒靈丹，你要好好收存著，十二個時辰後服用一粒，此後每隔一個月，再服一顆，三粒靈丹可保你三月無恙。」

上官嵩一顆心隨著女兒服用下的毒丹，直向下面沉去，過度的激動和傷痛，使他的手足癱軟，近在咫尺，竟然無法及時搶奪下女兒手中毒丹。

在他想來，上官婉倩不致任性到明知那丹藥絕毒無比，賭氣服用，卻未曾料到她竟然真的把一粒毒丹服下。

那紫衣少女似是也被上官婉倩服下毒丹的豪情所懾，輕輕歎息一聲，伏下身子，迅快地扶起徐元平左肩，低聲對上官婉倩道：「你快把你手中那白色的丹丸，給他服用一粒。」

上官婉倩依言施爲，捏開徐元平的牙關，把一粒白色丹丸，投入了徐元平的口中。

紫衣少女低聲說道：「聽我吩咐，推拿他身上穴道。」

上官婉倩瞪了那紫衣少女一眼，道：「有一天我總要把你斬死劍下！」

紫衣少女嬌脆的一笑，道：「此後歲月，你將嘗試到奇毒腐心之苦，自顧不暇，哪裡還會有時間記恨於我……」

她微微一頓，又道：「現在快推拿他項間『天窗』、『廉泉』二穴。」

上官婉倩依言，雙手各按二穴，開始推拿。

紫衣少女低聲說道：「每穴推拿十次，移到『缺盆』、『氣舍』二穴之上。」

那紫衣少女不停地口述，上官婉倩依言施爲，片刻之間，又連續推了徐元平「中府」、「神藏」、「步廊」、「大包」、「承滿」、「太乙」、「天樞」、「衝門」八處大穴。

上官嵩經過一陣調息，激動的心情，逐漸地平復下來，突然一上步，把手中二十四斤的銀劍，架在紫衣少女頸上。

上官婉倩低聲說道：「爹爹，別傷了她！」

紫衣少女頭也不轉地冷冷說道：「殺了我，你將親眼看到你女兒，身受那劇毒腐心之苦，七日夜呻吟不絕，聲聲斷腸……」

說完，突然舉起雙掌，重重地擊在徐元平前胸之上。

她這兩掌似是用力極猛，擊在徐元平前胸之後，徐元平突然睜開了雙目，挺身而起。

紫衣少女迅快地站了起來，舉步欲行。

上官嵩銀劍微一加力，硬把那紫衣少女舉步欲行的嬌軀，重又按坐在地上。

一個念頭，閃電般由上官嵩腦際掠過，暗暗忖道：此女嬌嫩的有如平常之人，只要我微一用力，她就似承受不住，難道她不會武功嗎？但她口述人身要穴，如數家珍一般，不像毫無武學基礎之人。

他在忖思之間，白髮蒼蒼的梅娘，卻悄無聲息地舉手按在上官婉倩的背心之上。

上官嵩目光一瞥，冷然說道：「你如傷了我女兒寸膚一髮，我立時把這女娃兒斬斃劍下。」

梅娘道：「我只要微一加力，即把你女兒心脈震得寸寸斷裂。」

上官嵩道：「她服用了劇毒之藥，難以活過三月……」

徐元平左手按在胸肋間的傷口之上，右手一探，撿起了地上的戮情劍，手腕一抖，疾向上官嵩右腕脈門點去。

他出手既快，上官嵩又在毫無防備之下，想也來不及想，本能地一鬆銀劍，避開右腕要穴。

徐元平原未存心傷他，右腕一抬，不容那銀劍落地，已把它踢飛起來。

但見銀芒一閃，長劍直向梅娘飛擊過去。

梅娘冷哼一聲，舉起手中竹杖啪的一聲，擊在那疾飛而來的銀劍之上，二十四斤重的銀劍，登時被擊得橫向一側飛去。

上官婉倩已覺出那按在後背「命門穴」上的手掌，蓄蘊著強大的暗勁，只要自己一掙動，勢必將啓動她的殺機，是以在梅娘掌勢未離開她命門穴前，不敢移動一步。

徐元平一擊之下，見梅娘仍未移開按在上官婉倩要穴的左掌，立時揮劍欺上，連出三招。

但見青芒閃閃，逼得梅娘連退兩步，左掌也被迫移離了上官婉倩的命門穴。

上官婉倩借勢一躍，飛落在父親身側。

梅娘厲笑一聲，喝道：「你要討死？」竹杖橫裡掃擊出去。

徐元平仰身疾退，躍開八尺。

他在重傷之後，全身存血放至將盡之時，雖有著精深的內功，體力仍極衰弱，剛才一鼓作氣，大振餘勇，救了二女，眼下二女脫險，振起的精神，隨之潰散，雙腳著地不穩，跌個仰面朝天。

梅娘舉起竹杖，放在他「玄機」要穴之上，滿臉憤怒殺機，但卻蓄勁不發。

她早已看出那紫衣少女對這位英拔不群，氣度豪硬的少年，有著一種恨欲置之死地，憐愛重於性命的奇怪感情。她不知一旦殺死此人之後，會給那紫衣少女如何一種刺激？她天賦的絕世才華，使任何人都無法預測她的感情變化。

只聽上官婉倩高聲叫道：「他重傷未復，體力衰弱，任何人在這一段時光中都可以把他殺死。你乘人之危殺了他，算不得什麼英雄。」

這時，王冠中和紅衣獨腿大漢，早已躍落到那紫衣少女的身側，分立左右相護。

只聽那紫衣少女清亮的嬌笑之聲，響蕩在耳際，接道：「梅娘，不要殺他，放他去吧！」

梅娘一提竹杖，緩步退開。

徐元平左手按住傷口，右手撐地坐起，撿起了戮情劍，目光環掃了四周一眼，緩步向前行去。

他沒有向誰道謝，臉上是一片冷寂的神色，既無惜戀，也無怨憤。

他漠視生死，也忍得下痛苦。

夜色中，只見他搖動的背影，逐漸地遠去。

誰都看得出來，他在用著全力掙扎而行，他有著無比的堅強，不願在任何人面前示弱，他也有著無比的寂寞，沒有一個人問他的傷勢如何，說幾句慰藉之言。

一陣強厲的山風吹來，飄起那紫衣少女蒙面的黑紗，但她卻渾如不覺。

王冠中迅快地伸出右手，接下她蒙面的黑紗，輕說道：「山夜風涼，師妹身體要緊，咱們早些回去吧！」

紫衣少女如夢初醒般，長長地吁一口氣，說道：「當真是一條硬漢……」一滴熱淚，滴在王冠中手背上。

王冠中如受重擊，全身一顫，低聲說道：「咱們該回去了。」

忽聽上官婉倩尖聲叫道：「等等我……」放腿向徐元平去路上疾追過去。

紫衣少女急急叫道：「他走不遠，快站住，我有話說！」

梅娘應聲出手，竹杖一橫，攔住了上官婉倩的去路。

上官婉倩心急如焚，一見竹杖攔路，立時橫向一側躍去。

但梅娘身法何等迅快，哪還容她繞過竹杖，當下右手暗運內力，硬把上官婉倩向前行進的嬌軀拉後數尺，冷冷說道：「我如存心殺你，這一擊已把你立斃杖下了。」

只聽那紫衣少女柔聲說道：「上官姑娘，等一等，我有話要對你說。」

上官婉倩回頭怒道：「什麼話說？」

紫衣少女緩步走了過來，低聲問道：「你追他幹什麼呢？他身上餘毒未清，活不過多久時光了，你要給他送葬嗎？」

上官婉倩道：「你這人毒如蛇蠍，不要你管！」

紫衣少女道：「不錯，我要把他擺佈得求生不能，求死不成，讓他多受幾年折磨，因此，還不能讓他就這樣死去，這裡有一個藥方，你帶著去吧！」

上官婉倩道：「什麼藥方？」

紫衣少女道：「一面清除他身上餘毒，一面卻讓另一類慢的毒性，逐漸侵入他的肌膚之中……」

上官婉倩接道：「哼！這有什麼用呢？」

紫衣少女笑道：「這叫做前門逐虎，後門引狼……」

上官婉倩道：「我不要聽啦！」轉身欲去。

紫衣少女突然提高了聲音，道：「我這藥方雖然暗蘊奇毒，但那藥性緩慢，兩、三年後，才能發作，如他不服此藥，身上劇毒餘力，三日內可要他的性命，兩害相權取其輕，還是服我的藥好。」

上官婉倩怔了一怔，暗道：是啊，藥雖含毒，但可延長他的性命，何況那藥性發作要兩、三年後呢？在這段時日中，盡可遍尋天下名醫求治……

只聽那紫衣少女笑道：「你不用多費心機了，你只不過有三個月可活，你毒發身死在他之前，如若妄想他求醫療治，豈不是替人作嫁？」

上官婉倩怒聲接道：「你說的什麼話？我聽不懂。」

紫衣少女笑道：「鬼谷二嬌，和他日久相處，情愫早生，你如千辛萬苦的幫他求訪名醫，療好毒傷，但自己卻難過三月大限，這又何苦呢？」

上官婉倩道：「我不明白，你爲什麼要這樣恨他，他確實是一位誠厚的君子，滔滔人世，他這樣的人，絕無僅有，唉！我過去也和你一般的恨他，有過之而無不及，日日夜夜我都在想著如何能把他傷在劍下，如何當著天下英雄之面，把他羞辱一場……」

紫衣少女搖手阻止再說下去，探手從懷中取出一方白色絹帕，輕聲說道：「你可有畫眉黛筆，借我用用？」

上官婉倩道：「我從不描眉塗粉，哪來黛筆？」

紫衣少女緩步走近那餘燼未熄的野火旁邊，伸手取過一枝尙未燃完的枯枝，隨手在那白絹上寫下藥方，交給上官婉倩說道：「我已把話說得很清楚，信不信在你了。」

上官婉倩不自主地接過絹帕，抬頭看去，只見爹爹正和那施用兩儀尺的大漢，打得難解難分，不禁一顰秀眉。

紫衣少女急急說道：「你爹爹如脫開身，定然不讓你相陪著一個餘毒未清，命在旦夕的人結伴而行，必將全力阻止於你，趁此機會，快些去吧……」

上官婉倩道：「你們人多，我爹爹武功再高，也不是你們的敵手。」

紫衣少女笑道：「單是梅娘一人，你爹爹也打她不過，你該明白我這話，並非危言聳聽，你只管放心的跟他走吧！我保證決不讓你爹爹受到毫髮之傷……」

上官婉倩忽然流下淚來，說道：「我和爹爹一別，只怕今生今世，再無見面之日。」

紫衣少女道：「看你的面相，決不是早夭之人，也許你們能訪得名醫，援手相助，解去你們身上之毒，縱然事與願違，也不妨事，反正你還有近百日的時光好活，等他傷勢好了之後，你再回甘南上官堡，見你爹爹一面，也不會遲，你去之後，我會告訴你爹爹，不讓他追尋你的行蹤，要他早回上官堡去等你。」

她的聲音柔和無比，可是字字句句，都使人有著凜然不安的感覺，但又無話可駁，只覺除了照她吩咐去做之外，別無良策。

上官婉倩長長吁一口氣，道：「我劍下殺死之人，已然難計其數，不知爲什麼不能殺你……」

紫衣少女道：「這其中道理博深，一言難盡。你一直沒有殺我的機會，雖然你只要舉手之勞；但在那舉手之前，你的心志，已然被我征服控制……」

說至此處，突然向後退了兩步，雙手捧著前胸，接道：「快些去吧！他體力未復，萬一跌入了山澗之中，勢必被摔個粉身碎骨不可。」

上官婉倩舉手抹去臉上淚痕，道：「我爹爹的安危有勞你了。如若我三月後還能不死，定當補報此番情意。」

紫衣少女笑道：「天有不測風雲，人有旦夕禍福，誰知道咱們這次分手後，日後還能不能相見？他已經去遠了，你快些去吧！」

上官婉倩長長歎息一聲，欲言又止，轉身直向徐元平去路追了上去。

紫衣少女望著她背影去遠，放聲大笑一陣，緩步走了回來，高聲說道：「大師兄快停下手，我有話要說。」

王冠中兩儀尺急施一招「暴雨梨花」，兩儀尺化成一片光影，逼得上官嵩向後退了兩步，借勢一躍，橫出五尺。

## 三二　粉黛風雲

上官嵩和王冠中動手之時，覺著對方兵刃似有著一股極強的吸力，自己劍招上很多精奧的變化，都無法施展出來，心中大感驚愕，但又不便出言追問，力搏了二、三十個照面之後，漸覺不支，只覺手中兵刃運用之上，漸感沉重。

王冠中已操勝算當兒，忽然一躍而退，上官嵩一面運氣調息，兩道目光，卻凝注在王冠中手中兵刃上。

只聽那紫衣少女高聲道：「上官堡主，你和我大師兄動手幾十招了，定已知今日之戰，凶多吉少！」

上官嵩冷冷答道：「未分出勝敗之前，很難說鹿死誰手。」

紫衣少女道：「如果我們用兩人合攻你一個，你自信能擋得幾招？」

上官嵩道：「這個，很難說了。」

紫衣少女道：「你還有自知之明。」

上官嵩怒聲說道：「大丈夫可殺不可辱，我上官嵩是何等人？豈肯束手就縛？」

紫衣少女道：「沒有人要你束手就縛，令嫒臨行之際，再三懇求於我，不讓我傷害於

你。」

上官嵩道：「我女兒巾幗女傑，豈肯出言求人，老夫不信！」

紫衣少女道：「在平常之時，她是不會，但眼下情形不同。」

上官嵩道：「什麼不同？」

紫衣少女道：「她已服下了我們南海門中絕毒之藥，三月後，必然無救。人之將死，大都將消去爭勝之心，她要我轉告你，不要你去追尋她的行蹤，三個月內，她自然會回到甘南上官堡去。要你替她準備好一副棺木，她要很安靜地死在自己的家中。」

上官嵩怔了一怔，道：「這話當真嗎？」

紫衣少女道：「我已答應了她，不傷害你，你快些走吧……」

上官嵩微一猶豫，轉身向前走去。

紫衣少女高聲說道：「目下此地是非正多，你不用去找你女兒了，早些回去。如若你被事耽誤，歸去遲了，見不到你女兒最後一面，那可是終身大憾了！」

上官嵩放聲大叫道：「倩兒，倩兒！」

放腿向前奔去，聲如雷鳴，直衝霄漢，深夜之中，這聲音更顯得悲壯淒涼，空谷回音，滿山谷都是呼叫倩兒的回音。

紫衣少女忽然歎息一聲，低聲對梅娘等說道：「咱們走吧！」

梅娘微微一怔，道：「孩子，你不是要殺那姓徐的麼？爲什麼又放他去啦！」

紫衣少女道：「殺了他只不過一刀一劍之苦有什麼好，我要慢慢的折磨他，讓他受盡了活罪再死。」

梅娘緩步走了過來，低聲說道：「中原武林道上，殺機騰騰，浩劫將至，數十年來養精蓄銳的武林高手，即將展開互相殘殺，咱們留在這裡，難免要被牽入這場是非之中，不如早回南海去吧！」

紫衣少女搖搖頭道：「我不要回去啦！」

梅娘道：「你不想你爹爹嗎？」

紫衣少女道：「爹爹學博天人，他自有排遣之法，不用我承歡膝下。」

梅娘道：「南海景物，世無其匹，那拖舟巨鯨，奇花仙草，樣樣都非中原可見之物。你就一點也不懷念嗎？」

紫衣少女道：「我不懷念，我要挑起中原武林間的仇恨，看南七北六一十三省的武林高手精英，相互殘殺濺血。」

梅娘道：「唉！你如肯早年學習武功，現在也可以和他們一較身手了。」

紫衣少女道：「我如學成武功，只怕早已死在別人手中了。」

梅娘道：「你不學武功，那也罷了。從小就抱住書本不放，把身體糟蹋得弱不禁風，你這樣的身體如何能經得長途跋涉，終日勞碌？孩子，聽我一句話吧！咱們還是早些回南海去！」

紫衣少女道：「我這樣一副樣子，見了我爹爹之後，定要大傷他心，那就不如死在外面的好。」

王冠中道：「師父胸羅萬有，也許能療治好你的……」

紫衣少女嬌聲喝道：「不要再說下去了！我不要聽，我要讓中原武林人物自相殺伐得兩敗俱傷，才能出了心中一口怨氣……」

她微微一頓之後，又道：「你們如願幫我完成這個心願，那是正好不過，如不願助我，儘管請走。」

梅娘道：「孩子，你怎麼能講這樣的話呢！你如執意不回南海，我也不回去了。」

王冠中道：「師妹執意要留在中原，小兄等自將盡力保護……」

紫衣少女突然放聲一陣大笑後，沉默不響，半晌之後，才接道：「你們答應了，就永不要再提轉回南海的事……」她忽的長歎一聲，接道：「咱們走吧！」轉過身子，緩步向前走去。

在場的人，都覺著她言不由衷，但誰也無法猜想到此刻她心中想的什麼？

梅娘輕輕一頓竹杖，當先隨在那紫衣少女身後，向前行去，王冠中和那紅衣獨腿大漢及駝、矮二叟魚貫相隨，漫步向前走去。

除了腳步著地的沙沙之聲，伴著那輕嘯的山風之外，再聽不到一點聲息。那紫衣少女臉上的幽苦，使所有的人都失去了歡樂。

且說上官婉倩急步奔行，片刻之後，已追上了步履踉蹌的徐元平。他的體力，顯然已無法支持，他行進的雙腿，舉步之間，有如負著萬斤，搖顫不穩。

但他卻有著無比的堅強，雖然已筋疲力盡，但卻不肯坐下來休息一下。

上官婉倩很想追上去扶他一把，但另一個心念，卻閃電般從腦際掠過，心中暗暗忖道：

他此刻正以全身所有的潛力，和受傷的身軀搏鬥，自己如若趕去扶他，說不定將會激起他的憤怒。

她放慢了腳步，緩緩而行，相隨在他的身後。

這是一道傾斜的山坡，坡間生長著矮松叢草。

徐元平重重地喘息著，不時用左手抓著矮松叢草，借力攀登。終於，被他爬上了峰頂。

只聽他長長吁一口氣，緩緩坐了下去，放下手中的戮情劍，倒在一株矮松下。

山峰下傳來了上官嵩呼喚倩兒的聲音，字字如鐵錘一般敲打在上官婉倩的心上。她的心劇烈地跳動，淚水像是泉水般奪眶而出。

她緊咬著牙關，一語不發，回眸望望倒臥在矮松下的徐元平，奔了過去，低聲說道：「你已經用盡了所有的氣力，不要再倔強啦！讓我扶你走吧！」

她一連說了數聲，徐元平一直不聞不問，連眼皮也未睜動一下。

伸手摸去，只覺他呼吸若斷若續，手臂僵硬，人已暈了過去。

呼叫倩兒的聲音，逐漸遠去，漸不可聞。

上官婉倩舉起手中的絹帕擦拭一下淚痕，一陣幽香撲入鼻中，心中忽然一動，想起了這絹帕上，還寫著療治徐元平傷勢的藥方，趕忙停了下來。

打開看去，只見兩個字跡，已被淚水浸濕而有些模糊不清。

她無暇仔細查看，匆匆收起絹帕，抱起了徐元平，望著他蒼白的臉色，自言自語地說道：

「死了吧！死了可以少受多少折磨……」

忽然覺著懷抱中的徐元平，掙動了一下，一啓雙目，重又閉起。
上官婉倩低下頭去，俯在他前胸之上，聽了一陣，只覺他心臟還在不停地跳動，腳尖一抬，挑起了戮情劍，握在手中，放腿向前奔去。
一口氣翻越過兩處山巔，到一處避風的所在。
這是三山對峙的山坳，方圓不過三、四丈大小，生滿著青草。
上官婉倩找了一處柔軟的草地，放下了徐元平，拂拭一下臉上的汗水，坐在他的身側，仰臉望著升起的旭日，呆呆地出神。
她無法決定行止，面對這樣一位奄奄將斃的重傷之人，更有些六神無主。
這位從小被父母嬌寵長大，生性躁急的姑娘，呆坐了一陣之後，突然挺身而起，拔出背上長劍，投在草地上，恨恨地說道：「我要是從小不練武，讀些治病療傷的醫書，現在不是可以救他了嗎？」
忽然腦際靈光一閃，想起那紫衣少女相贈白色解毒丸來，暗暗忖道：他剛才服用的藥丸，和那丫頭給我的續命解毒丹丸，同由一個瓶中倒了出來，自然是一種藥了，爲什麼不可以給他再服一粒呢？
心念一轉，立時從懷中摸出丹丸。
山谷中透射過一縷晨陽的光芒，照在兩粒白色的丹丸上，每一粒丹丸都和她本身有著莫大的關係，徐元平服下一粒，她即將付出一個月的生存代價。

面臨著這種極端的衝突，上官婉倩亦不禁黯然一歎，像是爲自己減少一月的生命惋惜……她緩緩捏起一粒丹丸，投入了徐元平的口中。

這丹丸不知是何藥配成，確有著驚人的奇效，徐元平服用靈丹，不過片刻時光，突然挺身坐了起來。

他望望肋間的傷口，緩緩把目光移注到上官婉倩的臉上，冷冷地問道：「這是什麼地方？」

徐元平的倔強神情，反而使躁急的上官婉倩，變得溫柔起來。她理一下飄浮在鬢邊的散髮，笑道：「我也不知，這是個幽靜的山坳，沒有名字。」

徐元平目光轉動，打量了一下四周的山勢，說道：「我要死在山峰上，誰把我送到此地了？」

他還有清晰的記憶。

上官婉倩道：「你暈在山峰上，我把你抱到此地，那裡山風太大……」她幽幽一歎，接道：「我就跟在你身後，看到你帶著重傷爬登山坡，我想去扶你，又怕你生氣。」

徐元平目光忽然移注到上官婉倩身旁的戮情劍，說道：「把寶劍給我。」

上官婉倩依言取過寶劍，遞了過去。

徐元平接過了戮情劍，晃了兩晃，日光耀射之下，閃爍著奪目的寒光，上官婉倩輕輕歎息一聲道：「果然是一柄絕世無雙的利器。」

徐元平緩緩放下戮情劍說道：「江湖上傳說此劍最不吉利，看來是不錯了。」

上官婉倩忽然想起那紫衣少女相贈藥方之事，微微一笑，道：「那紫衣丫頭在我臨行之際，用絹帕寫了一張藥方，她說你身上餘毒未清，要你照方服用，以清餘毒……」話到此處，突然住口不說下去。

徐元平輕輕嗯了一聲，回目望了那戮情劍一眼，道：「承蒙相助，無物奉贈，此劍雖是少林之物，但恐怕我已無法帶走它了。與其讓它遺落這大山之中，倒不如送給姑娘了。」

上官婉倩輕顰黛眉說道：「那紫衣丫頭說，你如不照絹帕上藥方服用，只怕難以活過一夜。」

徐元平淡淡一笑道：「我肋間劍傷，可是那紫衣姑娘刺的嗎？」

兩人你言我語，完全格格不入，答非所問。

上官婉倩道：「這等荒野所在，買藥不易，咱們早些上路，找個市鎮……」

徐元平搖搖頭道：「姑娘的盛情在下心領了，我要去了！」緩緩站起身來，搖搖擺擺地向前走去。

上官婉倩一躍而起，攔住去路，正容說道：「你要到哪裡去？」

徐元平道：「不用你管。」突然振奮餘力，沿著山谷放腿而奔，眨眼之間，轉過了兩個山彎不見。

上官婉倩呆呆地望著他消失的背影，心中泛現出一種被羞辱的感覺，一跺腳恨聲說道：「哼！不知好歹，去死吧！」伏身撿起了戮情劍，信步向徐元平的去向走去。

徐元平一口氣跑出了三、四里路，忽然覺出餘力用盡，兩腿一軟，栽倒地上。

但他的神志，仍然清醒，長長吸一口氣，又掙扎爬了起來，仰臉望著無際的藍天，落下來兩滴淚水。

他用冷傲掩遮住了脆弱，但卻無法掩沒去心靈的寂寞，他用無比的堅毅忍耐，在人前裝出豪強，但無人時，卻忍不住心中的悲傷。

他不願受人憐憫，也不願受人因憐憫賜與的幫助，他用痛苦和死亡，把自己裝扮成一個英雄，但卻無能充實心靈因孤寂而成的空虛，英雄的心，是這樣寂寞……

一陣沉重的腳步聲，遙遙地傳了過來，徐元平警覺地滾入一片草叢之中。

他想死得默默無聞，讓屍體和草木同朽。

但聞那步履聲愈來愈近，一個十六、七歲的童子，揹負著一個年邁的老翁，緩步走了過來。

崎嶇的山道，使那童子不勝負荷之感，他一面不停地揮拭著頭上的汗水，一面重重地喘息著。

背上的老翁，似有著很沉重的病勢，緊緊地閉著雙目，日光照射著他滿臉堆疊的皺紋，看他的年齡，至少在花甲以上了。

那童子似是已走得筋疲力盡，緩緩放下背上的老人，叫道：「爺爺，咱們休息一會兒再走吧！」

那老人發出一聲沉重的歎息，夢囈般地說道：「孩子，苦了你啦！我這樣老了，也該死

啦，但我不看到你討過媳婦，搬入我爲你們建築的新居中去，死也難以瞑目，我還得再活幾年，看到你討過媳婦再死……」

徐元平聽得心中一動，暗想道：這老人的心願，多麼的平凡，只願看到他的幼孫，娶個媳婦，然後才能死得瞑目，我卻身負著血海深仇，以及對那恩賜如山的慧空大師許下的心願，一件也未完成，能就這樣無聲無息的死去嗎？

一念動心，生死大事，又開始在他腦際中盤旋不息，他重新考慮自己是否就這樣死去……人生自古誰無死，留取丹心照汗青。他默誦著這一句批判生死的名言，忖道：我在人世上留下了什麼？

他開始懷疑自己，這種大無畏的做法，究竟是英雄的本色，還是畏懼未來的艱苦。生與死兩個極端的觀念，開始在他腦際中展開了劇烈的衝突、激盪。

一陣山風，吹過來一縷幽香，凝目望去，只見上官婉倩悄無聲息地站在那老翁的身側。她右手拿著戮情劍，背上卻揹負著一個空著的劍鞘，長髮散亂，一副無精打彩的神態。她望了那老人一眼，回頭對那童子說道：「小兄弟，他是你什麼人？」

那童子道：「是我爺爺。」

上官婉倩道：「他病得很重嗎？」

那童子忽然流下淚來，說道：「我爺爺病了三個月啦，山那邊有一位很好的看病先生，可是他出去啦，昨天才回來。」

上官婉倩雙目中忽然閃動著喜悅的光芒，說道：「你看到過一個受傷的少年嗎？」

那童子搖搖頭，道：「沒有，我揹著爺爺去看病，走的近路，這條路很少人走。」

上官婉倩忽然探手入懷，摸出了一塊金錠，交到那童子手中，說道：「這錠黃金，做你祖父療病之需，快些告訴我，那看病先生在什麼地方？」

那童子有生以來，從未見過這樣多的黃金，顫抖地伸出手，接了過來，說道：「那看病先生就住在山嶺北邊。」

上官婉倩道：「那地方沒有名字麼？」

那童子道：「有是有，但我已記不起來了，不過那地方很好找，就在這嶺下面，有一座山石砌成的房子，孤孤零零的，別無人家。」他緩緩伸過手，說道：「這一塊黃金定然值很多錢，你還是收回去吧。」

上官婉倩道：「你收著吧！我亦要找病人去！」說完，放腿向前奔去。

那童子聽得甚是奇怪，衝口叫道：「姑娘要找病人？」

上官婉倩身法迅快，人已跑出去了兩、三丈遠，聽得那童子呼叫之言，突然轉過身來，目光到處，瞥見一人，倒臥在草叢之中。

她停身之處，剛好對著草叢的一片空隙，如非那童子呼叫，決然不會見到那草叢之中有人。

她無暇答那童子之言，縱身直向草叢之中奔去。

只見徐元平圓睜著雙目，依草而坐。

上官婉倩怔了一怔，櫻唇啓動，欲言又止。

原來她想問徐元平，要不要她幫助，話到口邊，忽然想到此人倔強無比，一言錯出，又可能激起他強烈的反應，趕忙又把欲待出口之言，重又嚥了回去。

他眨動了兩下眼睛，說道：「你要找我……」

上官婉倩緩緩伸出手來，盈盈一笑，道：「有一個看病的醫生，就住在這座山下邊，我揹你去瞧瞧好嗎？」

徐元平垂下頭去，默然不語，蒼白的臉上，忽然泛升起一層淡淡的紅雲。

上官婉倩微咬櫻唇一笑，道：「你害羞嗎？」

徐元平尷尬地一笑，仍是默然不語。

上官婉倩看他羞赧的神態，忽然覺著自己又長大了甚多，正容說道：「快伏在我的背上，我揹你去找那看病先生。」

徐元平長長歎息一聲，道：「你待我這樣好，真叫我不知如何報答才好。」

上官婉倩擺出大姐姐的派頭，說道：「我高興這樣做，誰要你報答了？」揹起了徐元平急奔而去。

翻越過一座山嶺，果然看到了一座青石砌成的房子，四周竹籬環繞，孤零零地突立在一片空闊的草坪上，顯明異常，只要到了這一片草原上，任何人一眼之間，都可以看到那座石屋。

上官婉倩放步而行，片刻間已到石屋前面，只見籬門緊閉，不見人蹤。

她側耳聽了一陣，高聲叫道：「先生在嗎？」

石室中傳出來一個蒼老的聲音，道：「什麼人？」
上官婉倩道：「看病的！」
那蒼老的聲音，重又傳了出來，道：「自己進來吧！」
上官婉倩輕輕一推，籬門大開，緩步走進去。
一塊黑色的木匾，橫在門上，寫著「喪廬」兩個白色大字。
上官婉倩啐了一口，暗暗罵道：「怎麼起了這樣一個既難聽、又不吉利的名字？」
她微一猶豫，終於向前走去。
兩扇灰白色松木門，緊緊地關閉著，僅有的一扇窗子，也被一片黑布遮去。
上官婉倩暗暗忖道：這哪裡像是看病的地方，看來倒像一處恐怖的墳墓，荒涼的山野，孤獨的石屋，白門竹籬，黑布掩窗……
只聽那蒼老的聲音，重又傳了出來，道：「兩扇門沒有加閂，你自己推門進來吧！」
上官婉倩左腿一抬，點在門上，呀然一聲，木門大開。
抬頭看去，只見一個白髮、白鬚的老翁，盤膝坐在石地上，兩道特長的白眉，垂遮了雙目，無法看出他雙目是睜是閉。
徐元平擔心上官婉倩出言傷害了那老人，趕忙低聲說道：「這老人神態怪異，孤零零的住在這等荒野的所在，決非平常之人，咱們要忍耐一些。」
上官婉倩正想開口喝問，聽得徐元平一說，立時微微一笑，溫柔地說道：「老伯伯，只有你一個人住在這裡嗎？」

那老人道：「我這般老醜，自然是不會有女娃兒陪我住在這裡了。」

上官婉倩心中大怒，秀眉一顰，正待發作，忽覺後背之上，被人輕輕點了一指。

她聰明絕頂，立時警覺到徐元平在暗中指點於她，當下勉強把胸中一股忿怒之氣，忍了下去，一指背上的徐元平道：「我們聽說老伯伯精通醫術，善治疑難雜症，特來求醫。」

那老人淡淡一笑，道：「他是你的什麼人？是哥哥，還是丈夫？」

上官婉倩略一沉吟，道：「老伯伯，你猜的都不對，他是我的兄弟。」

徐元平望了上官婉倩一眼，默默不語。

上官婉倩嫣然一笑，道：「我兄弟先中了劇毒，又受了很重的內傷，老伯伯快給他看看吧。」

那老人緩緩舉起手來，說道：「把他的左腕拿過來給我瞧瞧。」

上官婉倩拿過了徐元平的左腕，遞了過去。

那老人右手五指搭在徐元平的左腕之上，低下頭去，過了有一刻工夫之久，才緩緩抬起頭來，說道：「他傷得實在很重，但脈象仍然十分暢和，似是被一種極強的藥力托著。」

上官婉倩聽得心頭一震，暗暗忖道：這老人單依片刻把脈的時間，竟然能探出他服用了靈丹，診斷果然高明。

當下說道：「老伯伯說得不錯，他是服用了一種靈藥。」

那老人輕輕歎息一聲，道：「再把他右腕拿過來給我瞧瞧吧！」

上官婉倩依言送過去徐元平的右腕。

那老人手指一和徐元平右手相觸，立時一皺眉頭，又一聲長長歎息。

上官婉倩已對面前的老人，生出了很大的信服，靜靜地坐在一側，看他把完了徐元平的右腕脈門，緩緩放開了徐元平的右手，立時急急問道：「老伯伯，可有法子救他嗎？」

那老人突然一睜兩跟，神光暴射而出，搖搖頭道：「老朽毫無把握。」

上官婉倩只覺他雙目大得出奇，要比常人大上一倍，他猛一睜眼，不禁嚇了一跳，呆了一呆，才回憶出那老人言中之意，不禁心中一涼，急急接道：「怎麼他的傷勢，沒法子救了？」

那老人道：「老朽覺著無法療治的病勢，大概世間很少有人能夠救得，你替他準備後事吧！他大概活不過七天了。」

上官婉倩急得熱淚滾滾而下，淒然說道：「老伯伯請再想想，有沒有法子救他了？」

那老人搖頭說道：「沒有法子。」答得斬釘截鐵，毫無商量餘地。

上官婉倩突然覺著一股憤怒之氣，直衝而上，欲待揹起徐元平走去，忽然想到那紫衣少女開的藥方，探手入懷，摸出絹帕，遞了過去，說道：「你既精通醫理，請看看我這個藥方，到底有沒有用？」

那老人冷冷地看了上官婉倩一眼，不屑地接過絹帕，怒道：「我不信當今之世，還有比老夫更好的療傷藥方！」

上官婉倩冷笑一聲，道：「你先瞧瞧再說不遲。」

那老人隨手展開絹帕，目光一和絹帕相觸，立時全神貫注。

看完之後，放下絹帕，長長歎一口氣，道：「想不到當今之世，竟然還有這等通達醫理的人。」

上官婉倩聽得心中一喜，笑道：「這藥方有沒有用？」

那老人緩緩把目光凝注在徐元平的臉上，道：「孩子，你過來讓我瞧瞧。」

徐元平微微一笑，雙手撐地，緩緩地移動到那老人眼前。

那老人道：「你張開嘴巴來，給我瞧瞧。」

徐元平依言張開嘴巴，那老人慢慢伸出枯瘦的手指，捏在徐元平的人中穴上，仔細地瞧了一陣，道：「你中了很深的毒。」

上官婉倩接道：「不錯，他肋骨的傷痕，就是爲了放他身上的毒血。」

那老人道：「服用之毒，還是外傷之毒？」

徐元平望了上官婉倩一眼，欲言又止。

上官婉倩輕輕歎息一聲，道：「你心中還在懷疑我嗎？唉……」

徐元平淡淡一笑，接道：「除了你讓我服下的藥物之外，我再也想不出如何會中了毒。」

上官婉倩道：「鬼王谷之人，最善用毒，你和他們動手時，手腳可曾和他們相觸過麼？」

徐元平心中一動，舉起左臂，凝目望去。

只聽那老人說道：「不錯了，就在這裡。」

上官婉倩仔細看去，只見徐元平左手背上，有著一道極淡的紫色痕跡。

那老人突然抬起頭來，望著上官婉倩，道：「老夫生平之中，素以精通醫理自負，想不到臨老之際，見到了這張藥方，那個開藥方的人現在何處？快帶我去見見他！」

上官婉倩道：「唉！老伯伯，救人如救火，你先救他，然後再去找那寫這藥方之人不遲。」

那老人漠然一笑，道：「這藥方雖然好，可惜上面一種藥物，被水潤濕，看不清楚了。」

上官婉倩微微一怔，探頭望去，果見那絹帕之上，濕了一塊，字跡已被水濕透，模糊不清。

那老人抬頭望望上官婉倩說道：「這人開了藥方，字字奇筆，除了像老夫這等精通醫理之人，可以看出他行筆下藥獨到才華之外，這藥方縱然流傳世間，也是無人敢用。」

上官婉倩臉色蒼白地說道：「老伯伯既是如此通達醫理，想來定能猜出那被水濕透的藥物了？」

那老人忽然一閉雙目，歎道：「絹帕光潤，那濕去字跡，已然毫無跡象可尋，只有憑藉老夫的才智去猜想了。」

上官婉倩道：「不知要好多時間，才可以想得出來？」

那老人道：「最快也要一十二個時辰……」

他忽然長歎一口氣，道：「我可能想出和那藥方調和的藥物，但未能和他用藥一般，如由老夫猜測，倒不如去找那原開藥方之人，請他補上好了。」

上官婉倩暗暗忖道：眼下那紫衣少女已不知行蹤何處，要到哪裡找她？

只見徐元平微微一笑，道：「生死有命，上官姑娘，你不用為我擔心。」

上官婉倩無限痛惜地說道：「那藥單的一種藥物，被我拂拭臉上的淚痕之時洗去……」

徐元平不容她再說下去，接口說道：「這藥方可是那紫衣少女開給你的嗎？」

上官婉倩點點頭，道：「是呀！時間迫急，眼下又不知她去向何處，我們要到哪裡去找？」

徐元平笑道：「不用找她，那人心地毒辣，開的藥方，定然另有作用。她不是想救我，只不過想用藥力，托著我一口元氣不散，讓我多受一些活罪罷了。」

上官婉倩道：「她曾告訴我這藥中有毒，但卻能夠挽救你多活幾年。」

徐元平雙目微微眨動了一下，道：「老前輩，可否把那藥方拿給晚輩瞧瞧？」

那老人猶豫了一下，終於把絹帕遞了過去，說道：「行醫之道，可分為順逆兩種，這藥方上所開的藥物，無一不是足以致命的毒物，但數毒調和之後，卻又產生出中和的藥性……」

說話之間，徐元平已接過了那老人手中的絹帕。

只見他雙目閃動，冷冷一笑，突然奮起餘力，把那絹帕撕得片片碎裂。

上官婉倩驚叫一聲，急急奔了過去。

徐元平挺身而起，疾快地向後退了一步，抖手一插，把握在掌中的碎絹，撒在門外。

上官婉倩兩道清澈的目光，掃了滿空飄飛的碎絹一眼，黯然說道：「你這樣是何用心？」

徐元平微微一笑，道：「姑娘的盛情，我心領了……」

忽聽那長眉老人大喝一聲，呼的一掌，直向徐元平劈了過來。

上官婉倩右手疾揮，擋了那老人一掌，說道：「老伯伯，你瘋了嗎？」

那老人掌力強猛，上官婉倩接實一擊，竟然被震得向後退了一步。

徐元平目光一掃那長眉老人，說道：「老前輩可是爲晚輩撕去藥方震怒嗎？」他心中一直深留著慧空大師被囚幽室的形貌，對年長的老人，一直存了崇仰之心。

那老人被徐元平一言道破震怒之因，反而有些不好意思，略一沉吟，道：「那張藥方，珍貴無比，老夫應該留下以濟世人，被你撕去，豈不可惜？」

上官婉倩接了那老人一掌之後，已感覺出對方武功非同凡響，橫身擋在徐元平的身前，接道：「老伯伯，那藥方可是你開的嗎？」

長眉老人怔了一怔，道：「雖非老夫開的，但老夫卻不許別人毀去。」

上官婉倩道：「藥方是我所有，縱然毀去，也是與你毫無干係，你這般出手就打，未免有些欺人過甚了……」

徐元平低聲接道：「不要多講了，咱們走吧！」

上官婉倩回眸一笑，道：「好吧，反正咱們都已活不了多久啦！我要件件事都依著你。」

徐元平道：「什麼？」

上官婉倩道：「我也服用了那紫衣少女的毒藥！」

徐元平臉色一變，雙目中閃動著忿怒的光芒，道：「這個賤婢，當真是心如蛇蠍……」

上官婉倩道：「不能怪她，是我自願服用，她說得很清楚……」她嫣然一笑，接道：「還是讓我揹著你走吧！」

徐元平咬牙切齒接道：「可惜我不能活了……」

上官婉倩笑道：「如果還能活著，要怎麼樣？」

徐元平道：「我要把她劈死掌下，免得留她在世上害人！」

上官婉倩笑道：「走！我們去找一處景物幽美的地方等死吧！」

徐元平豪氣盡消地一聲長歎，伏在上官婉倩的背上。

上官婉倩揹上徐元平，緩緩向前走去。

只聽那長眉老人高聲喝道：「站住！」

這一聲呼喝震人耳鼓，但上官婉倩卻有如未聞，也不向這長眉老人望上一眼。

長眉老人沉聲道：「年紀輕輕，便要等死，真教老夫見之生厭，難道你身中之毒，當真是普天之下無藥可救嗎？」

徐元平心中一動，霍然張開眼來，輕聲道：「站住！」

這一聲呼喝幾至輕不可聞，但上官婉倩立刻頓住腳步，徐元平道：「回去！」

上官婉倩呆了一呆，垂下眼瞼，忽然幽幽歎息了一聲，緩緩轉過身子。

徐元平也忍不住歎息了一聲，輕輕拍了拍她的肩頭，道：「你問問這位前輩，可有為你療毒之藥？」

上官婉倩霍然轉回了頭，無限幽怨地瞧了徐元平一眼，道：「你真的不要我死嗎？」

這一句本應充滿著感激和欣喜的言語，她說來卻充滿了幽怨和悲哀。

長眉老人目光一掃，望了這一雙多情的少年男女一眼，眼中不禁泛出一絲憐憫與同情之意，但口中卻哈哈笑道：「老夫若是沒有解毒之藥，我自己便不知死過多少次了。」

上官婉倩秋波凝注，默不作聲，她此刻有求死之意，而無貪生之念。別人若是要救她性

命，她反會對此人心生怨恨，此刻但覺一股怒氣，湧上心頭，木立了半晌，忽然大喝道：「別人的生死與你何關，要你多管什麼閒事？」

說話之時，她掌中已暗暗扣了一把追魂奪命、見血封喉的毒針，正待揚手揮出，將這長眉老人置之死地，但她心念方動，手掌未揚，忽然下意識地瞧了徐元平一眼，手掌又下意識地緩緩垂下。

掌中的銀針，隨著一連串「叮噹」輕響，一齊落在地上。

長眉老人淡淡一笑，他似乎已將人世間所有的情感都瞭解得那麼深刻，是以他僅是淡淡一笑，淡淡問道：「假如他不死的話，你還有如此決心求死嗎？」

上官婉倩本該著惱，但有一種不可抑止的感情，使得她脫口而出：「真的嗎？」

長眉老人目光一掠徐元平，突地沉聲問道：「你想不想死？」

徐元平雙手一鬆，無可奈何地躺到地上，上官婉倩急扭回身，只見徐元平茫然地望望屋頂，一字一頓地說道：「我想死嗎？」

長眉老人仰天大笑起來，半晌之後才收住笑聲說道：「想不到『情感』一事，竟真有如此魔力，能教人將生死之事，都不放在心上。」

這幾句話，真似一把鋒利的劍，刺入了兩人心中，徐元平回眸望了上官婉倩一眼，只見她臉上泛起了一層淡淡的紅雲。

任何一個少女，一旦被人揭露心中的隱秘，都將本能地以羞赧掩飾心中的喜悅或憤怒。

長眉老人忽然把投注壁上的目光，移到上官婉倩的臉上，說道：「女娃兒，你過來，我有話問你。」

上官婉倩回首朝徐元平嫣然一笑，慢步走了過去。

她笑得很奇怪，和那輕顰的秀眉極不配合，沒有人知道她笑得是歡愉，還是愁苦。

一綹散亂的長髮，垂在鬢下，她習慣地舉手理一下散髮，停在那人身前。

長眉老人沉聲說道：「你走近點，老夫有事和你商量。」

上官婉倩轉過頭去，問道：「什麼事？」

長眉老人道：「你當真要救他嗎？」

上官婉倩點頭答道：「自然是當真了。」

長眉老人正容說道：「女娃兒，你們兩人之中，老夫只能救活一個……」他冷峻的目光一掃徐元平道：「但你們兩個人都和老夫無親無故，我對你們兩個，全無好惡愛憎，要救哪一個？實叫老夫難以決定。」

上官婉倩道：「救他。」這兩個字，答得斬釘截鐵，毫無半點牽強、猶豫。

長眉老人肅然說道：「你雖然選擇了死亡，但在你未死之前，仍將付出巨大的代價。」

上官婉倩道：「要我怎麼樣？」

長眉老人目光投注在徐元平的臉上，道：「你附耳過來。」

上官婉倩雙眉一顰，沉吟一陣，終於附耳過去。

那長眉老人目光一直投注在徐元平的臉上，似是根本不知道上官婉倩已把那張勻紅的嫩臉移送過去。

徐元平體力似已不支，緩緩地坐了下去。

上官婉倩低聲說道：「老前輩有什麼吩咐？快些請說。」

那長眉老人啊了一聲，右手食中二指一併，迅如電光石火一般，點了過去。

上官婉倩驟不及防，被他突然一擊，點中暈穴，啊喲一聲，倒栽地上。

徐元平雙目一瞪，霍然而起，厲聲喝道：「你要幹什麼？」

長眉老人陰森森的一笑，道：「你傷勢甚重，已無能走出我的『喪廬』……」

徐元平大喝一聲，全力劈出一掌。

長眉老人冷笑一聲，道：「不知死活的娃兒。」右掌一揮，硬接一擊。

兩股掌力接實，徐元平忽然倒退了三步，一屁股坐在地上。

上官婉倩穴道雖然被點，但神志並未暈迷，急急地說道：「不要傷他！」

那長眉老人雙掌一按實地，盤坐原姿不動地飛了過去，落在徐元平的身側，右手揮動，連點了他三處穴道，然後輕輕一掌，擊在他天靈要穴之上。

徐元平長吁一口氣，霍然睜開了雙目，道：「在下敬你是老人，心中極是尊敬，想不到你竟然是這樣一個卑……」

長眉老人縱聲大笑，打斷了徐元平未完之言，接道：「老夫已數十年未和人動手了，想不到今天會和你們兩個男女娃兒，試了兩招。」

徐元平道：「你施用詭計求勝，算什麼英雄人物？」

長眉老人笑道：「你現在該明白老薑要比嫩薑辣了吧！」

徐元平冷哼一聲，罵道：「如若在下不是身受重傷，今日非要教訓你這老鬼一頓不可。」

長眉老人臉色一整，冷冷說道：「老夫一生之中，從未遇上過無法療治之病，除非那人已油盡燈枯，必死無救，凡是經過老夫診治的病人，只有兩條路可走，一條是還回健康，一條是死亡之途……」

他長長歎一口氣，道：「你們兩人雖然身中劇毒，但看去生機充沛，毫無死亡之徵兆……」

徐元平道：「你既無解救我們中毒之能，怎的又看出我們生機充沛？」

長眉老人道：「老夫憑一生看病的經驗，豈會信口開河，個中微妙之機，縱然說給你聽，你也不會懂的……」他微微一笑，又道：「老夫自信如能有足夠的時間，甚有希望解除你們身受之毒……」

上官婉倩道：「要等你想出解毒之法，只怕我們早已毒發而死了。」

長眉老人笑道：「老夫在你們等待期中，自有穩定你們身上毒性不致發作的辦法。」

上官婉倩道：「不知我們要等到幾時？」

長眉老人沉吟了一陣，道：「七天吧！你們在我這『喪廬』之中等待七天。七天之後，如若老夫仍然想不出為你們療治之法，再解開你們穴道，送你們離去。」

上官婉倩道：「你這『喪廬』二字倒是名副其實，凡是進了此門之人，能夠再活著回去，只怕是難有幾個。」

長眉老人道：「老夫自有保你們不發作之能。」

上官婉倩道：「毒雖未發，可是我人卻要活活餓死了。」

長眉老人笑道：「天生萬物以養人，豈有被活活餓斃之理，老夫立刻帶你們到我藥房中去，盡七日七夜的工夫，替你們療毒。」

上官婉倩道：「你那藥房距此有多少路程？」

長眉老人突然泛現出歡愉之色，笑道：「就在『喪廬』之後，老夫要讓你們見識一下，遍天之下的奇藥異草……」

上官婉倩接道：「鬼話連篇。」

長眉老人毫無慍意地笑道：「天下多的是名山勝水，風景幽美之處，而老夫卻選擇這等荒涼的所在自非無因。」

上官婉倩冷哼一聲，閉上雙目道：「誰要聽你的鬼話了。」

長眉老人微一笑道：「老夫如不帶你們去瞧瞧，諒你們也不會相信……」

只聽一個童子的聲音傳了進來，道：「先生在家嗎？」

上官婉倩忽然想起路上所遇的童子，倏然睜開雙目，道：「有人找你看病了！」

長眉老人微一沉忖，低聲說道：「你們閉著雙目，不要睜開……」提高了聲音接道：「什麼人？進來吧！」

上官婉倩微啓雙目望去，只見一個童子，滿頭大汗地揹著一個老人，走了進來。

那童子目光一掠徐元平和上官婉倩，臉上微現訝然之色，但卻一語未發地走了過去。

長眉老人診過了病人脈搏之後，說道：「他病得很重，元氣大傷，我只能延續他三年的壽

命。」突舉雙手，互擊三掌。

只聽呀然一聲，石室一角，突然裂現一座石門，一個滿身金毛的猩猩，手中捧著一個白木盤子，搖搖擺擺地走近那長眉老人身前。木盤中放著文房四寶，和一疊厚厚的白箋。

長眉老人就盤而書，走筆如飛，寫好之後，拍了拍那金猩猩，舉手一指石門。金猩猩又搖搖擺擺地走回石門之中，片刻之後，提著一大一小兩包藥物，走了出來。

長眉老人接過藥物，對那童子道：「這大包的藥用水煎吃，服過三日，再開始吃這小包中的丸藥，這包丸藥合共千粒，每日一粒，可使延壽三年，丸藥服完，就開始替他準備後事，你記下沒有？」

那童子應道：「記下了。」望了上官婉倩一眼，道：「先生，那位姑娘是好人……」他似是自知無力勸服那長眉老人，話說一半，突然轉身大步而去。

上官婉倩望著那童子逐漸消失的背影，冷哼一聲，說道：「你怎能武斷那老人，只能再活三年了？」

長眉老人不再理會上官婉倩，緩緩站起身子，直向壁角走去。

上官婉倩望著徐元平說道：「唉！這老人衣著古怪，舉動詭秘，只怕不是好人，咱們現在穴道受制，求生不能，求死不成，只有忍受他的擺佈了。」

徐元平道：「如若我沒有中毒，就有自解穴道之能，但現下卻無能爲力了。」

上官婉倩用力掙了一下，想滾到徐元平的身側，但她穴道受制，半身經脈麻痺，雖然用盡了全身氣力，但卻無法移動身軀。

她絕望地歎息一聲，流下了兩行淚水，說道：「完啦！」

只聽呀然一聲，那壁角暗門，又呀然大開，兩頭金毛猩猩，先後地走了出來，四隻怪目，一齊投注在上官婉倩的身上，同時向上官婉倩奔去。

這兩個看來異常笨拙之物，但奔行起來，卻十分迅快，幾乎是一齊到了上官婉倩的身側，四隻毛茸茸的怪手，同時向上官婉倩抓去。

左面一隻低嘯一聲，身軀一側，把右面一頭擠得向旁邊橫跨兩步，搶過上官婉倩，咧嘴一笑，反身而奔。右面一隻，似是無可奈何，緩步走近徐元平，懶洋洋地伸出兩隻毛茸茸的怪手，抱起了徐元平，向那大開暗門中走去。

這兩人雖身負絕世武功，但因穴道受制，竟然連兩頭金毛猩猩也無法對付。

只聽一聲呼叫平兒的聲音，遙遙地飄傳過來，那聲音極是沙啞，似是已在這連綿大山中，呼叫了甚久時間，但徐元平仍然能從那沙啞的餘音中，分辨出那是金老二的聲音。

但覺眼前一暗，人已進入了壁角的暗門之中。

徐元平歎息一聲，盡力使自己的心情平靜下來，運氣調息，希望能憑自解穴道之法，拚盡餘力，解開受制的穴道。他無法判定那長眉老人的用心何在，亦爲自己的生死安危擔心，他憂慮上官婉倩受到了什麼羞辱，準備耗盡殘餘的元氣，爲她的安危一拚。

爲上官婉倩，他有雙重愧疚，如非她爲了相救自己，決不會到這恐怖的地方，如非她聽信自己崇敬老人的話，當不致被那老人暗施詭計點中穴道……這深深的自責自譴，激起了他強烈

的拚命之心，一面排除心中雜念，一面按照《達摩易筋經》文中運息的心法，調培真氣。

那猩猩雖經那長眉老人長期教養甚有靈性，但牠的天賦智能，究竟不能和人相比，自是無法覺出徐元平已在暗中調培真氣，通解受制脈穴。

只聽那長眉老人的聲音，響起在耳際，道：「你們究竟是什麼身分，同住在一室之中，方不方便？」

徐元平睜眼望去，只見景物大異，一股濃重的藥物氣息，直撲入鼻。

一座三間大小的房子，並放著兩張單人的木榻，除了木榻之外，堆滿了各類各型的盒子、罐子，和一捆捆的藥草。

有四盆從未見過的藥草，被放在靠窗處一條木凳上，兩盆盛開著白色的小花，兩盆結滿朱色的果實。

徐元平正待開口答覆，上官婉倩已搶先說著：「我們是姐弟身分。」

那長眉老人凝目沉思了片刻，說道：「姐弟身分，同居一室，大不方便，那就把你們分開住吧！」

上官婉倩急道：「我們從小就在一起，有什麼不方便的？」

那長眉老人望了兩隻猩猩一眼，指指木榻。

兩隻猩猩緩步走了過去，把兩人放在榻上，搖搖擺擺地退了出去。

那長眉老人滿臉歡愉之色，笑道：「老夫自隱居此地之後，從無人進過我的藥室，你們別小看了我這一室藥草，幾乎耗去我一生精力，走遍了大江南北，白山黑水……」他舉手指著窗

下兩盆結著朱果的花草，接道：「那兩盆朱果，不論色彩和形狀，都給人一種悅目的感覺，可是它卻是草藥中三種最毒的藥物之一，色艷果甜，食用起來，甚是可口，可是口中餘甜未盡，人已中毒死去。」

他回目望了兩人一眼，興致勃勃地接了下去，道：「愛講話的女娃兒，你猜猜那開著白花的藥草，是否有毒？」

上官婉倩道：「朱果有毒，那白花自然是無毒之花了？」

長眉老人搖著頭，說道：「果是有毒果，花是有毒花……」

上官婉倩冷哼了一聲，道：「你這滿屋藥草盡都是有毒之物，只怕你也是有毒的人了！」

長眉老人怔了一怔：「這一下倒被你猜中了！」

上官婉倩吃了一驚，忖道：只聽過有毒之物，還未聽說過有毒之人。心中雖然疑竇叢生，但口中卻冷冷接道：「那有什麼稀奇，當今武林之中，擅用毒物之人，多得不勝枚舉，千毒谷中之人，雖是三尺之童，亦會用毒，鬼王谷雖以『迷魂藥物』馳譽江湖，但對用毒方面，亦有獨特之技，鬼王丁高滿身上下無處不毒……」

長眉老人搖頭接道：「他們不過是善於用毒而已，至多把毒粉、毒汁隱藏於衣履之上，自己事先還要服用下解毒藥物，縱然是練成了奇毒武功，身上之毒，也不過限於一指一臂，不似老夫這等全身各處無處不毒，不論心肝肺腑，血液經脈，都和劇毒融合，如饑食毒糕，渴飲毒汁……」

上官婉倩怒聲喝道：「不要說啦，我不要聽你胡說八道。」

長眉老人臉色一整，肅然說道：「老夫年已古稀，還能和你這年紀輕輕的女娃兒打誑不成，難道你要老夫立誓才能相信不成？」

上官婉倩略一沉思，道：「你五腑六臟，血液經脈，都已有毒汁滲入，爲什麼還不死呢？」

長眉老人笑道：「問得好，老夫如非食毒養命，早已骨化黃土了！」

上官婉倩看他談興甚高，心中忽然一動，說道：「老伯伯，你點了我的穴道，咱們談話甚不方便，可不可以把我的穴道解開，咱們好好的談話？」

長眉老人沉吟了片刻，道：「你如妄想逃走，那可是自找苦吃。」

上官婉倩道：「我已爲老伯伯的談興引起了興趣，你就是要我走，我也是不會走了。」

長眉老人面上泛現出歡愉之色。

上官婉倩看他心中已經有些意動，爲自己解開穴道，但卻遲遲不肯動手，趕忙接口說道：「老伯伯今年幾歲了？」

長眉老人笑道：「記不清楚了，大約在八十以上啦！」

說話之間，人卻對上官婉倩走了過去，揮動右手拍活她被點的穴道。

上官婉倩暗中運氣，覺得真氣暢通無阻，才突然挺身坐了起來。

長眉老人目注上官婉倩冷然一笑，道：「女娃兒，我看你眼珠亂轉，可是想逃走嗎？」

他微微一歎，接道：「我這一生之中，可稱得孤獨一世，遠離人群，獨居這荒涼的深山之中……」

上官婉倩目光投注在徐元平的身上，看他閉目而臥，似已睡熟過去，心中大爲擔憂，霍然一躍下榻。

長眉老人道：「不要動他，讓他好好休息一下。」

上官婉倩緩緩把目光投注到那老人臉上，道：「你用詭計騙我，點中了我的穴道，我用詭計騙你，又讓你解開了我的穴道，咱們誰也沒有吃虧。」

長眉老人道：「不是老夫危言聳聽，留此接受老夫醫療，還有幾分生存之望，離開此地必死無疑。」

上官婉倩道：「你自己滿身是毒，還能替別人療毒……」

長眉老人道：「用藥一道，學問深博，老夫借劇毒保身養命活到年登古稀，豈不是最好的證明……」他微微一頓又道：「適才老夫看你那身懷藥單之人，亦是無藥不毒……」

上官婉倩道：「縱然能延年益壽，但卻落個滿身是毒，那還不如死了的好。」

徐元平突然睜開雙目，說道：「老前輩看我的傷勢，可能醫好麼？」

長眉老人道：「好、壞均等，各佔一半機會。」

徐元平長長歎一口氣，道：「不論你用什麼法子，只要能使我多活幾年就行。」

上官婉倩聽得心頭大感奇怪，暗暗忖道：他本是視死如歸的硬漢，突然間變得這等軟弱起來，貪生畏死……

徐元平似是已從上官婉倩的目光之中，看出了她心中的疑惑，微微一笑，接道：「我還有很多事沒有做完，死將抱憾九泉，我該多活幾年再死。」

上官婉倩黯然一笑，道：「望皇天祐你能長命百歲。」

徐元平只覺她既似出自真誠，又似有意諷刺，苦笑一下，說道：「一個人滿懷著未完的心願，如何能夠安心的死去，這道理我也是剛剛想通……」

他素不善言，只覺心中想到之事，無法形諸於口舌之間，言未盡意地淡淡一笑，望著那長眉老人說道：「不論你用的什麼劇毒，把我弄成一個什麼樣難看的人，那都無關宏旨，最重要的，是我要保持著武功，不能失去。」

長眉老人肅然說道：「碌碌世人，只知道毒能害人，卻不知物極必反，水能熄火，火亦可沸水，這其間的道理，全在能否知其秘訣。老夫天生缺憾，夭壽之因，由生俱來，和你們這後天中毒所傷，大不相同，自不能相提並論……」

徐元平似是為這老人之言，引起強烈的好奇之心，低聲說道：「這倒是聞所未聞之事，只聽說毒物足以致命，還未聞毒物可以養人。」

長眉老人道：「老夫就是最好的一個例子，人生短短數十年之歲月，晃眼而過，所謂積勞成疾，只不過是某部分的機能損傷過重，影響所及，所有的機能，全都為之癱瘓停止，這就是死亡的奧秘。」

徐元平點點頭道：「老前輩言之有理。」

長眉老人淡淡一笑，接道：「行藥之道旨在能使那停息癱瘓的人體機能，早日恢復功能，可憐世人，大都只知其果，不明其理。」

徐元平讚道：「晚輩常常想到生老病死之事，只覺個中道理，甚是費解，得蒙一言，使晚輩茅塞頓開。」

長眉老人忽然急行兩步，拍活了徐元平的穴道，笑道：「孺子可教，你要比那女娃兒可愛得多了。」

他說得眉飛色舞，顯然，他內心之中，確有著無比的快樂。

上官婉倩微微一笑，道：「毒老人，你全身無處不毒，手臂口舌之間，定然也都是滿蘊劇毒，你和我們說話，揮手揚指的扣拂我們穴道，定然把你身上的劇毒，也傳給我們了！」

長眉老人笑道：「一個人的生命之中，潛藏著無與倫比的強大之能，如果把這潛能完全發揮出來，足可與天地同參，所謂功參造化，並非無稽之談，短短數十年的人生旅程，沒有人把一生的潛能完全發揮出來，老夫以畢生精力，鑽研醫學，探求生命奧秘，垂七十寒暑，一年前才發覺人的生命中藏著強大的能量……」，他重重地咳了一聲，仰臉望著屋頂，接道：「說來你們也許不信，老夫從未習過武功，但我的一舉手一投足，絲毫不比學過武功之人遜色……」

上官婉倩接道：「你說得一點不錯，這話真是叫人無法不相信……」

徐元平搖搖手，阻止上官婉倩打岔，接道：「你不要擾亂了老前輩的思緒。」他已從慧空傳授《達摩易筋經》學到了甚多秘奧的武功，啓發了他的靈智，使他覺著這老人之言，甚有道理。

上官婉倩大眼眨了兩眨，微笑不語，心中卻暗暗忖道：好吧！你竟被這老頭嚇唬住了。

只聽那長眉老人接道：「如若因一種極毒之藥，刺激生命中的潛能，使他發揮出來，不但能延年益壽，而且武功、內功，也將隨著生命潛能的發揮，大爲增長。」

上官婉倩暗暗罵道：哼！癡人說夢，連篇鬼話。

徐元平閉目想了片刻，高聲說道：「不錯，有道理！」

上官婉倩驚愕道：「你這樣容易受騙嗎？我幼小生長在武林世家，見聞不可謂不廣，只聽人說過毒能害人，卻從未聽說過毒能養命，你別聽他唬你了……」她伸出纖纖玉指，指著那長眉老人接道：「你看他這副形象，骨瘦如柴，手似鳥爪，蓬髮長眉，形似鬼怪，哪裡像懂得醫道之人？」

徐元平心知她個性倔強無比，如若再硬行阻止她，可能激起她更爲強烈的反感，此時此地，只有婉言相勸，當下舉手一招，低聲說道：「過來。」

上官婉倩嬌美的粉頰上，閃掠過一抹會心的微笑，溫柔地走了過去，旁依在徐元平身側而立。

徐元平微微一笑，接道：「這位老前輩，集一生的精力，探求生命中存在的奧秘，又以他本身的生死做爲體驗，自非空穴來風的事。他的話，咱們雖不一定去信，但應該很用心聽聽。」

上官婉倩點點頭，回眸望著那老人笑道：「老伯伯，你慢慢的說，我不再打岔了。」

長眉老人望著兩人並立的神情，呆了一呆，道：「好一對可愛的孩子。」

上官婉倩偷偷地瞄了瞄徐元平，緩緩地偎在他左肩之上。

長眉老人目光投在窗下的白花朱果上，接道：「我原想強迫你們接受我的療治，現在我決定不勉強你們了。我要說服你們，讓你們自願接受我的療治。」他重重地咳了一聲，接道：

「我確未習過武功，但我常服用刺激人身發揮潛能的毒液，因此，我有著大異常人的氣力，我熟習人身脈穴，出手認穴自是極準。不識老夫之人，誰也不知我不會武功了。」

徐元平道：「老前輩既然親自體驗，絕非欺人之談，晚輩極願一試。」

長眉老人沉思了片刻，道：「我服用毒糕、毒汁，由少而多，進勢極慢，你卻從未服用過此等之物，如若驟然服用，數量必極微小。但你身受之毒，發作在即，如不大量服用，只恐甚難收效。但數量加多，老夫又毫無把握，這一點老夫不得不先予說明。」

徐元平回顧了上官婉倩一眼，道：「事已至此，我也只好冒險一試了，與其坐以待斃，倒不如冒死求生。」

上官婉倩輕輕地一顰黛眉，道：「老伯伯，你再想想有沒有別的法子？」

長眉老人背起雙手，來回地走了半晌，說道：「法子只有一個，生機可望大增，但是老夫卻無絕對的把握。」

徐元平道：「什麼？」

長眉老人肅然說道：「換血……」

上官婉倩吃了一驚，道：「換血？」

長眉老人道：「不錯，換血，把老夫身上這有毒之血，輸入他的體內，先使他血液含毒，再服用大量毒汁，生機當增長甚多。」

上官婉倩搖搖頭，道：「這些事駭人聽聞，我從未聽說過。」

長眉老人道：「除此之外，別無善策。」

徐元平卻斬釘截鐵地說道：「只要不使我武功喪失，晚輩甚願一試。」

長眉老人歎道：「對我而言，這是個很危險的辦法，老夫或將因失血而死……」

徐元平愕然道：「這個晚輩還未想到，既有如此之險，那就不必試了……」

長眉老人忽然滿臉堅決地說道：「留我這老朽之命，倒不如成全於你……」

忽聽砰然一聲巨震，打斷了那老人之言。

緊接著傳來了一陣吱吱怪叫。

長眉老人臉色一變，道：「什麼人敢擅闖『喪廬』，傷我猩猩？」

上官婉倩嬌軀一挺，低聲對徐元平道：「你坐著別動，我和他出去瞧瞧。」

只聽一個呼叫「平兒」的沙啞聲音，雜混入那猩猩怪叫聲中，傳了進來。

徐元平神情激動，霍然而起，接道：「來人是我的叔父，兩位且慢出去，讓我想想，要不要見他？」

上官婉倩橫跨一步，擋住了長眉老人。

只聽一聲接一聲隆隆巨震，混著那呼叫「平兒」的沙啞之聲，不停地傳了進來，顯然金老二心頭急躁之下，不知用什麼東西，猛擊那「喪廬」石牆。

長眉老人怒聲喝道：「女娃兒，快閃開去，我那猩猩恐已被來人打死了！」舉手一揮，橫裡發出。

上官婉倩知他全身上下，無處不毒，不敢用手封架，嬌軀橫移，閃避開去，飛起一腳，疾向他右膝踢去。

徐元平突然長長歎一口氣，道：「你們不要打啦！咱們一起出去見他。」

上官婉倩收住攻勢，笑道：「對不住啦！老伯伯。」

長眉老人哼一聲，大步向前走去。上官婉倩、徐元平魚貫隨在他身後而行。

長眉老人伸手一按機簧，石牆緩緩向外推出，只聽一聲暴喝自石牆外傳來，道：「你們把我的平兒藏到哪裡去了？」

喝聲之中，充滿焦急與關切之情，顯見字字俱是發自肺腑。

徐元平只覺心頭一陣熱血上湧，一步搶在長眉老人身前，走出石牆，他此刻真力已大是不濟，急行兩步，已是氣喘咻咻。

抬目望去，只見金老二已箭步掠來，急聲道：「平兒，你怎樣了？有什麼人傷害了你嗎？」

如此真摯的愛護之情，有如利劍般筆直刺入徐元平心裡。

一時之間，他只覺心頭堵塞，熱淚盈眶，顫聲道：「金……叔叔，我……我想不到今生今世還能看得到你！」

金老二亦是滿眶熱淚，輕輕拍著徐元平的肩頭，道：「傻孩子，怎麼能說這樣的話，你只要吃下這包藥，馬上就會好的！」

徐元平目光轉動，只見金老二身上衣衫已破碎一片，面頰之上也似有輕微的傷痕，顯見他方才與那猩猩惡鬥甚劇。但是他僅有的手掌之中，卻仍緊握著那一包爲徐元平去配的解毒之藥，他甚至寧願自己失去性命，也不願將這包藥失去。

當徐元平目光轉到這一包「解毒之藥」的時候，這正直而善良的少年心中，又不禁澎湃起一陣情感的浪潮，既覺自疚、又覺感激。

他垂下目光，只見金老二足邊，正倒著那隻猙獰的猩猩，薄暮時分輕淡的陽光，照映得牠全身金光閃閃，但卻也使牠金毛間的血光更加觸目。

長眉老人滿面痛惜之情，正在檢視著這隻猩猩身上的傷勢，竟比他檢視人類傷勢時，還要仔細三分。

金老二目光卻始終凝注著徐元平，緩續道：「平兒，你可知道我方才是多麼的焦急，直到我看到你安然無恙，我才放下心來……」忽然仰天長笑起來。

笑聲未住，突聽身側一人冷冷道：「你笑什麼？」

語聲森冷澈骨，教人聽了之後，莫名所以地會生出一種寒意。

金老二回首望去，只見一個枯瘦如柴，長眉垂目的老人，滿面帶著一股肅殺之意，站在他身側，一雙冰冷森寒的目光，眨也不眨地盯在他身上。

# 三三　千毒谷主

在江湖中闖蕩數十年的金老二，可謂閱人多矣，但直到此刻爲止，他卻未曾見過這樣的人物。

四目相觸，他不禁爲之一愕，佛然道：「我笑我自覺可笑之事，閣下這般相問，不覺著是多管閒事嗎？」

長眉老人冷冷一笑，道：「你可知道你此刻是在什麼地方麼？」

金老二下意識地四望一眼，道：「我……我在……」乾咳兩聲，不再言語。

長眉老人冷冷接道：「老夫不管什麼人，但只要踏入我這『喪廬』一步，不但身體行動，要受老夫轄制，便是性命亦被老夫操在掌中。」

金老二濃眉一揚，突地仰天狂笑道：「好威風呀！好威風！好煞氣！但我金某聽來卻當真可笑得很！」

長眉老人陰惻惻地道：「當真有這般可笑嗎？」

金老二道：「不錯，金某走南闖北，至今數十年之久，但……」

語聲未了，突見長眉老人雙掌一拍，那看來已是氣息奄奄的猩猩，竟隨著他這一掌，驀地

自地上一躍而起。

徐元平、金老二、上官婉倩，心頭俱是一驚，他們方才眼見這猩猩已是傷重難支，再也想不到牠在一剎之間，竟能有如生龍活虎般一躍而起。

徐元平暗吃一驚，忖道：這老人之醫道，看來竟有起死人而活白骨之能，他在這剎那之間，便將這猩猩重傷治癒，我若非眼見，豈能相信？

思忖之間，只見長眉老人手掌緩緩抬起，向金老二輕輕一指。

這一指，既無由真力而激發的銳風，亦無含蘊後勁的顯示，金老二卻身不由己地向後退了一步。

抬頭一望，只見那滿身血液猶未全乾的猩猩，雙臂斜舉，十指箕張，一雙眼睛，似已凸出眶外，瞬也不瞬地望著自己，緩緩走來。

方才他雖然也曾與這猩猩交手，但此刻，卻突然發覺這猩猩不但在目光中帶著一種前所未有的煞意，便是牠每一個輕微的動作中，也似乎潛伏著一種滿充殺機的凶氣。

數十年來在江湖中闖蕩的歷練與勇氣，在這剎那之間，竟全都自他身上消失。這是一種不可解釋的情況，他竟又身不自主地向後退了一步，那猩猩腳步卻變得更急。

一勇必有一怯，一智必有一愚，一冷必有一熱，一兇必有一弱，這本是人間的至理，但勇怯、智愚、冷熱、兇弱之間的距離，卻又教人難以判別。這就是武林道上時常可能發現的微妙心理。

長眉老人面容木然，眼神彷彿沒有望在任何一個人身上，但任何一個人，任何一絲輕微的

動作，卻都沒有逃過他眼裡。

只見徐元平先是面帶驚詫，瞬即神色大變，到了那猩猩的腳步距離金老二已不及兩尺，徐元平突地大喝一聲：「站住！」身形微動，閃電地向那猩猩掠去。

不但這一聲大喝宛如晴空霹靂，絲毫不似身中重傷之人所能發出，他身形之快，更是令人目力難以企及。

他似乎已拚盡全身僅有的真力，甚至已透支了一些他生命中可能永生都不會動用的潛力。

只見一條人影飛到猩猩身旁，然後接連著便是驚天動地的大吼，那猩猩一連退出六、七步之多，橫身跌到地上。

誰也沒有想到此時此刻的徐元平，蘊含有如此驚人的力道，俱都駭然地望向徐元平，只見他亦是身軀木立，有如木樁一般釘在地上，然後漸漸搖晃，竟也橫身跌在地上。

金老二大喝一聲，和身撲了上去，惶聲叫道：「平兒……平兒……」

那猩猩低吼一聲，霍然站起，上官婉倩柳眉一揚，疾向這猩猩掠去。

那長眉老人卻仍是面色木然，呆呆地望著那猩猩的腳步，似乎對一切事都早有成竹在胸，又似乎對一切事都不放在心上。

哪知上官婉倩身形方自掠到猩猩身前兩步之處，突地凌空一翻，退了回來。

但見她纖手一揚，寒光乍現，已將那柄震動武林的戮情劍持在手中，面向那長眉老人冷冷道：「你這猩猩雖有剛鐵之軀，但牠能擋得住這戮情劍的鋒芒嗎？」

長眉老人木然地圓睜著一雙眼睛，忽然眨動了兩下，冷峻的臉上，也泛現出一股慈和之氣，突然舉起雙手，互擊三掌。

那仆而復起的猩猩，突地轉過身子，猙獰的雙目，轉投注那長眉老人的身上，緩步走了過去，一副窮凶極惡神態，直似要擇人而噬。

上官婉倩心底裡忽然泛起一股複雜的感想，只怕這「喪廬」之中，潛蘊著甚多人生的奧秘，一切都顯得那樣反常，荒涼的山野中，堅牢的石室裡，人和獸都充滿肅殺和冷酷，但這些又無法完全掩遮人性中潛在的那些慈和。

沒有人能夠評斷這老人的善惡，他不求聞達於世，隱居這荒涼的山野中，窮畢生精力研究人生的奧秘，忍受了這孤獨的寂寞，埋葬了寶貴青春，兩頭猩猩，一室毒草、毒花，相伴他度過了漫長的歲月，也許無數的求醫之人，受著他調製的毒藥之害，但有一個沒法否認的事實，他卻爲他們延續了生命……

這些複雜的情感，疾快地由她腦際閃過，也就不過是刹那的時間，一種人性本能的善良，使她不自主地叫道：「老伯伯，快退開去。」縱身而上，鋒芒驚世的戮情劍，直指向那猩猩的背心。

長眉老人尖厲地叫道：「不要傷害了牠。」突然舉手一掌，拍在那猩猩的頭頂之上。

上官婉倩迅快地停下了手，但戮情劍仍然指在那猩猩的後背上。

長眉老人兩道眼神，一直盯注在那猩猩的臉上，他肌肉顫動，似是暗中用了甚大的氣力。

只見那猩猩猙獰的面目，逐漸地隱去，緩緩閉上雙目，倒臥在地上。

長眉老人緊隨那倒摔在地上的猩猩，蹲了下去，放聲大哭起來。

他哭得十分傷心，鬚髮俱顫，淚水如泉，聲如怒吼，滿室盡都是迴盪的大哭之聲。

這樣年邁蒼蒼的老人，哭得又這等傷心，激起了上官婉倩不自禁地憐憫之情。

她緩步走了過去，蹲在地上，說道：「老伯伯不要哭了……」

她心中很想勸這老人幾句，但卻不知從何說起，說了一句，倏然而住。

那老人似是已哭得神智不清，對上官婉倩之言，恍如未聞，仍然號啕大哭不止。

回頭望去，只見金老二獨臂伸展，抱起了徐元平，正欲藉機離去。

上官婉倩大聲喝道：「站住！」

金老二回過身來望了上官婉倩一眼，突然縱身一躍，人已到了門口。

上官婉倩霍然而起，高聲說道：「你帶他離開此地，無疑是要絕他生機。」

金老二已踢開木門，準備離去，聽得上官婉倩喝叫之言，突然又停了下來，道：「這話當真嗎？」望了懷抱中的徐元平一眼，只見他臉色蒼白，奄奄一息，但感心頭一沉，又緩步走了回來。

上官婉倩道：「這等重大之事，難道我還和你開玩笑嗎？」

金老二雖然大半生在江湖之上闖蕩，歷經了無數的劫變，目睹過無數的慘劇，但那些人人事事，都沒有激起過他深切的關心。徐元平的生死，在他的心目中太重要了，事不關心，關心則亂，飽經滄桑的金老二，也有些亂了方寸。

上官婉倩緩步迎了上去，淒涼地說道：「老前輩，他是你的什麼人？你這般關心於他？」

金老二道：「他是我義兄之子……」

淒涼的往事，陡然回集到金老二的心頭，他長歎一口氣，道：「我們南嶽三傑，只餘我一個還苟延殘喘活在人世，但也落得了殘廢之身，皇天見憐，得保大哥的骨肉，洗雪仇冤，揚名武林，完全在此子身上了，他如毒傷難救，我也是難以獨活人世……」

上官婉倩淒涼一笑，道：「我不知他的出身來歷，但他的武功，卻使我傾心異常，上天造就了他這樣一株武林奇葩，決不會讓他就這般平凡的萎枯而死……」她言未盡意，但卻倏而住口。

只聽那長眉老人的哭聲，愈來愈是淒涼，似是這一哭，發洩出了他一生孤獨寂寞，有如江河堤潰，不可遏止。

生性暴急，動輒殺人的上官婉倩，似是被這淒涼的哭聲，觸動她心底裡潛伏的女性溫婉和同情，兩隻又大又圓的眼中，不停地滴著熱淚。

上官婉倩舉手拭一下臉上淚痕，緩步地走到長眉老人身前，探手從懷中摸出來一方白色絹帕，輕柔地拭去那老人臉上的淚痕，說道：「老伯伯，不要哭了。」

長眉老人回過臉來，望了上官婉倩一眼，止住哭聲，凝目思索片刻，突然放聲大笑起來。

上官婉倩長長歎一口氣，道：「老伯伯，你這一把年紀了，怎麼喜怒起來，還是和小孩子一般模樣呢？」

長眉老人沉吟了一陣，肅然說道：「老夫生平之中，從未遇到這等歡樂之事……」他激動的心情，逐漸地平復下來，目光一瞥金老二和上官婉倩道：「孩子們，跟我來！」

金老二怔了一怔，道：「你叫哪個？」

長眉老人道：「叫你啊！如若老夫早年成家，只怕兒子年歲，比你還要大了！」

金老二看他眉毛，髮鬚，盡都已成了灰白之色，果是比自己老邁甚多，強自忍下一口氣，抱起了徐元平，走了過去。

長眉老人抱起倒在地上的猩猩，推開壁角暗門，大步向前走去。

上官婉倩低聲說道：「這老人一生孤苦，養成了一種僻怪之性，咱們還在求他之時，老前輩最好能順著他些。」

金老二點點頭道：「當今之世，不論是誰，只要能救活平兒之命，要我金老二給他磕上三個響頭，我也決不推辭。」

談話之間，已走入那放置著各種毒物、毒草的地下暗室。

長眉老人把懷中猩猩，放在地上，隨手摘下一朵白花，一枚朱果，又從堆積的草藥中尋出了幾種藥物，混在一起，啓開那猩猩的牙關，放入牠的口中，舉手在那猩猩頭頂之上，拍了兩掌，自言自語地道：「乖乖的吃下去吧！」

上官婉倩低聲對金老二道：「那白花朱果，都是足以致人死命的絕毒之物。」她究竟未脫童心，不知不覺間，要賣弄一下心中所知的隱秘。

金老二點點頭，默然不語，但兩道目光，卻不住地打量著四周的景物。

但見那猩猩口齒啓動，把放入口中的藥物，吞了下去。

長眉老人回過頭來，舉手對金老二一招，說道：「抱他過來！」

金老二輕輕地咳了聲，抱著徐元平走了過去。

長眉老人移動那猩猩的身軀，說道：「放下來。」

金老二微微一猶豫，但卻依言把徐元平放在地上。

長眉老人緩緩伸出雙手，在徐元平胸前摸了一陣，歎道：「他傷得實在很重，眼下只有以毒攻毒之法，或可挽救性命。」

金老二道：「何謂以毒攻毒之法？」

長眉老人道：「他身受的劇毒，已經攻入內腑，毒性已發，救他之策，不外先解了他身受的毒性，然後再調元進補，養息生機，使他能夠逐漸的復原，但老夫既無為他除毒之能，只能施用以毒攻毒的辦法了。用幾種奇毒的藥物，讓他服下，數毒齊發，自相中和，或可使他垂危的生命，重發生機。」

久走江湖的金老二，也似被徐元平生死的困擾，攪亂了心，回目凝望了上官婉倩一眼，自言自語地說道：「這不太危險了嗎？」

長眉老人道：「老夫卻不相強，願不願讓我療治，由你們決定。」他微一停頓，接道：「不是老夫危言聳聽，如不及時施藥，他決難再活過四個時辰。」

上官婉倩道：「老前輩說得不錯，他死了咱們誰也別打算再活下去。」

長眉老人笑道：「好極，好極，我早就準備死了，但又覺著一個人死得太過寂寞，現在有你們幾位相伴，那可是最好不過！」

金老二暗暗忖道：好啊！原來他們都不願再活下去了。

長眉老人突然站了起來，摘了一朵白花、朱果，又從那些堆積的藥物之中取出幾種，放在手中揉搓起來。

長眉老人道：「除了那白花、朱果之外，我這藥物大都是採集了數十年之久的藥物，早已焙製過，只要用手揉合在一起，就可以食用了，不必要經火煎熬。」

此時此刻，上官婉倩和金老二似是都已經失去了主宰事物的能力，一切都聽命那長眉老人的擺佈，但他們卻又似不贊成那老人的措施，只是無法提出反對罷了。

金老二和上官婉倩，四道失去神采的目光，一齊投注在那長眉老人的手上，連眨動也不眨動一下。

只見那長眉老人雙手互搓了良久，白花、朱果，盡揉成漿，和很多藥物，揉合在一起之後，捏成了一粒粒的藥丸。

他手法極有分寸，捏出的五粒藥丸，一般大小。

藥丸捏成之後，他忽然也變得猶豫起來，望了上官婉倩和金老二一眼，道：「這五粒藥丸的毒量，足可以使數十人一齊倒斃，毒性極重……」

長眉老人話至此處，倏然而斷，似是在這緊要的關頭，他想聽聽兩人的意見。

哪知金老二和上官婉倩，都木然不作答覆，渾似未聽到那長眉老人之言。

沉默延續了一盞熱茶工夫之久，那長眉老人自言自語地接道：「不過，眼下假如不用這樣重的毒量，只怕他難以再支持下來。」他自言自語，也無人接他之口，似是眼下的一切變化，完全由他裁定了。

他拿起了第一顆藥丸，啓開了徐元平的牙關，緩緩坐下了身子。

久未說話的金老二，突然接口說道：「如果他服下這五顆藥丸之後，不會復生，那就是無可救藥的了？」

長眉老人道：「不錯，這樣重的毒性，不是振發他生命的潛力，就是毒絕他生命中所有的生機。」

說話之間，把手上第二顆藥丸，又放入徐元平的口中。

金老二重重地咳了一聲，也緩緩坐了下去，似乎他的精神，也到了無法支持之境。

長眉老人隨手拿起第三顆藥丸，放入了徐元平的口中。

上官婉倩道：「不要這樣快，讓他慢一點吃好嘛！」

長眉老人道：「沒有時間了，老夫心中亦想早些知道是生是死。」拿起第四顆藥丸，投入了徐元平的口中。

隔了片刻，又拿起第五顆藥丸，放入了徐元平的口中。

全室中突然地靜了下來，六道目光，一齊投注在徐元平的身上，等待著他的反應。

時間在焦慮中，過得似是特別的緩慢，片刻工夫，在三人的心目中，好似過了幾年。

上官婉倩終於忍耐不住，伸手向徐元平的前胸上面摸去。

只覺他心臟仍然在微微地跳動，長長地歎一口氣，道：「他的心還在跳動著。」

長眉老人道：「一個時辰不是過得很快嗎？」

上官婉倩道：「這當兒片刻時光，有如一年般悠長。一個時辰，豈不要等老了嗎？」

那長眉老人卻端坐不動，有如老僧入定一般。

時光在焦急、沉默中溜走，雖然像平常一般，但在金老二和上官婉倩的感受之上，卻是特別的緩慢。

一個時辰過去了，徐元平仍然靜靜地躺著，動也沒有動過一下。

上官婉倩伸出右手，在徐元平胸前按了一下，只覺他心臟仍然跳動著，氣息依然，並未斷絕，才暗暗歎息一聲，道：「老伯伯，他的心臟還在跳動。」

長眉老人突然睜開雙目，答非所問地說道：「有人來了！」

上官婉倩顰眉側耳，凝神聽去。

只聽一個粗厲的聲音，傳入了耳際，道：「這屋裡的人死光了沒有？」緊接著砰然一聲大震，想是那來人叫了幾句，不見有人答應，極是憤怒，不知用什麼東西，擊撞在牆壁之上。

只聽另一個聲音接口罵道：「奶奶的，孫子王八蛋躲著不講話，惹我動了怒，放一把火燒了你這臭房子。」

上官婉倩暗暗忖道：這人說起話來，好生粗野。

那長眉老人卻自言自語地說道：「哼！我這『喪廬』乃青石砌成之屋，諒你也燒不著。」

他說的聲音極低，縱然是坐在身側的上官婉倩也不過隱隱可聞。

但聞那粗厲的聲音，高聲叫道：「有活人快給我出來一個，再要延誤時刻，被我找入暗室，殺個雞犬不留。」

金老二低聲說道：「來人似是久在江湖上闖蕩之人，竟然猜到有人隱入在暗室之中。」

長眉老人道：「不要緊，我這暗室石門，和石壁一般顏色，不知內情之人，決然看不出它，縱然被他看出，那石門也是堅牢異常，想打進來，決非易事。」

上官婉倩道：「這兩人說話粗野，叫人有難以入耳之感，我出去教訓他們一頓，才能消胸中之氣。」

長眉老人笑道：「不用，不用，你出去打上他們一頓，還不如給他們不理不睬，讓他們自己著急得難過。」

只聽砰砰嘭嘭的撞擊之聲，不斷地傳了進來，大概來人久不見有人答話，憤怒難當，猛力敲打起來。

長眉老人回目望了上官婉倩一眼，只見她秀眉不住顰動，似是極力在壓制住心中的憤怒，不禁微微一笑，道：「唉！年輕之人，涵養的工夫，比起老年人差得多了。」

上官婉倩心中一動，暗暗忖道：是啊！這「喪廬」既非上官堡，這人打開打不開，都不關我事，我急個什麼勁呢？

只聽那擊打石壁之聲，愈來愈是響亮，轟轟隆隆，震耳驚心，想那室外之人，定然是用著份量極重的外門兵刃，撞擊牆壁。

那撞擊石壁的聲音，雖然更加強烈，但上官婉倩定下心後，反而變得鎮靜了許多。

時光，在震耳的響聲中溜過，那聲音雖也給人很多煩躁，但也分去三人不少焦慮之心。

不知過去了多少時間，那撞打石壁的聲音，突然停了下來。

長眉老人得意地笑道：「怎麼樣？他們打得手痠了，自然會離開這裡。」

金老二道：「只怕他們不會離開……」

忽聽徐元平緩緩地吁一口氣，雙臂突然伸動了一下。

上官婉倩失聲叫道：「謝天謝地，他醒過來了。」

哪知徐元平雙臂伸動一下之後，突然又靜臥不動。

那長眉老人雙目眨動了兩下，道：「奇怪呀！怎麼他又不動了？」

金老二冷冷說道：「是不是迴光返照？毒發身死之際的一點反應？」

上官婉倩伸手按在徐元平前胸之上，停留了片刻，道：「他心臟還在跳動……」

突覺一股濃烈的煙火之氣，衝了進來，散佈全室。

金老二霍然而起，道：「他們真的放起火了！」

長眉老人道：「不要緊，他們燒不了那堅牢的石壁。」

上官婉倩突然站了起來，但又緩緩坐下。

長眉老人道：「你想出去？」

上官婉倩道：「我想懲處他們一頓，但又不放心他。」

長眉老人凝目沉吟了片刻，站起身子，從那堆積的藥草中，揀出一個密封的瓷罐，又取來一只酒杯。

拿著那瓷罐，搖了兩搖，然後啓開密封，一股強烈的酒香，混入刺鼻的煙火味中，撲鼻攻心。

長眉老人盡傾那瓷罐所有，倒出大半酒杯濃黑的液汁，低聲對上官婉倩道：「孩子，把你的劍借我用用。」

上官婉倩猶豫了一下，但終於把寶劍遞了過去。

長眉老人右手舉著鋒芒絕世的戮情劍，輕輕在左臂上一挑，登時有一股鮮血，直冒出來，滴入那酒杯之中。

上官婉倩怔了一怔，道：「老前輩，你要幹什麼？」

長眉老人嚴肅地說道：「我要他吃下這杯混入了我血液的毒酒……」

他放下戮情劍，縱聲大笑一陣，接道：「剛才他服用的是天下最毒的藥物，現在我給他服用的是天下最毒的動物精血，這一罐五毒泡製的藥酒，我已經封存了很久，沒有用過，現在只得給他服用。」

金老二道：「看來你這密室之中，不論草藥、瓶罐，件件都是有毒之物了？」

長眉老人道：「不錯，不知底細之人，妄取我室中的一草一木，都將被活活毒斃。」

上官婉倩目注那半杯混入鮮血的藥物，接道：「如若你這混血毒酒，給他服用之後，他仍然不能復醒過來，怎麼辦呢？」

長眉老人道：「那就沒有法子，咱們就只有陪他殉葬。」

金老二的兩道眼神，呆呆地盯在徐元平的臉上，自言自語地說道：「不會的，不會的，他決然不會死的……」他的聲音愈來愈低，漸不可聞。

長眉老人包紮好自己的臂傷，隨手拿起了混合了鮮血的藥酒，右手抱起了徐元平的身子，食、中二指暗運勁力，撬開了他的牙關，緩緩地把一杯藥酒，倒入了徐元平的口中。

密室中氣氛緊張，輕微的呼吸之聲，也可聽到。

這一杯混血的藥酒，不僅是關係著徐元平的生死，而是關係著這室中所有之人的性命。室中的煙氣，愈來愈重，已然影響到人的視線，但這三人全副精神都貫注在徐元平的身上，對室內蔓延的濃煙渾如不覺。

足足有一盞熱茶工夫，長眉老人才把那一杯混入了自身鮮血的毒酒，完全灌入了徐元平的口中。

上官婉倩猛的吸一口氣，只覺煙嗅刺鼻，不自主地咳了起來。

金老二和那長眉老人，都被上官婉倩的咳聲驚醒，抬頭望去，只見密室的門口，並肩站著兩個中年大漢。

左面一人粗眉暴眼，手中揑著一根份量甚重的鐵棍，右面一人身材瘦長，臉長如馬，手中倒提著一把鬼頭刀。

這兩人不知何時進來，在門口站了多久時光。

長眉老人緩緩放下手中酒杯，打量了兩人一眼，道：「你們怎麼進來的？」

左面那粗眉暴目的大漢，冷笑一聲，罵道：「別說你躲在這地下密室，就是鑽入老鼠洞中，我們也一樣找得著。」

上官婉倩秀眉一顰，滿臉殺氣地喝道：「講話小心一點……」

那手提鬼頭刀的大漢，冷笑一聲，道：「老子走了大半輩子江湖，從來沒有人敢這般對我

說話……」

上官婉倩不容他把話說完，霍然挺身而起，右手一揚，嬌聲叱道：「賊骨頭，不見棺材不掉淚。」

一蓬金針，電射而出。

那兩個中年大漢，江湖經驗甚是老到，一見上官婉倩右手一揮，立時縱身向旁側閃去。

他們閃避得雖快，但那金針暴散一片，距離既近，去勢又極迅快，饒是兩人見機得早，躲避得快，仍然有兩枚金針穿破了兩人的衣服，毫釐之差，就要劃破肌肉。

那粗眉暴目大漢冷笑一聲，罵道：「鬼丫頭，竟然施用這等歹毒的暗器。」他口中雖然大聲喝叫，但心中卻十分畏懼上官婉倩的金針暗器，隱在門側壁後，不敢再探出身來。

這時，那濃煙愈來愈濃，想是兩人打開那石壁暗門之後，燃燒的煙火，隨之鑽了進來。

只聽砰然一聲大震，一鐵棍直搗在密門上，一塊木門被擊得洞裂成數塊。

上官婉倩撿起了戮情劍，道：「兩位請保護著他，晚輩先去把這兩人結果了，咱們再設法衝出此地，別讓他們用火封住了出路。」

金老二道：「這兩個傢伙一左一右的守在門口，姑娘要衝出門去，太過冒險了！」

上官婉倩道：「不妨事，晚輩自有克敵之法。」嬌軀一閃，人已閃到了室門後面，右手戮情劍突然向外一探。

一根鐵棍，一把鬼頭刀，一左一右地由兩側劈擊而下，直向上官婉倩手腕之上劈去。

上官婉倩早已有備，手腕忽的一沉，誘使敵人刀棍齊向下面掃去，人卻借勢一躍，飛出室

外。

她身還未落著實地，一聲陰冷的笑聲，迎面傳來，喝道：「回去。」一股疾猛的勁力，直逼過來。

上官婉倩懸空一個大轉身，戮情劍隨手揮動，幻化出一片護身劍影，直向左面斜落過去。

她幼得良師，武功非凡，微一接觸之下，已覺出那擊來勁力，強猛絕倫，不可擋拒，立時斜向一側飛去。

只聽噹的一聲金鐵交響，疾襲過來的一柄鬼頭刀，被那護身的戮情劍削斷。

上官婉倩縱橫西北武林道上，素以辣手見稱，對敵經驗甚是豐富，這才迎面的一擊，已知來了強敵。徐元平毒傷未解，金老二累疲未復，那長眉老人雖然力逾常人，全身劇毒，但他不會武功，不足為恃。今日之局，十分顯然，兩方的生死勝負，大半要看自己……

念過心轉，殺機忽生，戮情劍順勢向後一推，寒光疾閃中一聲慘叫，那手持鬼頭刀的大漢，應聲倒摔在地上。

長眉老人突然一掌拍在那躺在身側的猩猩頭上，然後抱起當門而臥的徐元平，向室裡移去。

這時，那粗眉暴目、手執鐵棍的大漢，眼看同伴傷亡，心中極為憤怒，一招「泰山壓頂」，迎面向上官婉倩劈了下去。

上官婉倩目光一轉，看室外地勢狹窄，那站在硝煙中的強敵，又不知是何來路，縱有上乘輕功，也不宜在這等狹地施展，當下一個「巧燕翻身」，疾快地閃入室中。

金老二身子一側，讓過上官婉倩，單臂揮動手中撿起的門框，猛力地向那暴目大漢手中的鐵棍之上敲去。

木框擊在鐵棍上，砰的一震，金老二手中的木框，應聲碎裂三截。

但那暴目大漢在驟不及防之下，手中鐵棍被金老二全力一震，落在地上。

金老二迅快地邁出一步，奮起餘力，把手中一截斷木，猛向那暴目大漢投擲過去。

只聽那暴目大漢慘叫一聲，仰面栽倒地上。

原來他正待伏身去撿地上鐵棍時，金老二適時投出手中一截斷木，加上室外濃煙瀰目，視線不清，一擊之下，正中那大漢前額，當場被擊得昏了過去。

金老二一探獨臂，抓住了地上的鐵棍，還未提起，突然伸過一隻腳來，踏在鐵棍之上，耳際間響起了一個陰沉的聲音，道：「放下！」隨著那陰沉的聲音，一股濃重的腥氣，撲入了鼻中。

金老二閱歷豐富，心知對方如存心傷害自己，那隻踏在鐵棍上的腳，早已踢中自己要害，當下鬆開右手，緩緩地站起身子。

只覺額角之上一涼，又似被人輕輕打了一下……

只聽上官婉倩微帶慌急地叫道：「長蟲！」

金老二本能地向後退了兩步，才抬頭向室外望去。

一個瘦矮的老人，當門而立，幾根稀疏的頭髮，襯著頷下幾根花鬍子，一身黑衣，一條全身赤紅的小蛇，纏繞在他的右臂上，左臂上盤繞一條花紋燦爛的巨蛇，蛇身和蛇尾，一大半環

繞在他的身上，在濃煙中望去，如著綵衣。

金老二呆了一呆，叫道：「千毒谷主……」

那瘦矮的老人無聲無息地一咧嘴巴道：「不錯。」一邁步踏進了室門。

他兩臂上盤繞的雙蛇，突出他身外尺餘左右，蛇信伸縮，極是嚇人，是以當他舉步入門時，上官婉倩和金老二都不自覺地向後退了兩步。

那仰臥在地上的猩猩，忽然挺身而起，雙目圓睜，凝注著那黑衣矮瘦的老人臉上，作勢欲撲。

金老二既知來人是千毒谷主，急急回頭對那長眉老人說道：「老前輩快些喝住猩猩，這位是名滿當今武林的千毒谷主。」

他心知來人武功，高強絕倫，如若這猩猩撲擊於他，勢必引起他的殺機。

長眉老人忽然哈哈一笑，道：「既稱千毒谷主，對用毒之事，定然所知甚多了……」

矮瘦老人目光一瞥那怒目而視的猩猩，渾如不見一般，絲毫未放在心上，陰沉沉地接道：「略知一二……」目光一掃金老二，接道：「這老頭子是什麼人？你既稱他老前輩，自然非藉藉無名之輩，可是神州一君易天行的朋友？」

金老二單掌立胸，欠身答道：「這位老前輩乃『喪廬』主人，和神州一君素不相識。」

千毒谷主乾笑了一聲，道：「你既然在此地現身，想來令東主易天行，也就在左近了。」

金老二微一沉吟，道：「在下奉東主令遣，迷途至此……無意進此『喪廬』。」

那長眉老人目光盯在那矮瘦老人身上盤繞的毒蛇之上，看了一陣，道：「這兩條蛇倒都是

難得一見的絕毒之物。」雙手反擊兩掌，那怒目橫眉的猩猩，突然緩步走回到那人身側。

千毒谷主淡淡一笑，道：「這兩條絕毒之蛇，已經被我馴服了，無我之命，決計不會傷人。」

長眉老人道：「馴服兩條毒蛇，算不得什麼難事……」

千毒谷主臉色一變，接道：「這兩條蛇，乃我費盡心血，選天下最毒之蛇，交配而生。口蘊劇毒，厲害無比，不論何等禽獸，只要被牠咬上一口，當場倒斃，武功再高之人，也是難以防備。」

長眉老人大笑道：「但老夫卻不怕你這毒蛇！」

千毒谷主怒道：「不信你敢試試嗎？」

長眉老人道：「試試就試試……」大步向前走了過來。

金老二一皺眉頭，攔住那長眉老人道：「老前輩行醫濟世，救人要緊，何苦要爭這些閒氣？」

長眉老人回目望了徐元平一眼，竟然依言退了回去。

上官婉倩看局勢暫時緩和下來，緩步走到徐元平的身側，蹲了下去。

千毒谷主目光一掠上官婉倩手中的戮情劍，回頭問金老二道：「那女娃兒是什麼人？她手中拿的可是傳誦江湖的戮情劍嗎？」

金老二道：「她是甘南上官堡主掌上明珠，手中所拿，正是傳誦江湖的戮情劍。」

千毒谷主目光凝注在上官婉倩身上，打量了好一陣，笑道：「貌不在鬼谷二嬌之下，只是稍嫌英氣過重……」

上官婉倩回頭瞪了那矮瘦老人一眼，強忍下心中之氣，默然不語。

千毒谷主哈哈一笑，道：「老夫和令尊交情不錯，論輩份，你該叫我一聲老伯伯！」

金老二眼看上官婉倩裝作不聞不理，趕忙接口說道：「上官姑娘，這位是千毒谷主冷老前輩，和令尊交誼甚深，快些過來見禮。」

上官婉倩略一猶豫，終於緩步走了過來，欠身一禮，道：「見過冷老前輩。」

千毒谷主乾咳了一聲，笑道：「久聞上官姑娘縱橫在西北道上，所向無敵，今日一見，才知道人也長得美麗無比，有女如此，強勝兒子百倍，令尊的福氣，好叫老夫羨慕。」

上官婉倩聽他言詞之間，既帶有長輩的口吻，又隱隱含著輕佻之意，當下勉強一笑，道：「老前輩請坐，晚輩還要照顧病人。」

千毒谷主緩緩把目光移注到徐元平的身上，道：「能得上官姑娘照顧，定然大有來頭，不知他是何人門下？」

金老二搶先接道：「是在下一個子侄。」

千毒谷主閉上雙目，冷笑了一聲，道：「老夫行途疲勞，要借此密室養息一下精神，你們自管忙碌去罷！」說完，依壁而坐。那兩條毒蛇，仍然環繞他身體之上，昂首吐信。

金老二微一皺眉頭，輕步走到徐元平身側，低聲對那長眉老人說道：「老前輩，他幾時才能醒來？」

長眉老人伸手按在徐元平前胸之上，說道：「眼下情勢，老夫可以斷言，他已不致再有變

化，但幾時醒來，卻是難以斷言。」

上官婉倩附在金老二耳邊道：「千毒谷主，盛名四播，內功精深，哪裡會這等膿包，趕一點路就睏倦不支呢？這其中只怕大有文章。」

金老二道：「我也覺著奇怪……」

上官婉倩道：「會不會有人冒充？」

金老二道：「此人我已見過兩次，都是在千毒谷中，他已數十年之久，未離過千毒谷了，此刻離谷，必然有什麼重大之事……」

他微微一頓道：「平兒一醒，咱們就帶他離開此地，免得多招麻煩。」

上官婉倩聽父親談過千毒谷主之名，心毒手狠，險惡絕倫，當下點頭說道：「只不知他幾時才能醒來？」

只聽鼾聲大作，那千毒谷主竟然睡熟了過去。

長眉老人凝神聽了一陣，道：「他睡著了。」

金老二搖搖頭，道：「他好像是真的十分睏倦……」

上官婉倩道：「我不信他真的會……」

金老二趕忙搖手阻止她再說下去。

徐元平靜靜地躺在地上，緊閉雙目，神情間十分平和，毫無身受重傷後的痛苦。

金老二雙目一直盯注在他的臉上，看他久不醒轉，心中甚是難過，長歎一聲，落下來幾滴眼淚。

他探首相視，眼淚正好滴在徐元平的口中。

長眉老人突然雙手一拍道：「是啦！我忘了用藥引子了……」

上官婉倩接道：「要用什麼藥引，快說！」

長眉老人道：「眼淚……」

只聽徐元平長長吁一口氣，忽然挺身坐了起來。

長眉老人一躍而起，鼓掌大笑，道：「毒人，毒人，老夫之道不孤矣！」

他越叫越是高興，叫到後來，又忍不住手舞足蹈。

但聞千毒谷主那鼾之聲，頻頻作響，如奏鼓樂，隨著那長眉老人手舞足蹈之勢，極有節拍地響了起來。

起初之時，似是那鼾聲有意和那人的舞蹈相合，但片刻之後，長眉老人的舞蹈之勢卻似被鼾聲控制，隨著那鼾聲的快慢轉動。

上官婉倩和金老二都覺出那鼾聲不對，心中感受到極強的誘惑，似是要隨著那鼾聲的節奏而舞，但每將要起步之時，都強自忍了下來。

上官婉倩舉起戮情劍，只覺一股森冷的劍氣，逼得神志一清，突然站了起來，低聲對金老二道：「老前輩好好的看著他，我去叫醒千毒谷主……」

金老二目注那長眉老人的舞蹈之勢，手卻不停地擊打，「啪啪」之聲也和那老人的鼾聲配合。

他心神旁注，根本沒有聽到上官婉倩說的什麼，含含糊糊地應了一聲。

上官婉倩挺身而起，直向千毒谷主走了過去。

相距還有三、四尺時，輕聽咕的一聲，那滿身花紋的巨蛇，身子突地向外探出兩尺，血口大張，似是要擇人而噬。

上官婉倩倏然止步，本能地一揚手中戮情劍，幻起一片劍光，護住了身子。

上官婉倩高聲叫道：「冷老前輩，你醒醒好嗎？」

只見那閉目作鼾聲的千毒谷主，微微咧嘴一笑，答道：「什麼事？」他說話之時，鼾聲頓住，但說完之後，那鼾聲重又響了起來。

上官婉倩強忍下心中憤怒之氣，道：「老前輩，你先把鼾聲停下，好不好？」

千毒谷主笑道：「老夫一生之中，從不聽人相勸，除非那人付出了老夫認為滿意的代價！」

他說話之時，鼾聲仍然斷斷續續。

上官婉倩回頭望去，只見金老二手臂揮動，即將起而舞蹈，顯然，他的內力，已無法再和那催人舞蹈的鼾聲抗拒。

那長眉老人更是大蹦大跳，鬚髮橫飛，滿頭大汗。

但最使上官婉倩驚心的，是那初醒過來的徐元平也有些躍躍欲動……

時間迫促，已無暇給她思索，當下衝口說道：「你說吧！要什麼？」

千毒谷主霍然睜開雙目，炯炯神光，逼注在上官婉倩的臉上，道：「老夫並無相逼之心，你如自己願意，可不能責怪老夫！」

上官婉倩道：「快說吧！你要什麼？」

千毒谷主乾咳了兩聲，道：「老夫開出兩個條件，任你選擇一個。」

上官婉倩道：「你先停下鼾聲，咱們再慢慢的談，好不好？」

原來他一面說話，一面仍然不停地作鼾。

千毒谷主道：「老夫從不肯輕易信人，你先答應了我，這鼾聲才能停下。」

上官婉倩目光一瞥，只見金老二和徐元平都已起身，那惡形怪狀的金毛猩猩，也扭動起肥重的身軀，隨聲而舞，不禁芳心大急，道：「不論什麼我都答應……」

千毒谷主冷笑一聲，接道：「老夫有一獨子，生具異稟，如以世俗的眼光看去……」

上官婉倩接道：「可是醜陋得見不得人？」

千毒谷主咳了一聲，道：「算他是吧！但依老夫的威名，替他討上十個、八個貌美如花的媳婦，可不算什麼難事……」

他急急作了一陣鼾聲，使應鼾而舞之人，開始了急速地旋轉，才冷冷接道：「但一般之人，老夫又看她不上，你如能答應老夫，以身相許犬子，不但你這一生享受不盡，就是令尊，也可沾光不少。」

上官婉倩呆了一呆，道：「那第二個條件呢？」

千毒谷主道：「以你手中的戮情劍抵押，老夫立時停下鼾聲，但他們能否生離此室，就要看他們的造化了。」

上官婉倩略一沉吟，道：「如我答應第一個條件，嫁你那寶貝兒子，你是否還要刁難他

們？」

千毒谷主笑道：「你如果答應身侍吾子，咱們算是一家人了，老夫生性最是偏私護短，對你當愛護備至，言聽計從。」他臉上忽然泛出慈愛的光輝，目光中滿是期望之情，凝注在上官婉倩的臉上。

上官婉倩只覺前胸如受重重地一擊，不由自主地退後了兩步，暗暗忖道：想不到這威震江湖的一代毒梟，愛子之心，竟然是如此的深切……

她舉手理一理垂散在鬢邊的秀髮，低聲問道：「你這般爲子求婚，可是因爲我長得很美麼？」

千毒谷主讚道：「秀外慧中，世無其匹，尤強過丁家的鬼谷二嬌。」

上官婉倩黯然一笑，道：「不知你那寶貝兒子，是怎樣的一個醜法？」

千毒谷主道：「他不過生具異稟，有些威猛嚇人，四肢不缺，五官完整，怎能真的算醜？」

上官婉倩舉起一隻素手，按在額間，放聲大笑道：「由來紅顏多薄命，巧媳常伴醜夫眠，我答應你了！」

千毒谷主雙目中閃爍起歡愉的神光，喜道：「這話可是當真？」

上官婉倩道：「出我之口，入你之耳，難道還會假嗎？」

千毒谷主鼾聲頓住，哈哈大笑，道：「老夫要帶你去見鬼王丁高，要他瞧瞧我討的兒媳婦，勝過他們鬼谷二嬌好多了……」

只聽金老二大聲叫道：「老前輩，你已經跳得滿身大汗，也該停下來休息一下了！」

原來，千毒谷主鼾聲一停，金老二和徐元平立時止步，只有那長眉老人仍在手舞足蹈，不肯停息。

上官婉倩回目望了那人一眼，叫道：「快抓住，再讓他跳下去，要把他活活累死啦！」

徐元平仰臉而立，似是正在回憶一件十分重大的事，聽得上官婉倩喝叫之言，啊了一聲，探手向那長眉老人抓去。

他雖然初醒不久，但卻似功力盡復，出手疾快絕倫，一把正抓在那長眉老人的左臂之上。

長眉老人被徐元平一把抓住之後，舞蹈之勢，突然停住，回目望著徐元平道：「毒人……」

徐元平一皺眉道：「毒人？」

長眉老人道：「不錯，你和老夫一般，成了毒人。無論你血液內腑五官四肢，到處都充滿劇毒。」

徐元平呆了一呆，鬆開了那老人的左臂。

長眉老人忽然舉起雙掌，猛力一擊，大聲笑道：「我要去昭告天下人，吾道不孤了。」放腿向室外衝去。

上官婉倩急叫道：「老前輩……」探手一抓，沒有抓住。

只聽千毒谷主乾咳一聲，道：「孩子，他跑不了。」手臂一振，臂上那滿身花紋的巨蛇，突然直竄而去，疾如離弦流矢一般，蛇頭一轉，纏在那長眉老人雙腿之上。

徐元平突然對那老人深深一揖，道：「老前輩活命之恩，在下永銘五中，等晚輩辦完幾宗大事之後，定當和老前輩一起找個隱秘所在，居住下來。今生今世，不再踏入江湖一步。」

長眉老人緩緩轉過身子，道：「如若你的諾言能夠實現，老夫自當把生平所學傳授於你。」

突然一陣隆隆之聲，起自地下。

金老二大聲叫道：「這是什麼聲音？」

千毒谷主忽然縱聲大笑，道：「果然就在此地了。」

長眉老人冷冷接道：「有什麼好笑的，我這密室下面，有一股暗流通過，每隔上一月時光，總要有一次這樣的震動之聲……」

徐元平急急問道：「有一座孤獨之墓，不知離此好遠？」

長眉老人略一沉吟，道：「如若不算那山峰阻隔，大約有十幾里路。」

突聽千毒谷主大聲說道：「孩子快來，我有一件緊要之事，要對你說。」

上官婉倩和徐元平同時轉過頭去，望著千毒谷主。

兩人年紀，在這五人中最小，一聽千毒谷主呼叫之言，一齊轉目相望。

上官婉倩微微一笑，道：「可是叫我嗎？」蓮步輕移地直走過去。

千毒谷主點頭笑道：「自然是叫你了……」他突然放低了聲音，接道：「孩子，你可知道我為什麼突然到這等荒涼的所在嗎？」

上官婉倩搖搖頭，道：「不知道啊！」

千毒谷主目光一掃站在室外的金老二和徐元平，施展「傳音入密」的功夫，接道：「眼下武林中各路英雄，都已雲集到孤獨之墓，準備發掘那孤獨之墓的隱秘。老夫獨得傳聞之秘，此地有一條暗流通入那孤獨之墓，如若能從那暗流中進入孤獨之墓，當可避開那重重機關的阻擋，直達那古墓之中，又可免去和武林高手爭鬥之險……」他微一停頓，接道：「但這也是一件十分危險之事，你既已答應了身侍吾子，從今之後，你已是我千毒谷冷家之人，千毒谷、上官堡，也因此聯手合作，一致對外……」

他施展「傳音入密」之法，別人根本聽不出他說的什麼，只見他口齒啓動，一直不停，上官婉倩卻靜靜地站著不動，似是在很用心聽他之言，又似漠然不聞。

金老二似是看出了苗頭不對，輕輕一扯徐元平的衣袖，說道：「平兒，跟我來。」大步向外走去。

徐元平回顧了那長眉老人一眼，跟在金老二身後走去。

走約兩、三丈後，金老二才一停下腳步，低聲對徐元平道：「平兒！你武功復元沒有？」

徐元平道：「精力異常充沛，武功恢復幾成，一時間倒很難說。」

金老二道：「千毒谷主乃江湖上最爲狠毒的高手之一，不但武功絕高，而且善用毒物助陣，那上官姑娘和他嘰哩咕嚕說個不停，決非什麼好事。你武功縱然完全復元，也未必是他敵手，此地不宜久留，咱們趁這機會一走了之，免得招惹麻煩。」

徐元平道：「適才那千毒谷主之言，已隱隱說出來此用心，再證之『喪廬』主人之言，這密室地下的暗流，八成就是通往那孤獨之墓中的洪水。」

金老二點點頭道：「賢侄推論不錯，只是水道暗藏地下，而且激流洶湧，縱是水性極好之人，只怕也是無法越渡。」

徐元平道：「小侄亦慮及此。但是那千毒谷主既然趕來此地，想必早已有了渡水之法，小侄想隨他之後，借暗流進入古墓，我料想易天行必然不甘心拱手把墓中存寶讓人，定然設法進入那古墓之中。小侄自當取元凶首級，奠祭於家父、三叔靈前，縱然不能手刃元凶，亦必將設法借那墓中的埋伏，和易天行同歸於盡。」

金老二突然一掃臉上畏懼之色，道：「好！咱們一起入墓，我也可助你一臂之力。」

徐元平搖搖頭道：「小侄把胸中所思所想之事，盡皆相告叔父，但卻有一件事，想懇求叔父答應。」

金老二微微一笑，道：「你可是要我答應你置身事外……」

徐元平接道：「叔父已經是傷殘之軀，縱然進入古墓，但對平兒也未必能夠有所幫助，這一次身歷生平之劫，短短數日夜，有如過了很多年，使我感覺自己長大了很多！」

金老二輕輕歎息一聲，道：「孩子，你成熟多了……」

忽聽上官婉倩柔婉的聲音，傳了過來，道：「徐相公……」

徐元平回頭望去，只見她當門而立，面含微笑，那笑容給人的感覺，並非歡愉，而是一種憂鬱的苦笑，想到她數日來照顧之情，一縷憐惜，油然而生，長歎一聲，道：「什麼事？」緩步走了過去。

上官婉倩低聲喝道：「別過來！」蓮步款移，迎了上來。

對上官婉倩，徐元平有一種極深的感激心情，他依言停了下來，星目眨了幾眨，凝注在她的臉上。

她臉上憂苦的笑容，逐漸地散去，代之而起的一片茫然蕭索的神情，似是世界上所有的一切，都離她而去。

她嬌小的身軀，一直偎入徐元平的懷中，才停了下來，淒涼地說道：「我要告訴你一件事情。」

徐元平道：「什麼事？」

上官婉倩道：「你可知道千毒谷主爲什麼來到此地嗎？」

徐元平道：「可是爲了要進孤獨之墓嗎？」

上官婉倩點點頭說道：「你猜得不錯，這密室之下有一道暗流，通入那孤獨之墓。」她輕輕地歎一口氣，放低了聲音道：「不知道千毒谷主如何得知了這件隱秘，而且他有了越渡地下激流之法。」

上官婉倩多情地望了徐元平一眼，道：「我也很想去看看那孤獨之墓中的情景，但那千毒谷主，卻堅持不讓我去，他說那墓中機關重重，險惡萬分，冒此風險大是不值……」

徐元平奇道：「你上官堡和千毒谷交誼甚厚嗎？」

上官婉倩道：「一宮、二谷、三大堡，甚少往來，縱然是有所交往，那也是利害相關。」

徐元平道：「既然如此，那千毒谷主爲什麼要這般關心於你？」

上官婉倩話鋒突轉，就是存心要引誘徐元平這般問她，當下微微一笑，道：「因爲我是他未過門的兒媳婦啊！」她心中另有打算，有意這般說出，是以毫無羞赧之感。

徐元平驟聞此言，心中忽然生出一種悵然的感覺，一抹淒涼泛上雙頰，別過頭去說道：「千毒谷主、上官堡齊名武林，這一椿婚姻倒是締結得門當戶對。」就這說幾句話的工夫，他已恢復了鎮靜的神情。

只聽一個和藹的聲音，傳了過來，道：「孩子，你該走了。」

只覺一股腥氣，撲了過來，餘音未住，千毒谷主已到了兩人身側。

他雙臂微一伸縮，兩條伸頭吐信的蛇，忽然掉過了蛇頭，盤在身後，生怕嚇著了上官婉倩一般。

上官婉倩嫣然一笑，道：「我久聞那孤獨之墓中存寶無數，很想去開開眼界。」

千毒谷主搖頭說道：「孤獨之墓，乃近百年來江湖上一件充滿著神秘的傳說，那墓中是否真如傳說形容，很難預料。但迄今爲止，還無法得到證據，一宮、二谷、三大堡，以及諸大門派，獨行大盜，無不處心積慮的想一探究竟……」

徐元平忍不住突然插口說道：「那孤獨之墓中……」趕忙咳嗽幾聲，住口不言。

千毒谷主冷峻的目光轉到徐元平的臉上，道：「孤獨之墓中怎麼樣？」

不善謊言的徐元平，在此情此景之下，也不得不通權達變了，淡然一笑道：「那孤獨之墓的神秘，既然能在江湖上傳誦不絕，想來當非無的之矢。」

千毒谷主冷笑一聲，道：「嘿！滿口廢話……」

上官婉倩心知徐元平倔強無比，怕兩人衝突起來，趕忙接口說道：「我已久聞孤獨之墓的神奇之名，心裡實在想入墓看看，何況除了谷主之外，千毒谷中我再無相識之人，離開此地，只有回上官堡了。」

千毒谷主呵呵一笑，目光一掠那兩具屍體，接道：「這『喪廬』之外，恐怕早已滿佈了武林人物，我在進入這密室之前，已然連殺五人。這證明了一件事，那就是此一地下暗流通入孤獨之墓，已非我獨得之秘……」他輕笑一聲，接道：「不過我已在這『喪廬』四周，埋伏一十二個高手，不論何人，再想進入此地，只怕不是容易之事……」

他似是自知說的話離題太遠，重重地咳了一聲，探手入懷，摸出一面銅牌，接道：「你拿著這面銅牌，凡是千毒谷中之人，都會對你尊敬無比，要他們護送你先回千毒谷去，等我辦完此地之事，就立刻趕回去，親率犬子，趕到上官堡去，探望我那親家。」

上官婉倩眼球轉了兩轉，嬌聲說道：「我要和你一起進入孤獨之墓瞧瞧。」

以冷酷馳名江湖的千毒谷主，忽然間變得十分慈和，耐心地笑道：「孩子，墓中又無可觀之景，而且步步殺機，有什麼好瞧的，還是不要去啦！」

上官婉倩搖搖頭，堅決地說道：「我一定要去。」

千毒谷主沉吟了半晌，無可奈何地說道：「好吧，但在進入墓中之後，一切都要聽我的吩咐，不要任性而為。」

上官婉倩點頭一笑，回顧了徐元平一眼，道：「他和那位金老前輩，也要去孤獨之墓，咱們和他們一起走吧！」

千毒谷主臉上忽然閃掠一抹殺機，說道：「地下暗流，波濤洶湧，但聽這隆隆水聲，當可知聲勢何等強大！地下暗流，不見天日，如無準備，縱是水性極好之人，也是無能渡過。」

上官婉倩微微一顰秀眉，道：「那要怎麼辦呢？」

千毒谷主笑道：「孩子！這兩人既是神州一君易天行的手下，和你們上官堡自是無關，不殺他們，已經是對他們太過仁慈……」

忽聽那長眉老人冷笑一聲，接道：「不得我的准許，誰敢在這『喪廬』之中殺人？」

千毒谷主冷冷一笑，道：「我縱然殺了一人，你又當怎的？」

長眉老人哈哈笑道：「好好……」

他面上雖是滿面笑容，目中閃動著的，卻是令人心寒的光芒。

上官婉倩秋波一轉，忽然走到千毒谷主身側，叫道：「爹爹。」

千毒谷主怔了一怔，面上既是驚奇，又是喜悅，俯首道：「什麼事？」

上官婉倩嬌聲笑道：「爹爹，我們不是要到孤獨之墓中去嗎？」

千毒谷主道：「當然。」

上官婉倩含笑道：「我們既然要到孤獨之墓中去，那麼我們還在這裡惹什麼閒氣？」

千毒谷主微一皺眉，突地大笑道：「正是，正是，我們還在這裡惹什麼閒氣！」衣袖一拂，立刻便向外走去。

徐元平一直面色凝重，他心中其實已被千毒谷主方才的言語激怒，但此刻突地乾咳一聲，吶吶道：「在下也想到孤獨之墓中一行，谷主若是肯與在下同去，在下雖然無能，但入墓之

後，在下好歹也能助谷主一臂之力。」

千毒谷主面色微微一變，突聽上官婉倩嬌笑道：「爹爹，我有一件事情始終奇怪，這地下暗流如此激烈，你老人家是怎能渡過去呢？」她神色變得越發溫柔。

千毒谷主目光注定在她臉上，目中神光閃變不定，似是有些憤怒，隔了半晌，突見他仰天狂笑起來，道：「好孩子，你叫爹爹說出這方法，可是為了他嗎？」伸手指向徐元平。

上官婉倩秋波一轉，嬌靨上不禁泛出一陣嫣紅的顏色，垂下頭去，吶吶道：「我……我……」終於還是說不出話來。

千毒谷主哈哈笑道：「好孩子，沒有關係，只因為爹爹愛你，所以，什麼事都沒有關係，只是……」他語聲微微一頓，面上笑容頓斂，正色道：「爹爹為了此事，不知花了多少心力，製作了幾件專為渡過這種激流的皮衣，一身上下一齊護住，而且連雙目之上，都護以一片水晶，別說這種普通的激流，便是天河水中，也照樣可以來去自如。」

徐元平聽得心頭一凜，暗暗忖道：原來他早已預備了越渡那激流之物，我如欲越過地下激流，進入那孤獨之墓，看來只有搶他的特製皮衣了……

只聽上官婉倩柔聲說道：「爹爹那特製皮衣只有一件嗎？」

千毒谷主乾笑了兩聲，道：「如若只有一件，我也不會答允讓你同去了。」

上官婉倩回顧了徐元平一眼，道：「激流深藏地底，咱們雖有皮衣，也不能挖地而入。」

千毒谷主把目光轉注在那長眉老人身上，冷冷說道：「老夫進入這『喪廬』之初，原想以辣手，逼你供出那進入地下激流的路徑，但此刻正值老夫滿心喜悅之際，不願出手傷人，你如

能說出進入水道之路，老夫決定留你一條性命。」

長眉老人仰臉狂笑，久不作答。

千毒谷主似已等得不耐，冷厲地道：「老夫生平之中，甚少動過這等仁慈之心，你如再置若罔聞，可別怪老夫出手毒辣了！」

長眉老人頓住大笑之聲，雙目中凶光閃爍了一陣，忽然變得十分平靜地說道：「要我帶你進入那水道不難，但得先把你那特製的渡水皮衣，拿出來給我瞧瞧。」

千毒谷主冷沉地說道：「老夫這一生，還未遇到過和我講斤算兩之人……」

上官婉倩急急說道：「爹爹旨在早進那孤獨之墓，得饒人處且饒人，就以爹爹的武功，也不怕他們搶去，拿出來瞧瞧又有什麼要緊。」

千毒谷主望了上官婉倩一眼，歎道：「唉！你這孩子……」緩緩撩起長衣，取出一個油布包裹，低聲說道：「孩子，打開包裹，讓他們見識見識。」

上官婉倩素手輕揮，緩緩解開油布包裹，只見兩件柔軟的黑毛皮衣，整整齊齊地折疊在一起。

千毒谷主微笑道：「做這兩件水獺皮衣，費了數年之功，你先穿上一件吧！」

上官婉倩秀眉輕顰，緩緩取出一件，披在身上。

千毒谷主替她拉好衣領，結上扣子，一個千嬌百媚的黃花少女，登時變成一個全身黑毛的怪物。

徐元平雙目注定另一件水獺皮衣，心念千迴百轉，不知是否出該手去搶。

只聽那長眉老人哈哈大笑，道：「好玩，好玩！在下也想到孤獨之墓去瞧瞧……」

千毒谷主冷冷地接道：「你可是想借我一件皮衣？」

長眉老人怒道：「笑話，老夫自有更好的渡越激流之物。走！我帶你進水道去。」

徐元平聽得心中一動，大步走了過去，低聲說道：「我可以跟你一起去嗎？」

長眉老人笑道：「歡迎，歡迎，除你之外，老夫還要帶著那猩猩同行。」

金老二也急步走了過來，拱手說道：「老前輩，在下也想去那孤獨之墓瞧瞧。」

長眉老人一面大步向前行進，一面連聲說道：「好極，好極，多多益善。」口中說話，雙手卻開始移動那堆積在室中的藥物。

不大工夫，露出一堵石牆，他指著那石牆，說道：「打開這堵石牆，就是通往那地下水道之路。」

千毒谷主大步走了過來，舉手在那石壁之上，輕輕彈了幾指，只聽一陣砰砰之聲，那石壁之中，果似空的一般，回頭望著那長眉老人問道：「可是要用掌力，劈開這座石壁嗎？」

長眉老人說道：「這壁間原有一座暗門，數十年前，老夫堆積這藥物之時，無意之間，旋開一次，那次之後，再未開過……」

千毒谷主道：「不知怎樣的旋法？」

長眉老人歎道：「記不得啦！如若我自己會旋也不用對你說了……」

他微一停頓，接道：「不過這石壁之後，是一條很長的甬道，通往那激流之處，打開石壁，決然不致有水湧出。」

千毒谷主乾笑了兩聲，說道：「讓你們見識一下老夫的裂碑掌力。」舉手一掌，拍在那石壁之上。

徐元平見他掌擊之處，應手碎落了尺許大小、半寸深淺的跡痕，暗自忖道：此人掌力，雖是不凡，但這石壁，不知多厚，一掌一掌地拍擊過去，不知要多久才劈得開。當下挺身而出，低聲說道：「老前輩請到一側小息，讓晚輩試試戮劍情的鋒芒。」

戮情劍絕世鋒芒，早已馳名江湖，千毒谷主雖是極爲自負之人，也不願拚耗內力以掌力擊破，當下依言閃到一側。

徐元平取出戮情劍，暗運內力，舉手向石壁之上刺去。寶劍之名，果不虛傳，破堅石有如摧枯拉朽一般，片刻工夫，已被挖成一個足可容一人通過的石洞。

金老二冷眼旁觀，發覺千毒谷主兩道眼神一直盯在徐元平手中的戮情劍上，故意重重地咳了一聲，道：「平兒，留心手中的寶刃。」

千毒谷主回目冷冷望了一眼金老二，沉聲對上官婉倩說道：「孩子，這劍不是你的嗎？待爹爹給你奪回來吧！」說話之間，人已向徐元平欺了過去。

上官婉倩橫身攔住了千毒谷主，急急說道：「此劍原是別人之物，爹爹不可妄自出手奪取。」

她心中大急之下，口不擇言，聽得千毒谷主怔了一怔，才自我解嘲地乾笑了兩聲，道：「既然非咱們之物，以爹爹這等身分，自是不便去搶……」

回頭望著那長眉老人說道：「你看看此地對是不對？」

長眉老人冷然說道：「你心中可是存疑？」一伏身子，當先而入，大步向前走去。

千毒谷主一橫身子，兩條怪蛇咕的一聲，掉過頭去，攔住了徐元平和金老二的去路，正待舉步緊隨那長眉老人身後而入，卻不料上官婉倩嬌軀一側，搶在了他的前面。

被譽爲武林中一代毒梟的千毒谷主，對待上官婉倩，確有著無比的容忍氣量，微微一笑，道：「你這孩子，搶什麼？」舉步隨在上官婉倩的身後而行。

徐元平、金老二魚貫而入。

石壁後果然是一條高可及人的甬道，兩側都是青石砌成的堅壁，廣逾三尺，足可容二人並肩而行，顯然這甬道是經歷了巨大的人工築成。

這時，傳入耳際的水聲，反而不似剛才那等隆隆巨震，變成一片沙沙之聲，聲音雖然不大，但入耳驚心，使人另有一種不同的感受。

幾人轉了幾個彎，那水聲愈來愈是響亮，使人心中不自主地生出一種寒意。

長眉老人突然停下腳步，回頭說道：「這水聲響得有些不對。」

千毒谷主道：「哪裡不對了？」

長眉老人道：「平日之時，這激流一片轟轟隆隆，今日水聲卻是一片刷刷之聲……」

千毒谷主大聲叫道：「是啦，定然是有人進入那孤獨之墓，開了這激流水閘，激流有了出路，澎湃而下，是以不聞那反撞而回的隆隆之聲。」

徐元平道：「老前輩說得不錯。」

千毒谷主回頭問道：「你怎麼知道？」

徐元平呆了一呆，道：「就情而論，一想便知，用不著三反五思。」

千毒谷主乾咳了一聲，道：「看不出你這小子倒是很聰明啊！」

長眉老人高聲說道：「前面一座鐵門，拉開就是水道了！」

洞中黑暗，幾人雖有很好的目力，也看不遠，聽得長眉老人喝叫之聲，才運足目力看去。

只見甬道已至盡頭，一堵石壁迎面擋住大路。

千毒谷主和藹地說道：「孩子，閃開路讓我過去看看！」

上官婉倩嬌軀一側，讓開去路，千毒谷主大步走了過去，上官婉倩施展千里傳音之法，低聲對徐元平說道：「我先和他進去了，不知那長眉老人，所說已有越過激流之法，是真是假？」

徐元平也施展千里傳音的方法答道：「依據在下推想，當不致有假。」

上官婉倩道：「我先進去，再想法接迎你。」

徐元平忽然歎息一聲，說道：「你要小心一些了！」

上官婉倩道：「不要緊，反正我也活不了多久時間啦！生死之事，只不過是早遲而已！」

只聽一陣鐵板震動之聲，緊接著響起了千毒谷主的聲音，道：「孩子，你過來瞧瞧吧，這水勢洶湧澎湃，急流若漩，我看你還是不要去啦！」

上官婉倩應了一聲，急急地奔了過去。

徐元平、金老二緊隨上官婉倩的身後，大步走了過去。

## 三四 再探古墓

只見那壁間鐵門已被拉開，滔滔激流，洶湧而過。

這甬道建築之時，似是已顧慮到這座鐵門開啓之後，水勢可能沖入，特以在兩側築建了兩道水閘，任那激流雷鳴，奔勢如湧，但水勢始終無法湧出鐵門。

上官婉倩生長在西北，那地方甚少河流，她雖然一身武功，但水底工夫，卻是一竅不通，眼看那澎湃怒流，芳心大爲震駭，呆了一呆，才毅然說道：「我隨在爹爹身後，自然是不要緊了，我一點也不害怕！」她的聲音，有些微微發抖，顯然是違心之論。

千毒谷主輕輕歎息一聲，道：「倔強的孩子，這等激漩的水勢，連老夫看了都有些害怕，你一點都不害怕，豈不是自欺欺人之談。」

上官婉倩道：「除非你也不去，我就知難而退……」她說話的聲音甚高，似是有意讓徐元平等聽到。

千毒谷主微微一笑，道：「你這話可是說給我聽的嗎？」雙臂一抖，兩條蛇突然急竄而下，盤在他的腳前。

上官婉倩嗔道：「自然說給爹爹聽了，不信咱們一起退回去吧！」

千毒谷主道：「好，好，就算你說給我聽的吧！」抖開水獺皮衣穿在身上，另從身上拿出一條絲帶，接道：「孩子，把這條帶子繫在你的身上。」說話之間，已把手中一端，緊緊束在自己的腰間，結了一個活結。

上官婉倩依言把絲帶在身上繫好，高聲說道：「爹爹，咱們可以走了。」她聲音雖然高昂，但卻隱隱流露出一股淒涼的味道。

千毒谷主雙目盯注在那長眉老人臉上，一字一句地說道：「這鐵門不要關起，如若一日夜工夫還不見我們回來，再關不遲……」他微一停頓，接道：「其實你們就算關上這道鐵門，老夫也不害怕。」緩緩轉過身去，抓起兩條怪蛇，向那激流走去。

上官婉倩回目望了徐元平一眼，突然大步而行，搶在千毒谷主的前面。

徐元平身子一側，疾由那長眉老人身旁穿過，跟隨在千毒谷主的身後。

行不過六、七步遠，已到那激流邊緣。

一股陰寒之氣直撲上來，當先而行的上官婉倩，情不自禁地打了個寒顫，回過身子道：「爹爹……」秋波轉處，發現徐元平正站在千毒谷主身後，一陣心情激動，忘去了下面之言。

千毒谷主望著激流說道：「孩子，你再想想要不要去，現在還來得及。」

上官婉倩忽然大踏一步，躍入激流。

千毒谷主輕咳一聲，道：「任性的孩子！」緊隨上官婉倩身後躍入水中。

那激流漩渦之力，十分強大，兩人一躍入水，登時捲沉水底蹤跡不見。

但見水花一濺，那溪水又恢復了原有的澎湃洶湧。

徐元平呆呆地望著水面，自言自語地說道：「好厲害的一股激流。」

只聽長眉老人哈哈大笑，道：「我瞧這兩個人是死定的了。」

徐元平莫名所以地心頭一震，道：「他們有水獺皮衣護身，何以非死不可？」

長眉老人道：「這道激流，不但急漩如輪，而且深藏地下，一個人三日夜不吃飯，可以忍受，但如要久不換氣，只怕要活活悶死。」

徐元平道：「一個內力精純之人，施展鶴眠龜息法，閉上一、兩個時辰不出氣，並非什麼困難之事。」

長眉老人怔了一怔，道：「這個老夫就不大清楚了。」

金老二突然插嘴說道：「看水流去勢，那孤獨之墓中的水門，可能已被打開，時機不再，寸陰如金，咱們如要去，得要早點動身了。」

徐元平道：「不錯……」回頭望著那長眉老人道：「老前輩自稱有越渡這激流之法，不知怎樣一個渡法？」

長眉老人微微一笑，道：「那要比他們安全多了，你們等一會兒吧！」轉身急奔而去。

金老二一皺眉頭，道：「咱們追出去吧！別讓他關上了鐵門！」

徐元平道：「不用吧！此人不像陰險之人。」

兩人等了不大工夫，那長眉老人果然如言而來，只是在他的身後，多了一頭金毛猩猩。

金老二道：「你當真要帶牠去麼？」

長眉老人道：「老夫說一不二，牠已相伴我數十年歲月，此去是生是死，誰也無法預料，

帶著牠也好做個伴兒。」

金老二道：「時間不早了，你那越渡的辦法，也該說出來啦！」

長眉老人目光凝注左側，微微一笑，道：「那千毒谷主枉有虛名，他也不想想，如若這道激流當真通往孤獨之墓，那築墓之人極可能在此地留下越渡這激流之物……」

金老二左顧右盼了一陣，不見任何可用之物，不禁一皺眉頭。

長眉老人哈哈大笑，道：「如若是那越渡激流之物，一眼能夠看到，只怕早被那千毒谷主取用了。」轉身走了兩步，舉手在那石壁之上一拉，但聞砰然一聲，石壁間忽然現出一個巨大的裂口。

徐元平大步走了過去，只見那裂口裡面，放著一個形如棺材之物。

長眉老人打開蓋子，笑道：「咱們坐在這裡吧！」

金老二探頭一望，只見裡面原已設好座位，當先跨步而入。

只見那長眉老人先把金毛猩猩抱了進來，然後自己也坐了進去，雙手一拉，合上蓋子。

徐元平道：「老前輩，咱們都進來了，這東西如何下水？」

長眉老人道：「自然是有法子了。」突然伸手，在那棺頭前面用手一陣搖動，那棺材形的怪船，突然自動向前走了起來。一盞熱茶工夫之久，便滑行在激流之中，而且速度奇快又極平穩。

滑行之間，忽見兩團黑影，翻滾在激流之中。

徐元平目力過人，雖在極暗的光線之下，仍然看出兩個身穿著水獺皮衣的人，只不過無法

辨出哪個是千毒谷主，哪個是上官婉倩罷了。

但見一人仰手一把抓了過來，水流勢急，那棺外又無可資攀抓之物，船棺一滑而過，把那伸手之人拋在後面。

徐元平急的啊喲一聲。

金老二急急說道：「平兒，你怎麼了？」

徐元平道：「他們恐怕是完啦！」

金老二哈哈一笑道：「你可是說那千毒谷主嗎？他如葬身在這激流之中，咱們少了一個勁敵，有什麼值得惋惜？」

徐元平道：「可是那上官姑娘……」想到上官婉倩數日來對他的照顧之情，心情一陣激動，但感熱血向上衝來，高聲對那長眉老人說道：「老前輩，這棺蓋可否打開，我要出去！」

長眉老人冷冷說道：「我還想活著到那孤獨之墓中瞧瞧，打開棺蓋，咱們一個也別想活了。」

徐元平長長地歎息一聲，道：「老前輩言之有理。」垂下頭去，默然不語。

金老二壓低聲音說道：「孩子，那上官姑娘雖然對你恩情甚重，但她已經是那千毒谷主的兒媳婦了，你……」

徐元平凜然說道：「叔父之言，把侄兒說成了何等人物？大丈夫受恩豈可不報？她雖是女兒之身，但侄兒視她有如男子一般。」

長眉老人高聲說道：「兩位不要吵！老夫算計流速行程，大概咱們快到孤獨之墓了。」

說話之間，忽聽砰然一聲，那滑行的船棺突然停了下來。

金老二道：「怎麼不走了？可是船壞了嗎？」

長眉老人道：「可能是已到了孤獨之墓。」

徐元平看那水勢流速仍然很快，一皺眉頭，說道：「只怕是船壞了……」

餘音未住，突覺身子一陣搖動，似是那棺材形狀的怪船，由高空直跌下去。

但聞一聲砰然大震，那棺木怪船又繼續向前行去，似是這巨大的一震，並未把木棺碰壞，但它行速，卻是慢了很多。

徐元平心中一動，暗暗忖道：一路行速不變，此刻忽慢下來，不是船出了毛病，定然水速減低，切莫穿越了孤獨之墓而去，而我們仍無所知，那可是難能彌補的憾事。

念轉心動，低聲喝道：「老前輩，你可能讓這船停下來嗎？」

那長眉老人道：「這我就不清楚了，試試看吧！」右手用力一扳那船頭操縱木輪的栓鈕。

只聽一陣嘭嘭咚咚之聲，坐船忽然在水中旋轉起來，足足有一盞熱茶工夫之久，才停了下來。

徐元平借船上小窗向外望去，只見那磚石砌成的小道中，水勢逐漸地減低，坐船橫了過來，卡在兩壁之間，是以再難前行，不禁暗自讚道：造這坐船之人，思慮實在周到，除非橫舟卡在兩壁之間，在這狂流之中，實難停得下來。

細看兩壁不禁失聲叫道：「敢是已到了孤獨之墓。」

金老二道：「咱們打開蓋子瞧瞧吧！」說話之間，那水勢又減弱了很多。

徐元平大聲笑道：「到啦！不知何人已關上水閘，咱們如果晚來片刻，只怕已難進這孤獨之墓了。」

那水勢消滅的速度異常迅快，不大工夫已低過坐船。

長眉老人扭開扣環，猛力向上一推，那船蓋開了一半，似是突然遇上了甚大壓力，又自動沉了下來。

金老二心中一動，叫道：「外面有人，平兒，你準備迎敵，我幫他推這船蓋。」

長眉老人哈哈一笑，舉手在那猩猩背上拍了一掌，說道：「幫幫忙！」

那猩猩舉起雙手，猛力向上一推，船蓋升起了半尺，長眉老人和金老二同時相助，加勁向上推去。

只聽一聲冷哼，船蓋突然一輕，向上翻去。

徐元平雙掌護胸，當先站起。

抬頭看去，只見一身水獺皮衣的千毒谷主，抱著上官婉倩，站在四、五尺外，那兩條怪蛇，仍然盤繞在他的身上，夾道積水僅及他膝下。

徐元平急急問道：「她怎麼樣了？」

千毒谷主冷冷答道：「與你何干……」目光一掠那長眉老人，道：「有這等穿渡激流之舟，你竟敢不告訴老夫？」

長眉老人洋洋得意地笑道：「誰要你不聽老夫的話……」

忽聽一個高昂的聲音傳了過來，道：「水退啦……」

千毒谷主縱身一躍，落入那坐船之中，急急說道：「快坐下來，扣上蓋子。」

長眉老人冷冷說道：「這木船是老夫之物，我高興要誰坐，誰才能坐。你這般大呼小叫，喧賓奪主，給我滾出去！」

千毒谷主生平之中，從未受過人這樣當面斥罵過，不禁呆了一呆，道：「你可是罵老夫嗎？」

長眉老人道：「自然是罵你了……」忽然想及此人，竟連這等相指而罵的事情也分辨不清，不禁哈哈大笑起來。

金老二扯了一下那長眉老人衣領，道：「小聲一點，有人來了！」

徐元平已知那長眉老人不會武功，暗中運氣戒備保護他，只怕千毒谷主惱羞成怒，突然下手施襲。

哪知一代梟雄的千毒谷主，對那長眉老人的斥罵之言，竟似毫不放在心上，緩緩地放下上官婉倩，脫去她身上的水獺皮衣，推拿她身上要穴，直待上官婉倩醒來之後，才脫去身上的水獺皮衣，乾笑一聲，道：「如若不是老夫抓住了你這棺材般的木船，增快行速，不然定被拒於水閘之外，爲此事饒你們一次不死。」言中之意，似是包括所有的人。

上官婉倩睜開星目，凝注在徐元平的臉上，問道：「我可是在作夢嗎？這是什麼地方？」

徐元平微微一笑，道：「咱們都還好好的活著，這是孤獨之墓。」

上官婉倩舉手理理長髮，笑道：「我被那激流沖擊得暈了過去，什麼都不知道了……」

她長長地吁一口氣，接道：「但願咱們在這墓中，困上一月之後，你再出去。」

徐元平不知她言中含意深刻，暗示死期，只道她被激流沖暈了頭腦，當下含含糊糊地應道：「但願咱們各自早償心願，也好早些離此。」

千毒谷主冷哼一聲，接道：「孩子，你已經身有所屬，老夫和令尊，都是名重武林之人，你說話要檢點一些，不能留人話柄。」

上官婉倩緩緩站起身子，回顧了千毒谷主一眼，道：「我從小就隨便慣了，我那生身之父，都不敢管我，你要管我這樣多嗎？」

千毒谷主乾咳了一聲，道：「情形不同了，你現在已經是我們冷家的媳婦了。」

上官婉倩忽然格格大笑，道：「如果我死了呢？」

千毒谷主道：「老夫言出如山，你死了我也要下聘禮，接你的屍體到千毒谷去。」

上官婉倩淒涼一笑，道：「你儘管放心吧！生雖未必入冷家門，死卻是你們冷家鬼！」

千毒谷主臉色一變，肅然說道：「孩子，你可是悔婚了？」

上官婉倩道：「我生平不做後悔事，打落門牙和血吞，答應了就永不更改。」

千毒谷主忽然長歎一聲，道：「上官嵩能把你從小寵大，老夫有何不能？孩子，只要你不忘此身已是我們冷家人，任憑你鬧翻天，也有老夫爲你擔待。」

上官婉倩突然流下兩行清淚，道：「只怕我薄命無福，有負爹爹一番錯愛之心……」

只聽一聲大喝，遙遙傳來，道：「什麼人？」

原來上官婉倩講到傷心之處，聲音愈來愈大，夾道傳音，被人聽到。

千毒谷主冷笑一聲，喝道：「要命的。」他聲音沉重有力，傳出去良久之後，音量返射回來，滿耳盡都是要命之聲。

那喝問之人，不再回聲，顯然對方已不願再露行藏。

千毒谷主突然舉步跨出那棺材般的怪船，笑對上官婉倩說道：「孩子出來吧！咱們藏身之處已經暴露，不用再躲躲藏藏了。」

徐元平暗暗忖道：這話倒是不錯，行藏既露，躲亦無益，這墓中水閘開而復閉，顯然已經有人找到那水閘開閉機鈕，看來這墓中已經有不少高人進入，我既有爲而來，大可不必再躲避敵人。

心念一轉，緊隨千毒谷主跨步而出。

金老二和上官婉倩隨著徐元平身後，跨了出來。

那長眉老人挽著金毛猩猩的左臂，一齊隨出。

千毒谷主冷笑一聲，道：「帶著這等蠢笨的畜生同行，無異自暴行蹤，老夫替你除去如何？」

長眉老人道：「你動牠一下看看？」

千毒谷主陰沉地說道：「老夫從不信邪……」忽然一把拉著上官婉倩，飄然而退，身軀晃動，人已到兩丈開外。

徐元平似已警覺，急急說道：「快些躲開！」一閃身子，避到那怪船後面。

金老二提氣一躍，閃開八尺，貼壁而立。

長眉老人江湖歷練不豐，耳目也不似他人靈敏，眼看幾人紛紛躍避開去，心中甚覺奇怪，

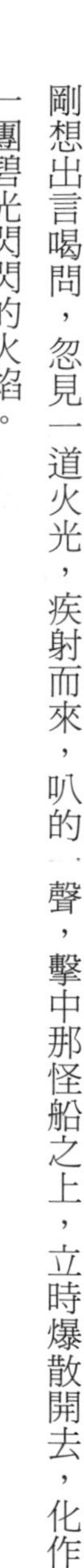

剛想出言喝問，忽見一道火光，疾射而來，叭的一聲，擊中那怪船之上，立時爆散開去，化作一團碧光閃閃的火焰。

徐元平急急叫道：「老前輩，快躲起來。」

那長眉老人似是亦覺到了自己身處險境，身子一側，向那怪船後面躲去。

只聽一聲尖銳的金風嘯空之聲，一道寒芒，電射而到，掠著他頭頂而過。

徐元平伸手一抓，硬把他拉入怪船後面。

那金毛猩猩究不如人靈慧，那長眉老人不招呼於牠，牠就不知如何躲避，目注那長眉老人隱身之處，吱吱兩聲怪叫。

但聞刷刷兩聲，又是兩道光焰疾射而來，一支又射中橫在夾道中的怪船上，一支卻擊中那金毛猩猩。

那紅色的光焰，射中金毛猩猩之後，突然爆成一片大火，在猩猩身上熊熊燃燒起來。

長眉老人眼看那相伴自己數十年的猩猩，全身籠罩在一片火焰之中，大部金毛已被燒著，心中大爲疼惜，不顧危險，一躍而起，直向那金毛猩猩奔了過去。

徐元平急聲喝道：「老前輩！」探手一抓，抓住了那長眉老人的手臂，接道：「那猩猩中的是硫磺火箭，火焰頑強，不易撲滅，咱們已陷身危境，老前輩不可妄動。」

他生具俠膽柔腸，眼看那猩猩身受火焚之苦，心中甚是不忍，勸那長眉老人不可妄動，自己卻疾躍而出，直向那猩猩衝去，揮手一掌，拍在那猩猩後背火焰燃燒最烈之處，左腳猛力一勾，掌上同時加勁，那猩猩頓時摔到地上。

這時，夾道存水，只不過餘下一寸左右，徐元平暗運功力，力貫雙臂，強行扭動那猩猩的身軀，在地上翻了兩個轉身，把牠身上燃燒的火焰熄去。

只聽強勁的金風嘯空之聲，傳入耳際，一道寒芒，挾著奇猛的威力飛來。

徐元平吃了一驚，暗暗忖道：什麼暗器，威勢這等強大！疾快地抱著那猩猩，貼地滾向一側。

但聞砰的一聲，那道疾射而來的寒芒，正擊在徐元平和那金毛猩猩停身之處，水花飛濺中直插石地。

如非徐元平及時地抱住那猩猩滾向一側，這威力驚人的一擊，足以把人畜一齊洞穿。

金老二凝神看那暗器，插入石地之後，還有兩尺多長，形如標槍，後面卻飄著一面黑色三角旗。

火光能熊，可見那旗上繡著的白色骷髏標幟。

徐元平動作迅快，避開標槍之後，立時一挺而起，抱著那金毛猩猩，躍飛到那形如棺材的怪船之後。

長眉老人目光凝注在徐元平的臉上，低聲讚道：「孩子，當今世上，雖然有不少人練成各種毒功、毒藥，但真正能當得毒人之稱的，恐怕只有我們兩人了……」

說話之間，右手已從懷中摸出了兩粒丹丸，放入那金毛猩猩口中。

只見那金毛猩猩口齒啓動，把那兩粒丹丸，吞了下去，忽然閉上雙目沉睡過去。

長眉老人快樂地放聲大笑道：「就目下形勢而論，這孤獨之墓中，可能已有了甚多高人，

我雖有超逾常人甚多的膂力，但卻絲毫不懂武功，在這幽暗的古墓之中，隨時可能被人殺死……」

徐元平道：「晚輩和老前輩走在一起，盡力防範，或能度過凶危。」

長眉老人笑道：「不用啦，縱然你和我寸步不離，也無法防止那突然而來的暗器偷襲……」他臉色突然一整，莊嚴說道：「現在我已給這頭猩猩服用下最強烈的毒藥，我自知難出這孤獨之墓，也不願相伴我數十年的猩猩活在世上，任人奴役，因而給牠服下絕強的毒藥，使牠生命中所有的潛力，在三日之內完全發揮出來，片刻之後，牠再醒來，已然是另外一個樣子了，牠的雙手，足可以生裂虎豹，不論何等武功高強之人，也難降服牠，但我一旦被人暗算而死，無人可駕馭牠，勢必要亂行出手傷人，現在我要傳你駕馭牠的密語，只要照我動作，牠就可以代你拒敵度險……」

徐元平默然不語，心中卻千迴百轉，暗暗忖道：這一頭猩猩也是一個生命，只是牠不似人類那般地奸詐，無善惡之念，是非之分，我徐元平如何能借重一隻猩猩之力，保護於我。

他念頭還未轉完，那長眉老人已接續說道：「咱們眼下處境，凶險異常，隨時隨地有和人搏鬥之險，寸陰如金，快些收斂心神，聽我傳授你駕馭牠的密語。」

徐元平忽然想到慧空大師傳授他武功之時也是這般說法，不禁心頭一凜，趕緊澄清心神，正襟而坐，肅然說道：「晚輩洗耳恭聽。」

長眉老人微微一笑，低聲傳授他駕馭那猩猩的密語和手勢。

他說話的聲音極低，就是坐在兩人身側的金老二，也是聽不清楚。

忽然間，遙遙地傳過來兩聲厲叱，和一垂死掙扎的慘叫之聲，劃破夾道的沉寂。陰森的古墓，一片漆黑，那聲慘叫，也顯得更為淒涼，動人心魄。

徐元平輕輕歎息一聲，自言自語地說道：「這墓中，果然已雲集了不少高手，那人一定死得很慘。」

長眉老人冷冷地接道：「我傳授你那駕馭猩猩之法，可都記下了嗎？」

徐元平道：「都記下了。」

長眉老人道：「記下了就好，在一盞熱茶工夫之內，牠就要醒過來了，你現在先試試看，能不能運用自如？」

徐元平道：「晚輩遵命。」

只聽一個嬌脆的聲音，傳入耳際：「徐相公，快過來，我有話要對你說。」

徐元平仔細地分辨那聲音，有些不像是上官婉倩，不禁微微一怔，沉聲問道：「你是誰？」

那嬌脆的聲音接道：「你過來看看就知道了，你心中可是害怕嗎？」

徐元平冷哼了一聲，暗暗說道：有什麼可怕！霍然站起身子，大步走了過去。

金老二低聲說道：「平兒，此時此地，不是爭名逞強之時，天下高手雲集此墓，彼此勾心鬥角，手段毒辣無比，加上這墓中的黑暗，景物不辨，正是各自暗施毒手的好時機。」

他輕輕歎息一聲，續道：「那日在這孤獨之墓外面一戰，據叔叔冷眼旁觀，你的武功，已使參與那場大戰之人，都為之傾服不已，但也增加了他們殺你之心，江湖險詐，防不勝防，你

要小心一些為是。」

但聞那嬌脆的聲音重又傳來，道：「徐相公！……」語氣之中，充滿著痛苦和淒涼。

徐元平劍眉一聳，低聲說道：「叔叔放心。」加快腳步，直走過去。

金老二急急說道：「平兒，等等我，咱們一起去吧！」站起身來，緊隨在徐元平的身後。

徐元平微一沉吟，說道：「這位老前輩不會武功，叔叔還是留在這裡保護他吧！」

金老二微微一笑，道：「好吧！我和你一道去，也許要拖累於你……」微一頓，接道：「如若你發現情勢不對，就快些回來……」壓低了聲音，接道：「不到必要，最好不要和對方動手，那位上官姑娘仍對你一往情深，江湖之上人心太過險惡，不妨利用她的牽扯之力，借用千毒谷主之能……」

徐元平搖搖頭，接道：「這個，這個不太好吧！平兒堂堂男子，怎能利用一個女孩子情感上的矛盾，從中漁利。」

金老二說道：「據我觀察，她似乎是有著極深的痛苦，答應嫁給千毒谷主之子，實非出於本心。」

徐元平心中對金老二極是尊重，雖然不願聽他這些無謂之言，但也不願發作，當下微微一笑，道：「我要去看看了，那呼叫我的女孩子，似是正受著難以忍受的迫害。」

急步對那發聲呼叫自己的方向走去。

金老二諄諄相告，加上他近來經歷的風險，使他生出了甚大戒心，暗中運功戒備。

這是一條寬僅數尺的夾道，那呼叫之聲傳來的方向，剛好和暗器飛來的方向背道而馳。

徐元平走出了三、四丈遠，仍然不見動靜，心中暗暗忖道：奇怪呀！難道她已經遇害了。當下高聲道：「剛才哪一位要找在下？」

只聽夾道中回音傳來，不聞那女子答應之聲。

徐元平運足目力，向前看去，只見三丈左右之處，夾道的兩側，似是又有一道橫穿而過的夾道，心中暗暗奇道：這條夾道乃激流通道，此刻突然又有一道夾道橫穿而過，顯然墓中的機關，已經被人發動了。

心中忖思，人卻仍然放步向前行去。

夾道中幽寂得像一道死巷，徐元平落足雖然很輕，但仍可聽聞步履之聲。

突然間，由那橫穿的夾道中，傳出來一聲厲喝，一條人影疾閃而出，迎面奔來。

徐元平霍然停下腳步，閃到一側，本想放他過去，但又忽然想起數丈之外，就是金老二和那長眉老人停身之處，當下又舉步跨回，攔在路中。

那迎面奔來之人行速極快，徐元平剛剛跨回夾道中間，他已衝到前面。

那人一見有人攔路，不問青紅皂白，舉手一掌拍了過去。

徐元平右掌一推，硬接了那人一掌，冷冷喝道：「怎麼出手就要傷人？」

但聞砰的一聲，雙方掌力接實，那疾衝而來之人被震得後退了兩步。

徐元平凝目望去，只見來人是一個身軀矮小，環目方臉的中年人，一身短衣，背上斜揹著一個長長的包裹，也不知藏的是什麼兵刃。

那人被徐元平一掌震退了數步，不禁微微一怔，心想對面之人，不是三谷、二堡中首腦人物，亦將是武林中甚得盛譽的高手，哪知凝目望去，竟然是一個素不相識的少年，不禁臉色一變，怒聲喝道：「你是什麼人？」

徐元平淡然一笑，道：「你又是什麼人呢？」

那人剛才接了徐元平一掌，已然吃到了苦頭，心知對方年紀雖然幼小，但武功卻是不可輕侮，當下暗中提起真氣，準備出手一擊而斃對方，口中卻故意說道：「咱們素不相識，你爲何攔阻我的去路？」

徐元平呆了一呆，吶吶地答不出話來，只覺對方之言甚是有理，無法反駁。

突然間，又是二聲慘叫傳來，聲音厲淒短促，顯然是一種死亡呼號。

緊隨著響起了一聲長笑，搖曳在夾道之中，傳播開去。

那矮小中年人似是被那慘叫之聲，擾得心神震盪，全身微微一顫，不自主地回頭望去。

就在他回顧之間，忽然大喝一聲：「蛇……」探手一把，向下抓去。

不遠處傳過一聲陰沉的冷笑，道：「絕毒之蛇，死亡之口……」餘音未絕，那矮小中年人，突然倒地而斃。

徐元平凝目看去，只見他手中一條小蛇，猛的一竄，躍飛開去。

顯然他探手一把，已然抓住那小蛇，只因蛇毒發作太迅，他還未及用力揑斷毒蛇，人已毒發而死。

黑暗中，雖然無法辨識那顏色，但徐元平想到定然是千毒谷主身帶兩條毒蛇之一，心中暗自駭道：不知什麼毒蛇，毒性竟然如此之重，毒性發作得這般迅快……心中念頭電轉，口中卻高聲說道：「冷老前輩，還未走嗎？」

遙遙地傳過來一聲冰冷的聲音，道：「目下這古墓之中，步步充滿凶險、殺機，老夫看在我那兒媳面上，饒你一次不死，咱們再遇上時，我就要你的命了。」

徐元平忽然想起上官婉倩來，不知身在何處？何以不聞講話之聲。

一想起上官婉倩，就不自禁地想起來這數日中相待的恩情，不禁心頭一急，高聲叫道：「冷老前輩慢走一步，在下還有事請教。」一面急急向千毒谷主停身的地方奔行過去。

但聞回音在夾道中飄蕩，不聞千毒谷主的回應之聲。

他行動迅快，倏忽之間已到了那橫過的夾道口處。

只聽一個冷峻聲音，由那橫穿的夾道中傳了過來，道：「什麼人？」

隨著那喝問之聲，傳過來一股強猛絕倫的掌風。

徐元平早已留神戒備，回臂拍出一掌，人卻飆然閃向一側。

兩股掌力相接，旋起了一陣急風。

但聞一聲冷哼，罵道：「老毒物二十年未入江湖，掌力果然又強了不少。」

顯然，對方竟然把徐元平當做了千毒谷主。

徐元平中一動，暗暗忖道：不知對方是何等人物，竟然把我當做了千毒谷主，想來他定然聽到了千毒谷主的聲音。心念一轉，側身貼在牆壁之上，默不作聲。

過了一陣工夫，冷峻的聲音重又傳了過來，道：「老毒物你縱然不肯開口，也別想瞞得過老夫。」

徐元平聽那聲音充滿急躁，想是心中早已等得不耐。

徐元平暗中提聚真氣，緩步移到那橫穿而過的巷口。

數日以來，連番遇上凶險之事，對江湖上人心的險惡，早已有了認識，尤其這陰森幽暗的古墓之中，現下正在展開慘酷的屠殺，不論何人，只要一進入這古墓，在這古墓之中相遇，彼此就算結下了不共戴天之仇，雖是素不相識，但也以毒手相向。

他聽到過幾聲震耳的厲淒慘叫，那每一聲呼喚之中，即有一個人失去了性命。

他親眼看到了千毒谷主施放毒蛇暗中殺人的毒辣手段，在這等黑暗之中，那毒蛇卻是攻擊人最好的方法。

這些慘酷的殺人之術，使徐元平提高了警覺。

那人呼叫了兩聲之後，仍然不聞相應之聲，心中似是難再忍耐，只聽步履之聲，傳了過來，想是那人已大步行來。

他似是有意讓人聽到他已緩步走來，故意落足甚重。

片刻之後，那步履聲忽然停了下來，一條黑影疾躍而出。

徐元平右手一抬，正待伸指點去，心中忽然一動，暗道：他邁著沉重步子走來，分明是存心想誘我中計……只聽砰然一聲，那人影撞在對面的石壁上，倒了下去。

徐元平先是微微一怔，繼而恍然大悟，那條人影，原來是一具屍體，被人默用內力，投擲出來，如若適才冒失出手，勢必被隱身在轉角之處的強敵暗算。

他暗自吸了一口冷氣，忖道：江湖中人，當真是詭詐得很，一不小心，就將有殺身之禍。
忖思之間，忽見火光一閃，一個火摺子投了過來，落在那屍體旁邊，熊熊地燃燒起來。
幽暗的夾道中，驟然間出現了一片光明。
徐元平迅快地移動身軀，向後退出了二丈多遠，避到火摺光芒照射之外。
一個高大的老者，緩步地走出那橫過的夾道，站在兩條夾道的交叉路中。
這人胸垂白髯，身軀高大，虎頭環目，生像威猛至極。
只見他雙目轉動，望過兩側夾道之後，突然仰臉大笑三聲，說道：「老毒物，你這般藏頭露尾，算得什麼人物。哼！老夫如能出了這孤獨之墓，非得摔了你們千毒谷的招牌不可。」
對面的夾道中突然響起了一聲尖叫，一個黑衣少女散披著長髮，急急衝出。
那高大的白髯老者，忽然伸手，一把疾向那黑衣少女抓了過去。
不知是她有意讓那老者抓住呢，還是已累得筋疲力盡，被那老人一把抓住右臂，老鷹抓小雞般地提了過去。
火光映射之下，徐元平看出黑衣女，正是鬼谷二嬌中的丁玲，不知受到到什麼驚駭，急急如喪家之犬般狂奔而來。
丁玲似是自知難再逃脫，索性一閉雙目，不言不語。
那白髯老者隨手一指，點了丁玲的穴道，放在暗影之處。
就在他一轉身的工夫，對面夾道中，疾飛來一道光芒，叭的一響，打熄了火摺子。
夾道中又恢復了原有的黑暗。

徐元平提聚真氣，貼壁急行，倏然之間，又回到那夾道口處。

只聽那長髯老人宏亮的聲音，叫道：「什麼人？」呼的一股拳風，直向對面夾道中擊過去。

一個陰冷的聲音傳了過來，道：「要命的！」砰然一聲大震，夾道中急風迴旋，想是那人拍出一掌，硬接了白髯老人的拳風。

徐元平凝目注視，趁那老人轉身迎敵的當兒，疾快絕倫地閃入橫過的夾道中。

但聞拳聲帶起的呼呼風響，旋蕩在夾道之中，想是兩人已經展開了全力搏鬥。只聽拳勁掌風的威勢，就知道搏鬥的兩人，都是武林中的一流高手。

徐元平抱起了丁玲之後，反而猶豫起來，古墓中岔道縱橫，一不小心，就難免有迷失路途之危，他必須早回到金老二的身側去，但要穿過兩人拳、掌所發內力封鎖的夾道，縱然不至受傷，亦將被兩人發覺。

他爲人堅毅，略一思忖，決定冒險一試，解下丁玲腰間的絲帶，把丁玲縛繫在自己的身上，然後一提真氣，貼壁向前行去。

凝神望去，只見兩人拳來掌往，打得激烈無比，雙方武功似是極爲接近，使這一場勢均力敵的惡戰，觸目驚心。

徐元平提聚內力，護住了身子，緩步逼行。竟然被他衝過那激盪的勁力，而未爲兩人發覺。

他急步奔行到那棺材一般的怪船所在，放下懷中的丁玲，舉手拍活她身上的穴道。
只聽丁玲長長吁一口氣，問道：「你是誰？」
徐元平道：「在下徐元平……」
只聽丁玲嚶的一聲，轉身撲入了徐元平的懷中，道：「哎呀，這幾天他們把我整治慘了！」
徐元平道：「什麼人這樣對你？」
丁玲道：「楊文堯和易天行。」
徐元平道：「他們幾時進入了這孤獨之墓？」
丁玲道：「時間已不短了，約略算一下，大概有四個時辰之久了。」
徐元平道：「他們可曾被困到水中嗎？」
丁玲搖搖頭，道：「我曾聽到震耳欲聾的翻騰水勢。」
徐元平略一思忖，道：「這麼說來，進入這古墓之中的武林高手，當真是不少了。」
丁玲道：「易天行不但選出八大高手隨行入墓，而且入墓的要口處，都派有武功高強之人守護，每人都配帶很多絕毒的暗器，在這等幽暗的古墓中，實叫人防不勝防……」她微一停頓，喘了兩口氣，接道：「除了易天行和他的屬下之外，還有楊文堯、查子清、查玉等，一齊來啦！」
只聽一個宏亮的聲音，喝罵道：「不用打了，那女娃兒被老毒物帶走了。哼，咱們兩個鷸蚌相爭，叫別人坐得漁利。」

一個陰沉、冷漠的聲音答道：「誰要你出手就要揍人呢？」

那宏亮的聲音喊道：「老毒物，別人怕你用毒，老夫就是不怕。你現身出來，試試老夫的拳頭如何？」

徐元平低聲問道：「三叔父，你可聽出這人是誰麼？」

金老二道：「見人之後，或可相識，但憑聲音卻是聽他不出。」

丁玲接口道：「我雖然在他們的強力壓迫之下，但仍然留心了他們的舉動，據我觀察所得，易天行深入這古墓尋寶，不過是借作掩飾而已，他真正的用心，是想借這古墓，一網打盡武林高手，楊文堯、查子清，都已經中了他的圈套，欲罷不能了。」

她輕輕地歎息一聲，接道：「這座幽暗的古墓之中，即將展開一場凶殘的屠殺，不知有多少武林高人，要埋骨這古墓之中。」

徐元平道：「出手相搏，生死之機，各佔一半，易天行怎能穩操勝算？」

丁玲道：「易天行處心積慮，每闖過一道機關，就暗中指派一人看守，必要之時，他只要一聲令下，古墓中大部分機樞，都將爲他的屬下破壞，那時，凡是進入這古墓之人，縱然不被殺死，亦將活活餓死在古墓之中。」

徐元平無限感慨地說道：「名利二字，當真是害人不淺。這古墓中的凶險，無人不知，只因這墓中存放了富可敵國的財寶，和那流傳於江湖的玉蟬、金蝶，引得無數人甘冒奇險……」

話至此處，突然被一聲慘叫打斷。

緊接響起一陣兵刃相擊的聲音，由遠而近。

丁玲抬頭望去，只見幽暗的夾道中，不時閃動兵刃的光芒，逐漸向幾人停身之處而來，顯然兩人的搏鬥，一強一弱，弱的一方，被對方迫得直向後退，不禁低聲說道：「咱們再不離開此地，就要和人家碰上了。」

那久久不發一言的長眉老人，突然出口接道：「這猩猩已經醒過來了，你快些試試看是否能夠運用自如？」

徐元平凝神望去，只見那金毛猩猩，正緩緩挺身而起。

幾人和那猩猩相距甚近，雖在黑暗之中，亦隱隱可見那猩猩的猙獰面目，怒目圓睜，白牙森森，直似要攫人而噬。

丁玲不自禁地把嬌軀向後收縮一下，道：「這猴子好生難看。」

徐元平的耳目，在幾人之中最是靈敏，雖在那兵刃交響之中，仍然聽到一種輕微的步履之聲傳了過來。他心中正在思索那老人之言，一聞那步履之聲，本能的唔呀一聲，揮手指去。

他從那老人處學得指揮這猩猩之言，別人也聽不懂他說的什麼。

只聽一聲厲嘯，那猩猩突然疾躍而起，快如流矢般直射過去。

只聽傳過來一聲怒喝道：「好畜生！」緊接著砰然一聲大震。

徐元平怕那猩猩受傷，奮身一躍，直掠過去。

徐元平目睹前面黑影幢幢，翻飛不停，趕忙一沉丹田真氣，疾向前衝的身子，突然沉落實地。

凝神望去，只見那猩猩雙手張舞，厲嘯不停，直向前面猛撲。

對面強敵，雖然不停地劈出凌厲的掌風，但仍然無法阻擋得住猩猩狂衝猛撲，被迫得直向後退。

搏鬥中，徐元平無法看清那人面貌，但隱隱所見的高大身材，似乎像是那長髯老叟。

只聽丁玲高聲叫道：「徐相公，快退回來……」

徐元平劍眉一聳，高聲答道：「你們守在這裡，不要離開。」

口中說著話，人卻疾向前面追了去。

金老二輕聲說道：「他要去找易天行了，咱們一起去吧！」

丁玲道：「假如咱們當真找到了易天行，誰都別想活了……」她微微一頓，接道：「他不肯聽我的話，你快些叫他回來吧。」

抬頭望去，哪裡還有徐元平的影子。

但聞猿嘯淒厲，由遠而近，分明那猩猩遇上了勁敵，又被迫退了回來。

長眉老人霍然驚覺站了起來，輕聲說道：「猩猩遇上了勁敵，只怕就要退回來了。」

丁玲道：「我身受內傷，已無拒敵之能。」

金老二豪壯地接道：「生有處，死有地，我金某人走了一輩子江湖，遇上的凶險，難以計數，但都履險如夷，仍然未死，如若命該死在古墓之中，那也無可奈何，不論來人是誰，咱們也不能坐以待斃。」

丁玲突然放低了聲音，道：「金老前輩，晚輩倒是有一個拒敵之策，但需憑仗金老前輩相助。」

金老二怔了一怔，道：「能進入這古墓之人，大都是武林中一流高手，只怕我金某人，難以是人家的敵手，姑娘如想憑仗於我，那可是找錯人了……」

丁玲道：「晚輩自受內傷，行動之間極是緩慢，只要老前輩能拒擋強敵的豪氣，晚輩隱在你的身後，出其不意，施展迷魂藥粉，在這等幽暗的夾道之中，或可制服來人。」

金老二道：「好啊，我倒是忘了你們鬼王谷的迷魂藥了！」

只聽悲厲的長嘯，傳入耳際，想是那猩猩，受人重擊，發出的嘯聲。

金老二已知那長眉老人不會武功，急急說道：「老前輩請躲入這渡船之中，由在下和這位丁姑娘設法拒敵。」

那長眉老人一沉吟，道：「好吧！如若你們打他不過，那就設法把他引到這棺材旁邊，讓我來收拾他！」

金老二淡淡一笑，道：「好吧！」呼的一聲，把那燃燒的火摺子吹熄，大步走到那棺材後面，撿起一把單刀。

這時，那逐漸後退聲，突然停了下來。

丁玲牙齒緊咬，暗中提聚真氣，探手入懷摸出一只玉瓶，緩緩地把身體移靠在夾壁上。

夾道中幽暗如夜，雖然練武之人，目力大異常人，但也難見五尺以外的景物。

金老二握刀在手，大步走了回來，輕輕歎息一聲，說道：「我自被楊文堯引入這古墓中斷臂之後，一直未再和人動手，不知還會不會施用兵刃。」言語之間，充滿著無可奈何的淒涼。

丁玲輕聲說道：「老前輩不用擔心，只要你擋得來人兩招，我就有機會施這迷魂藥粉了。」微微一停頓，接道：「這古墓之中，一片黑暗，對咱們大是有利……」話至此處，突然重重地喘息幾聲，倏然住口不言。

金老二見聞何等廣博，聽得心中一動，道：「孩子，你怎麼啦？」

丁玲緩步走了過來，道：「我被他們嚴刑迫害，受了很重的傷，說話一多，傷勢就疼痛難忍……」她又喘了兩口氣，接道：「這玉瓶之中，藏的解藥，你抹在鼻子上，就不怕那迷魂藥粉了。」

只聽拳風盈耳，一團黑影，緩緩地向兩人停身之處退來。

丁玲迅快地閃到金老二的身後，道：「老前輩豪壯一些。」

金老二打開玉瓶，抹上解藥，橫刀而立。

眨眼之間，那團黑影，已退至兩人身側，果然是那金毛猩猩。

這時，那金毛猩猩似是已累得無力嘯叫，雙爪護在胸前，緩步而來。

緊逼那猩猩的是一個身軀高大的長髯老人。

只見他神情凝重，滿頭大汗，隱隱可聽到喘息之聲。他雖然迫退了猩猩，但亦似累得筋疲力盡，是以不肯妄發一拳。

金老二讓過猩猩，沉喝一聲：「站住！」揮手一刀，直劈過去。

那白髯老人全神貫注在那猩猩身上，聽得金老二的喝聲，刀光已到身前，左手斜斜拍出一拳，一股潛力，逼住了刀勢，正待開口說話，忽見一隻素手由敵人身後伸出，不禁微微一怔。

就這一緩，丁玲已彈出「迷魂藥粉」。

那長髯老人話還未說出口，人已被藥粉迷倒，砰的一聲，倒摔在地上。

金老二單刀一揮，直劈而下。

丁玲急急叫道：「老前輩不要傷了他。」喝聲中，右手全力向金老二臂上推去。

她身負內傷甚重，全力一推，雖把金老二推了開去，但卻震動傷勢，吐了一口血，跌坐在地上。

金老二被丁玲全力一推，單刀砍在石壁上，噹的一聲，激起了一串火星。

丁玲右掌緊緊地按住前胸，吃力地說道：「別傷他。」

金老二緩步走了過來，說道：「孩子，你先運氣調息，不要忙著說話。」

那躲入舟中的長眉老人，突然站了起來，接道：「傷得很重嗎？讓老夫看看。」跨出木舟，大步走到了丁玲身側，也不問丁玲同不同意，抓過右腕，伸手就按在脈門之上。

夾道中恢復了原有的幽寂，那經過激戰的猩猩，也疲累得倒臥在地上。

大約過了有一盞熱茶工夫之久，那長眉老人突然歎息一聲，說道：「孩子，你傷得很重，老夫身上雖然帶有成藥，只是毒性重了一些，不知你願不願服用？」

丁玲道：「我還想多活幾天！縱然要受盡痛苦，我也不怕。」

長眉老人敞聲笑道：「好啊！你想活多長時間……」

金老二接口說道：「老前輩，咱們處境險惡得很，隨時均可能有武林中一流高手來襲，你這般敞聲大笑，豈不是把我們停身之處，告訴別人嗎？」

丁玲嬌喘幾聲，接道：「我想再活十天……」

長眉老人道：「那太容易了。」伸手從懷中摸出幾粒丹藥，道：「你自己收著吃吧！如若能把幾粒丸藥吃完，吾道又多一人了。」

金老二道：「你又想多製造一個毒人出來。」

長眉老人道：「如若老夫早出道幾年，今日武林當又是另一番形勢了。」

金老二對他把徐元平變成毒人一事，心中一直耿耿於懷，當下冷笑一聲，道：「你要創出一個毒人派來。」

長眉老人道：「不錯，可惜時不我與，已經太晚了。」

丁玲緩緩捏起一粒丸藥，輕聲對金老二道：「他這丸藥，當真能療治傷勢嗎？」

金老二道：「能療傷勢，確實不錯，只是無異飲鴆止渴，傷勢療好之後，劇毒也侵入了內腑之中。」

丁玲自知傷勢難再支持下去，聽金老二說能夠療治傷勢，立時吞下一粒。

金老二看出丁玲的內傷，已到了萬分險惡之境，也不再勸止。站起身來，把那長髯老人抱了過來，心中害怕那藥物效力過後，此人突然醒了過來，想問丁玲如何處置，但見她服藥之後，正在運氣調息中，又不便驚擾，只好用單刀架在那人項頸之上，只要他一醒過來，立時揮刀斬下。

那長眉老人一語不發，靜靜地坐在一側，雙目凝注在丁玲的臉上，似是等待丁玲服藥後的反應。

丁玲坐息一刻工夫之久，忽然睜開雙目，笑對長眉老人說道：「你這藥物很靈，我覺著傷

勢已好多了。」

長眉老人道：「如若說藥到病除，當時見效，老夫敢誇當今之世，唯吾獨尊……」忽然想起一件事來，長歎一聲，回顧金老二道：「也許這世界還有一個人可以和老夫相比。」

金老二道：「什麼人？」

長眉老人搖頭說道：「不知道，好像那人還是一個婦道人家……」

丁玲接道：「如若那人是女人，定然是南海門下那個鬼丫頭了……」

遙遙地傳過來一聲輕笑，道：「背人之後，說長道短，不怕嚼爛舌根子嗎？」柔音細細，分明是女子口音。

丁玲呆了一呆，道：「什麼人？」仔細聽去，那聲音似是從一側石壁傳出。再不聞回答之聲，那人說完一句話後，似是已掉頭而去。

長眉老人罵道：「這陰風森森的所在，當真都是些鬼鬼祟祟的人物……」

金老二道：「這古墓建築靈巧，到處是密室夾壁，隔壁傳音，算不得什麼稀奇之事。」

丁玲目光一掠躺在身前的長髯老人，道：「你沒有傷了他嗎？」

金老二道：「沒有，但你要留下他來，不知有何作用？」

丁玲道：「此人武功很高，殺了他未免可惜……」

金老二道：「好吧！那就留著他醒來之後，殺咱們吧！」

丁玲笑道：「老前輩且莫心急，我說他武功高強之意，是可以幫助咱們拒敵。」

金老二道：「這個只怕不容易吧！」

丁玲道：「晚輩自有妙策，讓他甘心受命。」說話之間緩緩地站了起來，走向那長髯老人的停身之處，蹲了下去。

金老二緩緩收回架在那人頸上的單刀，說道：「你最好先把他降服之後，再給他嗅上解藥，要是被他先醒過來，咱們誰也別想活了。」

丁玲道：「老前輩儘管放心。」突然伸出了纖纖玉指，點了他雙臂、雙腿上四處要穴，然後從懷裡摸出一瓶解藥，塗在那長髯老人鼻孔之上。

只聽那長髯老人打一個噴嚏，緩緩地睜開雙目，望了丁玲、金老二等一眼，挺身坐了起來。

他雙臂、雙腿，要穴被點，除了腰之外，四肢難動，右手一抬未起，立時緩緩地躺了下去。

丁玲待他躺好之後，才冷冷地說道：「你如妄想運氣自解穴道，那可是自找苦吃。」

長髯老人冷冷地望了丁玲一眼，默然不語，他雖在生死關頭，仍然有一股倔強之氣。

丁玲用手撿起單刀，冷冷說道：「現在，你有兩條路可以選擇。」

長髯老人冷哼一聲道：「龍遇水淺遭蝦戲，虎落平川被犬欺。」

丁玲單刀一揮，一股冷芒疾掠那長髯老人前胸掃過，一綹長髯，應手而飛，接道：「不論你如何罵我們，但眼下你無反抗之能，我只要一揮手間，立時可以要你身首異處，魂遊鬼府。」

長髯老人怔了一怔，道：「哪兩條路，先容老夫忖思一陣，才能答覆。」

丁玲道：「簡單得很，一條是你答應受我指揮，不得有絲毫抗違之心，一直到咱們離開這古墓為止，我就還你自由之身，另一條路就是拒絕我，我一刀把你殺死。」

長髯老人怒道：「老夫是何等身分之人，豈肯受你這個黃毛丫頭支使？」

丁玲冷笑道：「那你是選擇後一條的死亡之路了。」緩緩舉起手中單刀接道：「我現在先斬你一條右腿。」刀光一閃而下。

長髯老人急急搖頭，說道：「且慢動手。」

丁玲收住刀勢，笑道：「你可是想活命嗎？哼！能伸能屈，才是英雄人物，何況你出了這古墓之後，還有一雪此辱之機，如是被我一刀殺死，你就永遠無法洗雪此辱了。」

長髯老人道：「老夫出了這古墓之後，必要把你迫做奴婢，以雪此辱。」

丁玲笑道：「那你是答應了。」

長髯老人無可奈何地點點頭，道：「就算答應了吧！」

金老二急急說道：「孩子，江湖上人，極少信義，你放了他，他如不肯履行承諾之言，怎生是好？」

丁玲道：「大丈夫一諾千金，我相信這位老前輩答應了，決然不會反悔。」

金老二道：「你相信，我可不相信……」

丁玲右手一揮，拍在那長髯老人的「曲池穴」上，推活他左臂穴道。

金老二心頭大急，獨臂一伸，奪過丁玲手中單刀，對著那長髯老人，作勢欲劈。

丁玲緩緩地從懷中取出一粒丹丸。長髯老人回顧了丁玲一眼，說道：「你手中的丹丸是何

等毒物？先說給老夫聽聽再說。」

丁玲笑道：「這丹丸名叫『百步斷腸散』，乃五種絕毒之物，混合而成，服用之後，行上百步，毒性就要發作，斷腸而死……」

她舉起丹丸，嫣然一笑，接道：「不過，我帶有解毒之藥，你吃下這粒藥丸之後，立時再服下一粒解藥，一個時辰內毒性就不會發作了。」

長髯老人似是異常留戀生命，搖搖頭說道：「一個時辰之後呢？」

丁玲道：「我再給你服用一粒。」

長髯老人道：「如此輪服不息，你那藥丸，總有服完之日。」

丁玲道：「你服用一十二粒之後，其毒自解。」說話之間，探手從懷中取出一只玉瓶，打開瓶塞，倒出一把白色丹丸，數出一十二粒，把餘下丹丸捏得片片粉碎，灑在地上，接道：「我現在手中只餘一十二粒解毒丸，只要我再毀去一粒，你就別想再活。」

長髯老人一皺眉頭，說道：「你這般毀去解毒藥物，不知是何用心？」

丁玲道：「最是簡單不過，只要你一有背叛我的舉動，我立時毀去一粒丹丸，那時你可能把我殺死，但你也難再活命，落個同歸於盡。」

長髯老人目光一掠金老二道：「此人可也要算進去嗎？」

丁玲一皺眉頭，道：「這個，這個……」

金老二道：「想不到你還看上金某人這條命了。」

長髯老人道：「一個換一個，老夫未免太吃虧了。」

金老二道：「好吧，你先說出用什麼方法，把我們生命限制於十二個時辰之內？」

長髯老人道：「我用獨門手法點你們五陰絕脈，十二個時辰之內，不得解救，百穴凝結而死。」

金老二抬頭望著丁玲道：「孩子，咱們答不答應？」

丁玲笑道：「晚輩的看法，咱們都無生離這古墓之望，答應或可助他一臂之力。」

金老二道：「姑娘口中之他，可是指平兒嗎？」

丁玲道：「是啊！不是他是誰呢？」

金老二笑道：「好！好！只要對他有助，咱們死了也不冤枉。」

丁玲兩指夾著丹丸說道：「老前輩，相約已好，你可以吃下去吧！」

那長髯老人果然不再推辭，張口吞下了丁玲手中的藥丹。

丁玲雙手齊揮，拍活他雙臂、雙腿的穴道。

長髯老人突然一挺而起，揮手一把，抓住了丁玲右腕。

丁玲左手一伸，把一粒丹藥交到金老二的手中說道：「老前輩好好的拿到，他一殺我，你就捏碎那粒丹藥。」

金老二遠距那長髯老人手臂可及之外，大部藥丸又在丁玲手中，氣得長髯老人頓足，牙齒咬得格格作聲。

丁玲迅快地一揚左手道：「你不用打壞主意，快吃下一粒藥吧，再晚了毒性就要發作。」

長髯老人接過丹丸，冷冷說道：「轉過身去，老夫要點你五陰絕脈。」

丁玲一面轉動嬌軀，一面笑道：「我這裡還有十粒藥丸，我那位叔叔那裡一粒，你只要一下子不能把我們兩人殺死，你就也無法活了。」

長髯老人道：「別說你們兩人，就是十條、八條人命，也不值老夫一命。」說話之間，右手揮動，連在丁玲身後點了數指。

他每指點下之時，丁玲就覺著全身一震，數指點過，半身痠麻難耐。

長髯老人放過丁玲，大步向金老二走了過去。

丁玲急聲說道：「喂！你這點五陰絕脈手法，傷人之後，半身麻木，如何還能行動。」

長髯老人冷冷說道：「片刻之後，那痠麻即將消失，十二個時辰內，無礙你的行動。」

金老二自行轉過身子，讓那長髯老人點了五陰絕脈。

長髯老人似是意猶未足，大跨兩步，伸手向那長眉老人抓去。

丁玲怒聲道：「住手，咱們訂約之時，並未連他計上，你一動他，我就捏碎解藥，乾脆都別活了。」

長髯老人年紀雖大，但似對生命有著無比的珍惜，聽得丁玲喝叫之言，果然不敢再動。

那長眉老人正在低頭爲他的猩猩療傷，對強敵準備施襲一事，恍無所覺。

丁玲一面運氣調息，一面又服了兩顆毒丸，果然精神大好，當下高聲說道：「咱們守在此地，實非長久之策，早些走啦！」目光一瞥那長髯老人道：「你走在前面開路。」

在這些人中，丁玲的年事最幼，但她機智過人，才氣縱橫，幾番料事談話之後，隱隱成了主宰大局的領袖。

長髯老人冷冷地橫了丁玲一眼，大步向前走去。

丁玲低聲對金老二說道：「你要毒老人帶著猩猩走中間。」急邁一步，搶隨在那長髯老人身後而行。

## 三五　天下高手

走了十丈遠，仍然不見一處岔道，那長鬚老人卻是愈走愈快，似是要一口氣走完夾道。
丁玲停下身子，喝道：「站住，不要走啦。」
長髯老人冷笑一聲，回頭說道：「爲什麼？」
丁玲道：「這夾道乃行水之路，穿越孤獨之墓而過，咱們再往前走，那將離開心臟地帶了！」
長髯老人縱聲大笑，道：「老夫受命行動，心中不樂得很，哪裡還管得水道旱道？」
丁玲道：「哼！不論咱們是否出墓，我已存必死之心……」
長髯老人道：「你倒是還有自知之明。」
丁玲道：「在十二時辰之內，你最好不要妄動惡念，等十二時辰已過，你服用劇毒化解，再動妄念不遲。」
長髯老人乾咳兩聲，欲言又止。
丁玲道：「你在石壁上敲兩拳，看看這一邊有沒有暗室夾道。」
長髯老人果然揮手一拳，擊在石壁之上。但聞砰然一聲，回音震耳。

丁玲道：「聽石壁回音，裡面不是夾道，就是暗室，你想法子把這石壁敲開吧！」

長髯老人怒道：「石壁堅硬，我赤手空拳，如何能夠撞開？」

丁玲冷冷地說道：「那是你的事了，反正我最多還活一十二個時辰，早死一些時間，打什麼緊。」

長髯老人突然向後退開兩步，探手從長衫之下，取出一把鐵鑿，冷冷地說道：「除非你遇到老夫這等細心之人，誰也不會帶著開鑿堅壁之物。」

丁玲看他神力驚人，想到他用的兵刃，定然也十分沉重，故意逼他取出兵刃，擊打石壁，卻未料到他竟帶了專以鑿開石壁鋼鑿，心中大喜，微微讚道：「老前輩智謀超人，超異群倫，竟然能事先備帶此物。」

長髯老人隨手一鑿，擊在石壁上，一片碎石，應手而落，口中卻冷冷地答道：「老夫一時失神，受你們暗算，心中實在不服得很。」

丁玲笑道：「智者千慮，必有一失，這也算不得什麼大憾之事。」

長髯老人似是被丁玲幾句頌讚之言，說得大爲高興，手中特製的鋼鑿不停地揮動，耳際一片碎石落地之音，不大工夫，已鑿開一個兩尺見方的石洞，一片清輝，由洞中透射出來。

丁玲走了過去，探頭一望，不自禁地讚道：「這建築當真是巧奪天工……」忽然住口不言，一躍穿入。

金老二急行兩步，搶到那洞口之處。

洞口裡映射出一片濛濛的青光，照亮了數尺方圓。

那長髯老人突然一伸右手，按住了金老二的後背「命門」要穴，低聲說道：「想要命，就把你手中的解藥給我。」

金老二重重地咳了一聲，道：「我只要大聲一叫，她立時可以毀去手中部分解藥，你的武功雖可以把我們殺死，但卻無法在一刹那間搶到所有的解藥。」

長髯老人冷哼一聲，緩緩收回右手。

金老二身子一側，道：「你先進去吧！」

長髯老人冷冷地看了金老二兩眼，掄動手中特製鋼鑿，又擊裂一些石壁，才探首而入。

原來他身材高大，不似丁玲那般嬌小，可以一躍而入。

金老二回頭對那長眉老人，道：「老前輩看看壁洞，那猩猩能不能過。」

長眉老人冷冷地說道：「人都能過，猩猩自然能過了。」

金老二知他生性孤僻，也不再理他，身子一側，穿過壁洞。

這是一座廣大的暗室，足足有四、五間房子大小，四壁間，各嵌著四顆龍眼大小的明珠，屋頂上卻垂懸著一盞琉璃長明燈。

奇怪的是，那長明燈仍然火焰熊熊，四壁明珠，吃那燈光一照，反映出一片濛濛的青光。

只見丁玲凝神站在一堵石壁之前，仰望著一幅壁畫，那長髯老人就站立她身後兩、三尺處。

金老二一皺眉頭，暗暗忖道：這孩子究竟是經驗不夠，在這等險惡的環境中，竟然還有心觀賞壁畫。

凝目望去，亦不禁為之一呆。

只見那壁上，畫著一座廣大的墓園，夾道縱橫，好像就是這孤獨之墓的全圖。

只聽丁玲自言自語地說道：「奇怪呀！奇怪……」

那長髯老人也似為那壁畫吸引，緩步地向前走去。

金老二似是被丁玲的聲音所動，霍然驚覺趕忙叫道：「丁姑娘。」

丁玲回頭一笑，緩步走了過來，說道：「這室中陳設得富麗堂皇，哪裡像座古墓……」

金老二道：「那孤獨老人既能把玉蟬、金蝶和無數的珠寶，搬入此墓，這些陳設自非難事。」

丁玲目光一抬，望了那玻璃長明燈一眼，道：「難道那燈內之油，也燃燒了百年之久嗎？」

金老二呆了一呆，想不出回答之言。

丁玲淡淡一笑，又道：「這富麗堂皇的陳設不奇，奇在那纖塵不染，似是這室中經常有人打掃。」

金老二心頭一震，目光環掃了全室一周，但見錦墩玉案，金盃銀器，果是淨潔如洗……

但聞丁玲長長吁一口氣，道：「唉！神秘的孤獨之墓，只怕是一場曠絕千古的騙局。」

金老二和那長髯老人，同時聽得一驚，齊聲問道：「為什麼？」

丁玲舉手理一理垂下的散髮，緩緩走到一座錦墩旁坐了下來，目光緩緩地由兩人臉上掠

過，微微一笑，道：「我笑你們這些蠢人，財迷心竅，中了江湖上流言之毒……」

長髯老人大聲吼道：「老夫哪裡蠢了。」聲音如春雷綻動，震得人耳際間長鳴不絕。

丁玲淡然一笑，道：「我如指出了你的蠢處，你就自己打一個耳刮子給我瞧瞧？」

長髯老人道：「如若你說得讓老夫心服口服，那也不是什麼難事。」

丁玲道：「你活了這大年歲，可見過孤獨老人嗎？」

長髯老人道：「武林中人，有誰不知此事，難道還用老夫親目所見不成？」

丁玲道：「玉蟬、金蝶，武林雙寶，但不知有誰見過，只怕都是道聽塗說而已。」

長髯老人呆了一呆，道：「老夫雖未見過玉蟬、金蝶武林二寶，但卻親耳聞過它的妙用！」

丁玲道：「這就是了，有一位才智絕世之人，編造了玉蟬、金蝶的故事，借人們好奇之心傳播開去，於是，江湖上充滿了玉蟬、金蝶的傳說，一而百，百而千，極短的時間中，傳誦於整個武林之中，那人就借了玉蟬、金蝶之力，創造出了孤獨之墓。」

長髯老人聽得又是一怔，舉起右手，叭的一聲，自行打了一個耳刮子，說道：「不論你說得對與不對，但這些卻是老夫生平中從未聞過之言。」

她緩緩地把目光掃掠過那壁畫：「除了這房中的潔淨之外，另一件可疑之處，就是那壁畫了。」

金老二和長髯老人一齊轉過頭去，把目光凝注在那壁畫之上，只見圖紋環繞，但卻無什麼特異之處。

丁玲輕輕歎息一聲，道：「兩位可看出可疑之處嗎？」

長髯老人和金老二二人相互望了一眼，瞠目不知所對。

丁玲道：「兩位仔細的看看那墨色可像是經過了數百年的時間嗎？」

金老二獨手在腿上一拍，道：「不錯，江湖上久已傳聞鬼谷二嬌智謀過人，今日一見，果使人五體投地……」

丁玲微微一歎，接道：「老前輩不用稱讚晚輩，咱們都已成網中之魚，凡是進入這古墓之人，只怕都難再生離此墓了！」

金老二道：「這人能一手掩盡天下英雄耳目，雖非孤獨老人，倒也是值得一見。」

丁玲道：「這一點晚輩倒未能想通，多承老前輩示教了。」

金老二道：「好說，好說，只不知這人費盡了心血，耗用了無比龐大財力，建築了這一座孤獨之墓，是何用心？」

丁玲道：「他為了誘使天下武林高手人來此，散佈出玉蟬、金蝶之謠，他的願望終於達到了，這人的才智，確實高人一等……」

長髯老人突然打斷了丁玲未完之言，接道：「有人來……」

餘音未絕，一條人影已由那壁洞中穿躍而入，凌空一個轉身，落著實地，舉手護住前胸，防敵施襲，雙目環掃了室中形勢，拱手對丁玲說道：「丁姑娘……」

丁玲冷冷地接道：「你可是以為我死了嗎？」

目光一轉，凝注著金老二，道：「老前輩，最好能想法子把那洞壁堵上，免得室中光亮外透，引來強敵。」

丁玲兩道清澈的眼神，轉注那長髯老人身上，接道：「這位是查家堡的少堡主查玉，查家堡以百步神拳馳譽武林，想來老前輩定然識得了？」

金老二順手提起一個錦墩，大步走了過去，修補壁洞。

長髯老人道：「晚一輩中之人，老夫相識不多。」

丁玲笑道：「查少堡主深得家傳武功之秘，你先攻十招試試他的功力吧！」

查玉看那長髯老人滿臉紅光，濃眉環目，兩面太陽穴高高突起，一望之下，即知是位身負上乘內功的高手，趕忙說道：「丁姑娘，這是何意……」

他話剛說，那長髯老人已揮拳攻到，果然是拳風強勁，帶起了一片嘯風之聲。

形勢迫得查玉不得不揮拳招架，舉手一招「天王托塔」，斜向長髯老人的脈穴上面扣去。

長髯老人冷哼一聲，拳勢忽變，雙拳連環擊出，倏忽之間，左右雙手各攻五拳。

他拳勢猛厲，招招如鐵錘擊巖一般，十拳猛攻，把查玉迫退了四、五步。

長髯老人攻過五拳之後，立時一收拳，退回原位，說道：「百招之內，我可取此人之命。」

丁玲嫣然一笑，回顧那長眉老人說道：「毒老前輩，要你那猩猩出手攻他幾招吧？」

自入到這石室之後，那長眉老人一直和猩猩並肩閉目而坐，他似在默想心事，又似在運氣調息，金老二、丁玲和那長髯老人縱論古墓之秘，他連眼皮也未睜動過一下。直到聽得丁玲相呼之言，才緩緩睜開雙目，一掠查玉，道：「是他嗎？」

丁玲笑道：「這人年事雖輕，武功卻是高強得很啊！」

長眉老人冷笑一聲，舉手一掌，拍在那猩猩後背之上。

查玉勉強接了那老人十拳，喘息尚未平復，聽丁玲遣派人手攻來，趕忙一拱手，道：「丁姑娘，在下有要事奉告……」

丁玲冷然接道：「等等談吧！」

耳際間響起了一聲厲嘯，那閉目而坐的猩猩，突然一躍而起，怪目圓睜，金毛怒豎，利爪箕張，厲嘯一聲，撲向查玉。

查玉右手一揚，打出一記百步神拳，人卻疾閃一側，順手抓起了一把銀壺。

那猩猩被查玉一記百步神拳，打得身子一顫，但牠皮粗肉厚，雖受重擊，毫無損傷，去勢一緩，立時又向前面撲去。

查玉暗運內力，舉起銀壺，高聲說道：「丁姑娘，再不喝止那畜生，可別怪我重手傷牠了！」

丁玲冷笑一聲，道：「你如一壺把牠打死，自會有人找你算帳！」

查玉聽得一怔，還未來得及回答丁玲之言，那猩猩已撲到身側，趕忙一閃，舉手一壺打了過去。

他受了丁玲警告的影響，不敢運足全力，只怕一壺把猩猩打死之後，激起那猩猩主人的拚命之心，是以，只用出了五成勁力。

只見那猩猩巨掌一揮，銀壺應手飛去，長臂一伸，五爪已近查玉前胸。

查玉吃了一驚，急急地吸氣縮胸，堪堪避開利爪，反手一把，橫斬過去。

但覺一掌如擊在鐵石之上一般，一股強大的反震之力，反而把自己震得退了一步。

查玉久經大敵，一擊之下，已知不可力敵，必須設法巧取，借那反震之力，一個倒翻，躍飛上一張桌面之上。

那猩猩剽悍異常，利爪揮舞，緊追不捨，毛臂撞擊之處，桌椅橫飛。

查玉借室中布設護身，閃避那猩猩追擊，間以拳腳反擊，但那猩猩毛皮堅厚，挨上幾拳，彷如無事，可是牠那利爪毛臂，卻是蓄力無窮，起落之間，微帶嘯風。

他既知無能和這猩猩硬拚力拒，只好以閃避爲主，被那猩猩緊緊追逐得室中繞行不息。

丁玲目睹查玉狼狽之情，格格大笑了一陣，才對那長眉老人說道：「老前輩，要那猩猩停下手吧！」

長眉老人重重地咳了一聲，雙掌互擊一響，口中唔唔呀呀，喝了兩聲，那追逐查玉的猩猩，突然停了下來，轉過身子，大搖大擺地走了回去。

查玉停下身子，喘息了兩聲，說道：「丁姑娘……」

丁玲冷冰冰地接道：「什麼事，你現在可以說了！」

查玉看她發號施令的威風，心中暗暗奇怪，忖道：這些人中，除了金老二外，我全不相識，想這個鬼丫頭，也未必會認得，不知她用的什麼方法，竟能讓這些人甘心受她之命。

心中雖然奇怪，但口中卻是不敢多問，整整身上的衣服，笑道：「丁姑娘，可看到家父

嗎？」

丁玲道：「哼！沒話找話說，看到了，只怕他現在已經死啦？」

查玉呆了一呆，道：「姑娘說笑話了？」

丁玲冷冷說道：「誰和你說笑話了，這實是千真萬確的事，他被徐元平苦苦追逼，你想他還能活得了嗎？」

查玉淡淡一笑道：「此刻這古墓之中，步步充滿殺機，雖是親若父子，也是無能相護。」

丁玲格格一笑，道：「你倒是想得開呀……」她眼珠兒轉了兩轉，接道：「你怎麼走單了，易天行呢？你老老實實告訴我，我就告訴你爹爹的真實下落。」

查玉道：「自你逃走之後，易天行大為震怒，掌斃兩個下屬，下令所有之人，分頭追尋你的下落，在下本和家父同行，途中遇上了千毒谷主，他和家父互接兩掌，彼此閃錯而過，在下也和千毒谷主隨行之人互攻三招……」

丁玲道：「不用問定然是你敗了？」

查玉道：「三招硬拚，未分勝負，但這一來卻把我們父子衝散，在下迷失方向，轉入此地，想不到竟會遇上丁姑娘……」

只聽一個焦急的聲音傳了過來，道：「玉兒……玉兒……」

查玉一聽之下，立時辨出那是父親的聲音，當下一提真氣，高聲叫道：「爹爹嗎？」呼的一記百步神拳，遙向金老二打了過去。

金老二剛把石壁塞好，忽聞拳風襲來，趕忙向旁側閃開。

查玉一拳擊出，人也緊隨著躍飛過去，揚手又是一拳，擊向堵塞壁洞的錦墩之上。

只聽砰的一聲，那堵塞石壁的錦墩，吃查玉一記拳風震開。

丁玲玉掌一揮，急急對那長髯老人說道：「快把他打死，愈快愈好。」

長髯老人眉頭一皺，似是不願聽丁玲之命，但他微一猶豫之後，終於應命出手，縱身一躍，直向查玉撲了過去。

金老二讓開拳風之後，探手撿起單刀，一招「風掃落葉」，橫裡斬去。

這時，查玉已經落著實地，橫裡一個轉身，讓開一刀，運足全力，打出一記百步神拳，迎向那長髯老人劈去。

長髯老人右手一伸，懸空接了查玉一擊。

他雖然把查玉全力一擊的百步神拳接下，但身子卻被震得直落下來。

一條人影，快如離弦弩箭一般，由那壁洞中穿了進來，直向金老二撲了過去。

來人出手快極，金老二還未看清來人，右手中單刀已經被人奪了過去，人影一轉，擋在查玉身前，隨手一刀「力掃五嶽」，把那已迫近查玉身側的長髯老人逼退。

丁玲一躍離位，低聲對長眉老人說道：「毒老前輩，快讓你那猩猩出手。」

長眉老人呵呵一笑道：「孩子，不要慌，來人武功再高，我也有對付他的辦法。」

丁玲奇道：「你不是不會武功嗎？」

長眉老人道：「殺人致死，難道非用武不可嗎，你只要讓他走近我三步之內，我就有法子

對付他。」

這時，那衡入室中之人，已經停身不攻，回身問查玉道：「孩子，你傷著沒有？」

查玉道：「沒有……」一指那長髯老人接道：「此人武功甚高，爹爹對敵之時，不可大意。」

查子清目光凝注在那長髯老人身上，瞧了一陣，說道：「閣下可是鐵拳湯萬里湯兄麼？」

那長髯老人拂髯一笑道：「查兄竟然還記得兄弟？」

查子清道：「湯兄的美髯，天下無雙，兄弟睹髯憶人，想到衡山之會，和湯兄歡敘的往事。」

湯萬里捋起垂胸白髯，笑道：「一把鬍子嘛，白完了。」

查子清道：「湯兄風采依舊……」目光一掠查玉，接道：「你這位湯師伯，一雙鐵拳打遍關外，白山黑水間英雄人物，無出其右，快些過來見過。」

查玉一抱拳道：「見過湯老前輩。」

湯萬里尷尬一笑，道：「虎父無犬子，賢侄的武功，好叫老夫佩服。」

查玉微微一笑，道：「湯師伯過獎了，如非老前輩手下留情，只怕晚輩早已傷在你的拳下了。」

查子清一看室中情勢，心中已覺出情形不對，那長眉老人雙目似閉似睜，端然靜坐，給人一種莫測高深的感覺，湯萬里肯受丁玲指使，情勢更爲可疑，他乃老謀深算之人，未把情勢全盤了然之前，不肯輕率從事，當下對丁玲一拱手，道：「賢侄女履險如夷，這份才智，實叫我們做長輩的慚愧。」

藉著查子清和湯萬里講話的機會，丁玲已暗自分析了室中的敵我實力，湯萬里武功雖高，但他既和查子清誼屬舊交，已難恃作靠山，長眉老人雖然一身劇毒，但卻不會武功，如若當真動手相搏，也難派上用場，金老二和自己合起來也難是查子清的對手，事情如若逼到湯萬里無法下台之時，只怕不再爲生死時限屈服……

她年紀雖然幼小，但智謀過人，遇事冷靜，分析透徹，立時微微一笑，道：「承蒙查伯伯關懷，晚輩感激得很。」

查子清道：「易天行自入這古墓之後，舉動有如瘋狂一般，不但想一網打盡天下英雄，就是楊文堯和老夫，也是他謀殺中的對象，此人心如蛇蠍，毒辣無比，難以合作……」

丁玲笑道：「查伯伯能及早覺醒，晚輩實爲伯父慶幸。」

查子清道：「令尊也已進入這孤獨之墓，想來賢侄女定已早得到消息了？」

丁玲道：「家父也來了嗎？查伯父可曾遇到過他？」

查子清笑道：「令尊怪嘯傳事之聲，天下不作第二人想，老夫聞得他的嘯聲，豈不有如見面一般。」

丁玲道：「但願家父也能找來此地，晚輩也好對他訴說一下受的委屈……」

只聽衣袂飄風，一個滿身鮮血淋漓之人，躍入室中。

散亂的長髮，裂破的衣衫，和那滿身滲透的鮮血，掩住了他本來的面目。

以查子清見聞之博，識人之廣，也無法在一眼之下，看出來人是誰。

墓中瀰漫的殺機，使人人都存了極大的戒心，是以，當這滿身鮮血的重傷人，躍入室中之後，竟無人伸手扶助於他。

只見他身軀搖了幾搖，終於跌倒在地上，顯然他的傷勢，已重到無法再支持自己的軀體。

查子清緩步走了過來，冷冷地喝道：「你是什麼人？」

那重傷之人緩緩睜開了眼睛，用盡氣力從口中迸出了一句：「查子清……」

查子清吃了一驚，道：「兄台何人？怎知兄弟的名字？」

那人突然掙扎而起向前走了幾步，扶在一張桌面上，回頭說道：「查兄當真連兄弟也不認識了嗎？」

查子清仔細地分辨他的聲音，似曾相識，但一時之間卻又想他不起，重重地咳了一聲，含含糊糊地說道：「兄台傷勢甚重，不宜勞神講話，可否讓兄弟稍盡綿薄之力，助兄療治傷勢？」

只聽那人吃力地說道：「我身受一十七處劍傷，縱然有起死回生的靈丹，只怕難以救得我了！」

他雖然借那桌面的支撐之力，但身子仍然搖搖欲倒，查子清伸出手去，扶住了他的身軀，接道：「閣下受了那一十七處劍傷，仍能支撐得住，這麼深厚的功力，就非兄弟能及。」

那人得查子清扶持之力，身子果然站穩了許多，說道：「我身上的筋脈已被劍勢斬斷數處，身上的存血，已經將要流……」

下面之言，竟然接不下去，砰的一聲，摔倒在地上。

查子清仔細地看他傷勢，果然全身各處，都是傷痕，鮮血滲透了全身所有的衣服，這等慘重的傷勢，縱然是華陀重生，扁鵲復活，只怕也無能救治了。

陰險的查子清，對這奄奄將死之人的姓名、來歷，並不關心，他急於知道的是，這人傷在了什麼人的手下。當下暗運內功，一掌按在那人後心之處，說道：「兄台劍傷纍纍，聲音也已有了改變，叫兄弟一時難分辨得出來，尚望兄台快些說出姓名，兄弟日後遇到你的後人，也好告訴他們一聲。」

一股熱流，攻入那受傷大漢「命門穴」中，使他將散元氣陡然回聚，答道：「兄弟太湖王……」忽的吐出一口鮮血。

查子清吃了一驚，道：「閣下可是太湖王大奇王兄？」

王大奇道：「正是兄弟……」

查子清道：「王兄傷在了何人手中？」

王大奇口齒啓動，還未來得及答話，壁洞處傳過來一個冷漠的聲音，道：「傷在我的手中。」

查子清回頭看去，只見一個身著長衫的壯漢，正舉步走了過來。

但覺手中挽扶的王大奇，身子一側，斜斜地倒摔在地上，氣絕而死。

查子清緩緩提起右拳，平舉在胸，手中運集百步神拳功力，只要那人一有動手的行跡，立

時全力劈出拳勢，口中卻冷喝道：「閣下能夠連斬太湖王大奇一十七劍，自非毫無來頭之人，何以不敢以真正面目示人？」

他見多識廣，一瞧之下，已然發覺來人戴著人皮面具。

只見來人右手橫著長劍，左手在臉上一抹，取下人皮面具縱聲笑道：「查兄，怎麼連兄弟的口音也聽不出來了。」

查子清一見來人真正面目，不自覺地全身一顫，道：「易兄？」

易天行微微一笑，道：「不錯，是兄弟。」威稜的目光，環掃了室中一周。

查子清緩緩地放下平胸右拳笑道：「易兄改用方言口音，兄弟如何能聽得出來，武林中盛傳易兄能說各方方言，今日方知傳言不虛。」

易天行道：「查兄過獎了……」他微微一頓之後，又道：「查兄可曾遇到楊文堯？」

查子清搖頭答道：「兄弟一直未曾遇到過楊兄。」

易天行冷漠一笑道：「查兄幾時找著了丁姑娘？」

查子清道：「兄弟剛剛到此……」目光一瞥湯萬里道：「這位是關外鐵拳湯萬里兄，白山黑水間有名人物。」

易天行雙目轉動，一掠湯萬里，道：「很好，很好，湯兄也來送死了？」

湯萬里一捋胸前長髯，道：「易兄說話要有點分寸！」

易天行淡然一笑，舉手對丁玲一招，道：「這古墓不過彈丸之地，姑娘不論躲到哪裡，也是難以逃過在下的追蹤。」

丁玲見他眉宇間殺機閃動，立刻就要出手，只是不知他先對付哪個而已，湯萬里和自己故是有份，查子清恐怕也是他對象之一，當下答非所問地說道：「你要找楊文堯嗎？」

易天行道：「他到哪裡去了？」

丁玲道：「我見過，只是不知道他現在是否還活在世上？」

易天行道：「可是遇上了南海門那紫衣丫頭？」

丁玲搖搖頭道：「不是。」

易天行道：「那是千毒谷主了。」

丁玲道：「也不是。」

易天行隨手將那人皮面具收在懷中，縱聲笑道：「楊文堯的生死存亡，在下本就未曾放在心上，他無論遇著誰人，更與在下毫無關係。只是丁姑娘若想借此拖延時間，在下卻不妨再問一句……」他語聲微微一頓，緩緩道：「他莫非是遇上了天玄道長？」

丁玲揚眉一笑，道：「你只道我性命已被你捏在掌握之中，是以才要以言語拖延時間。你既有如此想法，我也不願與你爭辯，到後一試便知。只是你既已問過了我，我也不妨再答你一句……」

她語聲亦自微微一頓，緩緩道：「楊文堯所遇之人，雖無天玄道長那樣的聲名，但若講到劍法武功，卻未見在天玄道長之下。你知道是誰嗎？」

易天行笑容一斂，截口道：「莫非是徐元平！」

丁玲伸手一撫鬢髮，輕輕笑道：「不錯，正是徐元平！」

易天行目光一閃，面色似乎微微變了一變，突又仰天笑道：「好極好極，徐元平呀徐元平，你終於又到這裡來了。」笑聲雖高亢，但卻仍未完全掩飾住目中閃動的不安神色。

丁玲見了他的神情，知道他已將徐元平看做他普天之下唯一的對手，芳心之中，亦不知是喜是慰，抑或是一種淡淡的惆悵，這定將雄視武林的少年英雄之情感，並無一分一毫屬於自己。

查子清、湯萬里，見到這武林中人人畏懼的一代梟雄，居然對一個少年如此看重，心中卻不禁為之大奇。

湯萬里道：「徐元平？此人是誰？兄弟怎麼從未聽過他的聲名。」

易天行微微一笑，道：「湯兄久居關外，自對中原俠蹤不甚熟悉，這徐元平麼，便是……」

金老二突地一挺胸膛，出聲道：「這徐元平麼，便是天下武林中，唯一能使易天行稍存畏怯之心的人。」他雖然久處易天行積威之下，但此刻神情卻甚是威風，徐元平的光榮與聲譽，他似乎也染沾了幾分。

易天行霍然回過頭，目光稜稜，直視金老二，緩緩道：「兄弟對徐元平，當真有幾分畏怯之心嗎？」

金老二避開他的目光，道：「是否如此，你心裡自然知道。」

查子清、湯萬里，橫目望向易天行，眼中滿是疑問之意。

易天行目光一轉，哈哈笑道：「不錯，兄弟的確存有幾分畏怯之心……」笑聲一頓，緩緩

說道：「是以兄弟不惜千方百計，也要將他除去！」眉宇間殺機沉沉，當真令人望而生畏。

金老二冷笑道：「只怕你……未必……殺得死他……」笑聲之中，卻已有了些顫抖之意。

易天行道：「有些人在兄弟眼中，生不足以為患，死不足以為憂，是以兄弟根本沒有花費心機，去關心他的生死之事。」

他目光望向金老二，冷冷道：「閣下直到今日之所以還能活在世上，便是這個原因。」

金老二面色灰白，閉口不語。

易天行接道：「但另有些人，活在世上一天，易某如不將之除去，便將食不能甘味，寢不能安枕，我易某人為求心境平安，只有將他除之而後快了。」

丁玲眼珠一轉，緩緩道：「如此說來，你一心要將我除去，也是為了我在你眼中，算得上是一個人物了。」

易天行道：「不錯。」

丁玲輕輕一笑，道：「我真是榮幸得很……」突地手掌一揚，一股淡如朝煙的粉霧，無聲無息地彈指而出。

易天行哈哈笑道：「好狠毒的丫頭！」

袍袖一拂，一股勁風，反捲而出。

丁玲變色急呼道：「快閉住氣……」語聲未了，金老二已翻身跌倒。

易天行仰天笑道：「鬼王谷迷藥雖是天下無雙，但害人不成，反易害己，這教訓丁姑娘切切不可忘記了。」語聲之中，緩緩移動腳步，一步一步地向丁玲走了過去。

丁玲顏色一變，急道：「毒老前輩，你那猩猩……」

只聽一聲厲嘯響起，那猩猩已自丁玲身側一掠而過，直向易天行撲了過去。

易天行身形一閃，輕輕讓開，丁玲急忙自懷中取出一瓶粉末，在金老二鼻端一抹，只見那猩猩金毛怒豎，厲嘯連連，展動兩條毛臂，十隻利爪，似乎已將易天行身形籠罩。

查子清、湯萬里，目光凝注，神情緊張，只望這猩猩能一爪將易天行抓死。

哪知易天行卻又朗聲一笑道：「這畜生就只有這點道行嗎！」

輕飄飄拍出一掌，那猩猩竟無法閃避，被他一掌擊在胸膛上，厲吼一聲，凌空飛起一丈，遠遠跌倒牆角。

長眉老人神情不禁爲之一變。

查子清、湯萬里失望地暗歎一聲，丁玲神情更是緊張，金老二打了個噴嚏，翻身站起，怔怔地站在當地。

易天行冷冷道：「丁姑娘還有什麼手段，不妨都施出讓兄弟看看。」

丁玲轉目道：「湯萬里，你忘了與我約定之事嗎，快攻他三百招！」

湯萬里本已捋鬚的手掌一緊，愣在當地。

易天行目光一掃，冷笑道：「湯兄偌大年紀，居然也做了丁姑娘裙下之臣。此事若在江湖中傳說出去，武林朋友必定覺得有趣得很。」

湯萬里紫膛膛的面色，微微紅了一紅，厲聲說道：「易兄如此說話，難道……」

突聽楊文堯呼聲遙遙傳來，自遠而近，瞬息間便到了石室之外。

易天行已然舉起待拍出的右掌，突然一收，回過頭去，望那壁洞說道：「是楊兄嗎？快請進來。」他說話的聲音不大，但一字一句，都顯得沉重有力。

但見人影一閃，楊文堯疾穿而入。

狡黠的丁玲，早已藉機抓起一個銀杯，趁那紛亂的一剎，借勢投擲出手，只聽砰的一聲，那懸掛在屋頂上的琉璃燈，吃那銀杯一擊碎裂，存油飛灑中，燈光一晃而熄。

四壁間深嵌的明珠，失去了燈光的映射，光華也突然暗淡下來。

丁玲銀杯出手，立時一抱那長眉老人，閃躲到一座錦墩的後面。

燈光一暗，室中頓然混亂起來，易天行最先發難，反手一掌，拍擊向丁玲停身之處。

凌厲的掌風，撞擊在一座放銀盞玉器的木案上，登時桌翻杯飛，滿室中白影流動。

砰然一聲大震，木案撞在石壁上，整個石室，立時開始急促地旋動起來。

原來那木案正擊在操縱石室暗門的機關上。

湯萬里大喝一聲，揚手劈出一拳，擊中兩個迎面飛來的銀杯。

他剛被易天行掌力震飛的銀杯，撞了一下腦殼，憋了一肚子怒火，劈出的一拳，用力甚猛，兩個銀杯吃他強大的拳力一震，挾著嘯風微響，變向疾飛過去。

這石室只不過兩丈方圓大小，站了六、七個人，而且紛亂雜陳，穿行如梭，湯萬里一拳擊出，正值查子清急急自他身前穿越，銀杯掠面而過，拳風撞中右肩，被震得橫向旁側退了兩步。

查子清冷哼一聲，回首一記百步神拳，直擊過去。

哪知湯萬里一拳擊飛銀杯之後，突然向旁側退去，剛好易天行倒退過來，正趕上查子清百步神拳的暗勁衝到。

易天行武功卓絕，反應靈敏過人，覺著一股強猛異常的暗勁襲上身來，心知已難揮掌硬接，立時順那襲來的暗勁，橫向一側躍去。但覺銀光一閃，迎面劈了過來。

易天行猛吸一口真氣，向前衝行的身子，陡然停了下來，運勁於背，承受了襲來暗勁，右袖一揮，逼住劍勢，冷冷喝道：「楊兄你……」

楊文堯似是亦看清來人是誰，易天行話剛出口，楊文堯劍勢已經收回，道：「易兄請恕兄弟失手。」

易天行冷笑一聲，道：「查子清打了我一記百步神拳。」

只聽查子清高聲說道：「易兄不要誤會，兄弟實是無意……」

突然住口不言，回身拍出一掌，厲聲接道：「什麼人？暗向兄弟施襲。」顯然，有人暗中向他攻了一招。

只聽一陣哈哈長笑，道：「老叫化子。」

但聞砰然一聲輕震，暗勁激旋，顯然兩人已硬行拚了一招。

查子清怒聲喝道：「窮要飯的，也來送死了。」呼的又是一拳，直擊過去。

只聽一個冷冰冰的聲音，接道：「查兄出手打人，連看都不看的嗎？」一股暗勁，反擊了過來。

查子清呆了一呆，暗道：怎麼這一陣工夫，這石室似是陡然間來了很多人呢……，忖思之間，忽覺一股暗勁，直襲上來，不自主地退後了兩步，趕忙提聚真氣向前一推，把那逼近身的暗勁化去，高聲說道：「來人可是丁兄嗎？」

來人輕輕地咳了一聲，道：「兄弟正是丁高。」

易天行大笑說道：「好啊！久年不踏江湖的丁兄，竟然也趕來古墓之中。」

丁高冷冷說道：「易天行，不用賣狂，我問你一句話，你可敢據實相告。」

易天行說道：「易某人不相信入這古墓之人，還能活著離去，既都是將死之人，說了又有何妨？」

丁高道：「哼！你想一網打盡天下英雄，只怕心願難償！」

但聞一陣衣袂飄風之聲，顯然又有一人由那鑿開的壁洞中躍入室中。

湯萬里呵呵大笑，道：「好啊，想不到老夫鑿開這一壁洞，竟然引進來這樣多英雄人物。」

丁玲聽得爹爹到來，膽氣壯了甚多，他們父女之間，情感雖甚冷漠，但為了鬼王谷的威名，丁高卻不會讓她吃虧，當下一理秀髮，站了起來說道：「引人入室的是那盞琉璃燈和這四壁嵌的明珠，一片漆暗，伸手難辨五指，有這一盞燈光，自然是人人趨之若鶩了！」

那長眉老人突然把一支形如蠟燭之物，塞入丁玲手中，道：「孩子，把這支燭火燃著。」

丁玲道：「好吧！燃起燭火，大家都可以看看這石室中有多少生死冤家，火併的對手。」

嚓的一聲，晃燃了火摺子，點起手中燭火。

火光一亮，四壁明珠光華也突然大盛，頓時照得滿室通明。

丁玲星波流動，正待打量一下石室中的人物，忽聽丁高高聲叫道：「玲兒！你一個人進入了這古墓中嗎？」

善動心機的丁玲，雖然對自己親生的爹爹，也是不肯例外，她深知丁高最厭惡楚楚可憐的情態，當下就裝出一派豪壯之氣，答道：「爹爹也來了麼……」微微一停頓，接道：「自然是女兒一個人！」

丁高放聲一陣怪笑，道：「好啊！不愧是我丁高的女兒！」

丁玲道：「爹爹誇獎了，女兒只能算未丟爹爹的人！」

易天行感覺特別靈敏，一皺眉頭，喝道：「哼！鬼丫頭，你手中點燃的什麼火燭？」

他這一提，室中群豪都覺著有些不對，鼻息之間果然嗅到一股異樣的氣味，只是氣味幽縷，不用心很難辨出。

查子清道：「這味道果然是有些不大對勁。」

群豪雖然覺出丁玲手中蠟燭動人懷疑，但卻無人向她出手，想必是在這等燭火通明的所在，大家心中都對鬼王丁高有著幾分顧慮。

丁玲也嗅到了手中燭火確有一種奇怪的味道，心中暗暗忖道：這毒老人不知要什麼花槍，難道這支蠟燭，是什麼毒藥合成之物，想把全室中人，盡皆熏倒這室中不成，果能如願，那倒不錯……

她早已把生死之事置之度外，對群豪虎視眈眈之態，視若無睹，緩緩地把手中的燭火放置在一座木案之上，冷冷說道：「易天行，你雖在這古墓中布下了天羅地網，可惜這古墓本身就是一場曠絕千古的騙局，縱然你殺盡了進入此古墓中所有之人，只不過是爲人作嫁，到以後自己也是難免一死！」

這幾句話，句句動人心弦，室中群豪，無不爲之動容。

丁玲格格一笑，搶先說道：「能進入這古墓之人，不是一方豪雄，就是名重一時大俠，誰都有著豐富的江湖閱歷，你們睜開眼睛看看吧，這座石室可像是百年來無人打掃過的地方嗎？」

易天行目光轉動，打量四周一眼，突然高聲說道：「宗兄，宗兄。」

原來他目光一轉之間，不見了神丐宗濤。

鬼王丁高，似是也覺出了那蠟燭發出的氣息不對，冷冷地喝道：「玲兒，把你燃起的火燭熄了。」

丁玲眼珠兒轉了兩轉，高聲說道：「諸位可都選好了對手嗎？我就要熄燭火了。」

除了這三人講話之外，室中之人大都閉住了呼吸一語不發，原來室中之人，大都嗅出那氣息不對，恐怕中毒，不敢隨便出口說話。

丁玲緩緩地伸手取過火燭，說道：「爹爹，眼下這室中之人，殺我之心最強烈的，就是易天行，亮著燭火，他不好意思對我一個晚輩下手，燭火一熄，女兒這條命，決難再保。」

丁高道：「你放心熄去好了，我就不信有人敢在我面前殺害於你。」

石室中陡然間又恢復了黑暗，靜止的局勢，也隨著熄去的燭光，急劇變化。

幾聲怒喝悶哼，連續響起，緊接著掌風、拳勁，激盪而起，這些人似是都在燭光未熄前，選擇好對手、方位，燭光一熄，立時開始了激烈絕倫地拚搏。

丁玲早已暗中運氣戒備，等待著攻勢的勁道近身之時，再縱身躍避開去。

她們父女之間，情意素來冷淡，丁玲自從記事之後，從未受到父親一點關懷惜愛，如今聽得鬼王丁高說出了保護她的諾言，心中忽然動了孺慕之情，竟然以自己的生死，來相試爹爹的承諾，是以竟然站在原地未動。

果然，打鬥雖然激烈，竟然沒有襲向她的掌勁拳風。

夜暗的混亂激鬥中，忽然響起來鬼王丁高的聲音，道：「玲兒！你還好嗎？」

丁玲心頭一喜，叫道：「爹爹啊！我很好。」

丁高道：「果然不出你的預料，燭光一熄，易天行就向你出手，但他卻忽略了爹爹的武功，就是距離再遠我也能夠救你，哼！人人都說易天行的武功，高絕一時，但在爹爹的眼中看來，算不得……」

聲音忽然中斷，想是易天行忽然強厲起來，迫得鬼王丁高無暇再接說下去。

混亂的激鬥中，突然響起了一個響亮的聲音道：「諸位之中，可有易天行嗎？」

這聲音來自壁洞口處，顯然，來人尚未進入石室，加入戰鬥。

丁玲一聽那聲音，立時辨出來人是誰，心中莫名其妙地忽然感覺到一陣緊張，高聲叫道：

「來人是徐相公嗎？」

只聽來人朗朗大笑，道：「丁姑娘嗎？在下正是徐元平，可是些什麼人在這裡混戰？」

丁玲道：「這裡的人可多啦，易天行、楊文堯、查子清都在這裡……」

她微一停頓，趕忙接道：「還有我爹爹也來啦！」

她自從記事以來，從未得到鬼王丁高的關心，此際稍獲惜愛，立時大受感動，心中時時想到父親。

徐元平道：「可是鬼王丁高嗎？」

丁玲急急道：「是我爹爹，你怎麼能直呼他的名字。」

徐元平左手一晃，突然亮起了一支火摺子。

# 三六　曠世騙局

黑暗中，這些人打得激烈絕倫，但火光一亮，忽然都停了下來。

群豪轉頭望去，只見一個年輕英俊的少年，左手執著火摺子，右手執著一把寒光耀目的短劍，擋在壁洞之處，目光閃閃，凝注著室內。

只見他右手短劍一揮，劃出一道寒芒，兩個距他較近之人，不自主地向旁側退後了兩步。

丁玲輕輕歎息一聲，暗暗讚道：「好威風啊！好神氣啊！」

火摺子耀射壁上的明珠，和他手中的絕世鋒刃戮情劍，寶光劍氣，滿室騰輝。

鬼王丁高看清了來人是誰之後，不禁微微一怔，繼而冷哼一聲罵道：「這人好長的命啊！」

徐元平兩道銳利的目光，一直盯注在易天行的臉上，緩步行動，旁若無人。

易天行心中一動，低聲說道：「久聞鬼王谷的玄陰氣功，自成一家，剛才試得丁兄陰風指，果是名不虛傳！」

丁高道：「好說，好說！」心中卻暗道：慚愧。

原來他剛才和易天行動手相搏，幾度遇上險招，忽然有人暗中出手相助，才把險招化去，

但易天行當面稱讚於他，又不好不硬著頭皮承認下來。

狡猾冷酷的易天行，不知何故，一遇上徐元平，心裡就先行輸上三分，眼看他大步行來，不禁一皺眉頭，低聲說道：「丁兄你也識得這個人嗎？」

丁高道：「此人已經中了劇毒，不知何故竟然未死？」

易天行笑道：「這人有三條命，我已經親眼看到他受傷死過一次了。」

這時，徐元平已然逼近群豪，湯萬里爲了顏面，擋在路中，不肯讓開。

易天行突然橫跨一步，和鬼王丁高並肩而立，低聲說道：「丁兄，此人仗劍而來，可是要找你嗎？」

丁高道：「只怕不錯。」

易天行道：「丁兄如若出手，兄弟極願相助。」

丁高冷哼一聲，道：「難道我還怕他不成……」他微微一頓，又道：「只要易兄不在兄弟出手之時，暗算於我，兄弟在百招之內，可要他濺血石室。」

易天行笑道：「不是兄弟長他人的志氣，這石室中人，除了兄弟之外，只怕都難是他的敵手，丁兄如不信兄弟之言……」

丁高連受易天行相激，殺機陡起，冷笑一聲，說道：「兄弟不信有這等事。」右手一揚，突然向徐元平點了過去。

一縷冷風，隨手而起。

徐元平冷冷喝道：「易天行何苦使別人替你賣命！」右手寶劍一揮，斜斜斬去。

玉釵盟

一股冷森的劍風，隨著他揮動的右手推出，鬼王丁高驚叫一聲：「內家劍氣！」陡然一收右手，點出的指風，倏而收回。

易天行暗暗歎息一聲，忖道：這小子的武功，又長進了不少。口中卻微笑說道：「你當真要和老夫動手嗎？」

徐元平豪壯地說道：「我由古墓之外，追到古墓之中，就是為了找你一戰。」

狂傲的易天行不自禁地猶豫了一下，目光緩緩轉注到楊文堯的臉上，道：「你手中的寶劍借我用用。」

楊文堯慢慢地把手中寶劍遞了過去，低聲說道：「易兄，他手中的戮情劍，削鐵如泥……」

易天行接過長劍，說道：「我知道……」遂又提高了聲音，道：「諸位旁邊閃閃，這一位徐兄年紀雖然幼小，但在兄弟的心目中，早已許為當世勁敵之一，他的劍法和功力，都有著極深的造詣，不是兄弟自抬身價，這一場比劍相搏，當算得武林間甚難見到的一場惡戰……」

徐元平仰臉一陣長笑，道：「你這般看得起我，倒是出了在下的意料之外。」

易天行微微一笑，道：「能得在下許為勁敵之人，迄今為止，中原武林道上還只有你一人。」

徐元平臉色凝重，一字一句地說道：「咱們這一動手，不是你死，就是我亡，因此，在未動手之前，我要問你幾句話。」

易天行搖頭笑道：「我雖然佩服你的武功，但卻不願答覆你的相詢之言。」

徐元平臉色一變，道：「為什麼？」

易天行道：「老夫生平之中，所做的事情太多，一時之間，只怕想它不起，但老夫又不願隨口欺騙於你。」

徐元平冷言道：「如你打我不過，說是不說？」

易天行道：「哈哈，不覺著口氣太狂了一點嗎？」

徐元平右手一揮，戮情劍登時閃起了一道青芒，斜斜向易天行前胸劃去。

易天行讚道：「好劍法！」長劍一振，暴灑出三朵劍花，護住了前胸。青芒，劍花，一接而錯，彼此都向後退了一步。

雙方雖然交接了一招，但兩人的兵刃並未接觸一起，仍然保持著一尺以上的距離。

劍氣珠光，相互輝映中，只見徐元平、易天行兩人的面色，俱都已蒼白得沒有一絲血色，顯見兩人都已將自己生命中全部潛力動用了。

一招甫過，兩人身形突地有如石像般兀立不動，只有徐元平左掌中的火摺，光焰不住地閃動。

易天行目光森冷，瞬也不瞬地凝注著徐元平的眼睛，劍光開始緩緩移動，自左至右，劃了個半弧。

他劍尖每移一寸，室中的殺機便似又加重了一分，沉沉的殺機中，人人面色凝重，手足冰冷，屏息而視。

突聽易天行輕叱一聲，掌中的長劍，幻作無數點星花，灑向徐元平的胸膛。

接著便是一道驚鴻般的青芒，自徐元平劍上飛起，但聽叮叮幾聲輕響，徐元平掌中火摺一閃而滅，滿室瑩瑩珠光，漫天森森劍氣，立刻隨之滅絕，室中變得一片黑暗。

查子清眼見易天行、徐元平方才這動魄驚心的一招相接，心裡不禁暗忖道：易天行雖非我友，但徐元平這人卻更加可懼……，一念方生，只聽楊文堯已在他耳邊輕輕道：「徐元平此人……」

查子清突地一捏楊文堯手掌，兩人手肘輕輕互觸一下，口中雖未說出來，但彼此卻已明瞭了對方的心意。要知這兩人俱是人世間的上智之才，否則怎會在武林中有如此成就。

兩人心念相通，都立下了殺徐元平之心。查子清探手入懷摸出一把毒針，楊文堯手掌緊握，也不知捏的是什麼暗器。

剎那之間，火光又起，原來丁玲又已點了火摺，徐元平、易天行兩人的身形，卻已在火光驟暗的這一瞬之間，互換了個方向。

查子清、楊文堯目光交錯，對望一眼，不約而同悄悄地向徐元平移去。

只見火焰一閃，滿室之中，突地暴幻起一片劍氣，青光與白芒混合成一團旋光流轉，繽紛彩影如幢，徐元平、易天行兩人的身形，突地隱入這光幢之中，竟似已自地面消失。

方才那兩招將發時還有徵兆，此刻這一招卻有如羚羊掛角，無跡可尋。群豪但覺眼前一花，兩人劍氣便已幻作一處，室中這冠絕天下的武林高手，竟無一人看出他兩人這一招劍式。

旋光流轉中，突聽「嗆啷」一聲，宛如龍吟之聲，歷久不絕。

餘音裊裊，劍氣又分，徐元平青鋒斜舉，易天行疾走三步，掌中的長劍，竟已被徐元平的

戮情寶劍，截去了一段，但這雄霸一時的武林梟傑，面上卻仍然不動半分聲色。

查子清一瞥易天行手中長劍，短去了三分之一，運氣行功，全身勁力完全貫於右掌之上。熊熊的火光，照徹全室，景物清晰可見。

查子清雖已到蓄勢待發之境，但卻不敢把毒針揚擲出手。他心中很明白，這一擊如若不中，不但有損自己在江湖上的威名，且可能招惹起徐元平的殺機，他自信無能擋得徐元平那全力一擊的劍氣。

回頭望去，只見楊文堯也正圓睜雙目，投注過來，四目交投，換了個眼色。

丁玲搖動一下手中的火摺子，高聲叫道：「查老前輩，你手中那把毒針，如若揚擲出手，遭殃的只怕不止徐元平一個人了。」

查子清只覺怒火上衝，臉色大變，但又不好發作，氣得乾笑了兩聲，道：「賢侄女竟然和老夫開起玩笑了。」

丁玲格格一笑，道：「楊老前輩……」

楊文堯聽她點破查子清手握毒針之事，心知下面之言，定然十分難聽，趕忙接口笑道：「出了這古墓之後，老夫定然做個大媒，替賢侄女和查世兄撮合撮合，向丁兄討杯喜酒吃。」

丁玲冷笑一聲，道：「你右手中握的什麼暗器，可否亮出來給我瞧瞧？」

兩人詞鋒相對，各具用心，言詞對答之間，卻是牛頭不對馬嘴。

只聽易天行徐徐吐出一口長氣，道：「果是我易某人生平遇上的第一強敵。」手中斷劍一揮，斜斜地劈斬過去。

這一擊出手緩慢異常，但神情凝重，似是用盡了全身氣力，頂門上汗水隱見，手臂抖顫，直似舉不起手中斷劍。

徐元平面色凝重，戮情劍緩緩揚起。兩人的舉動，都異常緩慢，但雙劍將觸未觸之際，卻突然由慢變快。

易天行斷劍一搖，白芒暴漲，剎那間幻化起一室劍氣，漫天銀花。

徐元平登時被籠罩在漫天的劍花之下。

忽然間青虹大盛，寒芒飛閃，突破了漫天劍花，人影旋轉，同時響了一聲低吟，悶哼。劍氣合而又分，滿室光影盡斂。

易天行倒退三步，垂劍作杖，支持身子。

徐元平步履不穩，雙肩搖擺，有如醉酒一般，幾個旋轉之後，終於勉強站穩了身子。

只聽兩人同時發出沉重的喘息，一滴滴汗珠，滾落地上。

滿室高手，都看得屏息凝神，默不作聲。

查子清突然轉過身子，大邁兩步，走到了丁玲身側。

鬼王丁高沉聲喝道：「兄弟還沒有死。」

查子清微微一笑道：「丁兄不要誤會，兄弟決無暗算賢侄女的用心。」

丁高道：「那是最好不過。」

丁玲突然放下火摺子，急急地奔了過去，叫一聲：「爹爹！」撲入丁高的懷中。

她自從記事以來，從未受到過丁高這般相待，一時受寵若驚，忘其所以。

丁高輕輕地拍了拍丁玲的肩膀，道：「這些年來，我這做爹爹的一直沒有好好的看待過你們，使你們受了很多的委屈……」

他黯然地歎息一聲，道：「鳳兒哪裡去了？如若她不幸死去，不知我這做爹爹的鐵石心腸已經變軟，動了慈愛女兒之情，那是終身之憾。」

丁玲舉手拭去滾在兩頰的淚痕，說道：「妹妹際遇奇佳，得蒙天玄道長收留門下習劍。」

丁高雙目一瞪，泛現起滿臉歡愉之色，道：「真有這等事嗎？」

丁玲道：「女兒怎敢瞞哄爹爹。」

只聽拳風輕嘯，火光一閃而熄，不知何人忽發一拳，打熄了火摺子。

火光甫熄，青虹暴閃，寶刃騰輝，珠光反映，滿室劍氣，一片殺機。

但聞徐元平怒喝一聲，緊隨著掌風拳勁紛紛擊出，滿室激盪，渦漩成風。

丁玲輕輕歎息一聲，道：「查子清打出了蜂尾毒針……」

話還未完，耳際間響起了兩聲哼悶，想是有人中了毒針。

混亂中，石室突然開始了急劇旋轉，室中的桌椅互擊，人聲雜亂，夾雜著驚心動魄的猩猩怪嘯，形成了一片混亂的恐怖。

忽然間響起山崩般的一聲大震，石壁一角突然暴裂出一座圓門，兩盞高燃的琉璃燈，被強烈的珠光反映過來，照亮了石室。

群豪凝目望去，只見一道寬敞的大道，直向對面伸延過去，每隔十步左右，就點燃著一盞琉璃燈，燈下面嵌著一顆明珠，反映得燈光更加明亮。

室中群豪，似是都被這景物吸引，一時間鴉雀無聲。

易天行突然長歎一聲，說道：「這古墓之中，當真已有了人嗎？」

丁玲道：「你才知道嗎？」

易天行緩緩地轉過身子，目注徐元平道：「小兄弟，你受了傷嗎？」

徐元平冷冷說道：「受了傷又怎麼樣？」

易天行淡然一笑，道：「你是我生平中所遇的唯一強敵，我也深望能和你好好的拚上一場，分個生死勝敗出來。不過，眼下的情勢不同……」

徐元平冷笑一聲，接道：「不論情勢如何，咱們也得先拚個生死出來！」

易天行皺皺眉頭，道：「你年未及弱冠，在下正值壯年，難道你還怕我突然死去不成？何況我每和你動手一次，都覺著你武功長進很大，咱們拚搏的時間拖得愈長，對你愈是有利……」

他輕輕歎息一聲，道：「不知什麼人，有這等驚人的才智，竟然創造出這樣一個神秘的孤獨之墓。唉！這一場曠絕千古的騙局，流傳於江湖間已有數十寒暑，竟然無人揭穿，一個人能一手遮盡天下英雄耳目……」話到此處，倏而住口不言。

丁玲冷冷地接道：「我替你接下去說吧！掩盡天下英雄耳目事小，使你易天行也受了騙，你心中有些不服氣，可是嗎？」

易天行微微一笑，道：「可惜你是個女兒之身。」

丁玲道：「我不是女兒身又怎麼樣？」

易天行道：「如若你不是女兒之身，我定把你收歸門下，傳我衣缽。」

丁玲道：「那我還是女兒之身的好。」

易天行目光一轉，笑道：「好一個利口丫頭！如若我此刻和徐元平打一個同歸於盡，你們所有的人都將減少去幾分生機。」

他緩緩地把目光移注在丁玲的身上，道：「你可是還記恨我適才加諸你的刑罰嗎？」

丁玲淡淡一笑，道：「記恨有什麼用？我又打你不過。」

徐元平突然大步走了過來，說道：「易天行，可要我換個兵刃嗎？」

易天行道：「你自信一劍能勝得了我嗎？」

徐元平道：「咱們生死的機會各佔一半，我如沒有手中寶刃，生機還少你一分。」

易天行點點頭，道：「我一生行事，從來果斷，但每次和你對敵，都生出猶豫之感。唉！難道天生你就是來剋制老夫的嗎？我的武功並不輸你，但我的心理上卻先輸你三分。」

徐元平道：「那是因為你作孽太多了。」

易天行臉色忽然一變，說道：「我好意和你相商，並非畏懼。你如步步相逼於我，可不能怪我不擇手段了！」

徐元平冷笑一聲，道：「什麼手段，儘管使出來吧！」

易天行道：「如若我和查子清聯手對付你，你自信能夠支持幾回合？」

徐元平怔了一怔，道：「這個……」

易天行接道：「加上楊文堯，十回合內我們便可取你性命！」

只聽身後一陣哈哈大笑，接道：「只怕不是那等容易。老叫化兩隻手沒端豆腐，再加上官嵩，咱們剛好是三對三的局面。」

群豪轉頭望去，只見那石壁洞開之處，並肩站著兩人，左面一個蓬髮草履，滿臉油污，身背紅漆大葫蘆的叫化子，一個藍綢長衫，背插雙劍的長髯修偉的老者。

易天行淡然一笑，道：「宗兄來得甚好。」

神丐宗濤回顧了那長髯老者一眼，伸手取過背後的紅漆葫蘆，咕咕嘟嘟，喝了兩大口酒，笑道：「你對老叫化這般親切，想來定然是有求於老叫化了。」

易天行道：「不錯，兄弟確然是有點事相求宗兄。」

宗濤道：「這倒是很難得了……」又舉起紅漆葫蘆，喝了兩大口酒，接道：「老叫化洗耳恭聽。」

易天行道：「眼下形勢，整個武林同道，都被騙了幾十年的歲月，因此，兄弟決心揭穿這一件千古騙局，深望諸位能和兄弟攜手合作。」

宗濤道：「可是要老叫化勸勸徐元平，暫時握手言和……」

易天行道：「那也不必。兄弟只望借重宗兄之言，把在下和這位徐兄的恩怨，暫時向後壓壓，待揭穿了這一場騙局之後，在下自當和這位徐兄清結恩怨。」

宗濤為人雖然豪放，不拘小節，但卻心懷大義，識顧大體，沉吟了一陣，道：「老叫化雖

然不恥你的爲人，但這幾句話，卻是說得正正當當，看來老叫化倒是得幫你這個忙了。」
易天行似是突然有了極大的感觸，目光環掃了全室一眼，說道：「這一場騙局，能否揭穿，關係著整個武林的命運，兄弟願盡全力，身爲先驅。」
神丐宗濤目光一轉，高聲說道：「老叫化也有一事，請你幫忙。」
易天行道：「但請吩咐。」
宗濤道：「目下這暗室之中，有兩人中了暗器，如若你當真存下了揭穿這騙局之心，先把這兩人救醒過來。」
易天行目光移注到查子清臉上，道：「查兄，可有解藥嗎？」
查子清默察形勢，如不拿出解藥，立時將成眾矢之的，當下探手入懷，摸出了兩粒解藥，目注查玉說道：「快給他們服下。」
查玉依言接過解藥，分給兩個受傷之人服下。
查子清蜂尾針雖然其毒無比，見血封喉，但他身懷解藥，卻是靈驗異常，兩人服下之後，不到一盞熱茶工夫，人已清醒過來。
神丐宗濤緩步走到徐元平身側，叫道：「小兄弟……」
徐元平似是已知道他要說什麼，緩緩地收起戮情劍道：「老前輩是我最爲敬重之人，有事但請吩咐。」
宗濤道：「揭穿這古墓之秘，不但是易天行一人的心願，在場之人，只怕都有此好奇之心，就是老叫化也想瞧瞧設此騙局的主人面目，此墓機關重重，任是輕功絕世也難逃得出去，

待揭穿此墓之後，你再和易天行總結舊仇不遲。」

徐元平道：「晚輩遵命。」

宗濤笑道：「可惜一宮、二谷、三大堡中的首腦，只有了四位，尚缺天玄道長和千毒谷主，未免使這次古墓中死亡之會，減色不少！」

徐元平道：「千毒谷主已和晚輩同入此墓，只是不知他此刻行蹤何處？」

那背插雙劍的修偉老者，突然接口說道：「徐元平，你還識得老夫嗎？」

徐元平道：「名重武林道上的上官堡主，晚輩怎會忘去。」

上官嵩道：「老夫想向你探詢一人……」

徐元平道：「可是令嫒嗎？」

上官嵩道：「不錯，小女現在何處，是生是死？」

徐元平道：「令嫒和千毒谷主同行。」

上官嵩道：「哼！老毒物對我女兒如何？」

徐元平道：「愛護備至，極盡呵惜。」

上官嵩奇道：「此話當真嗎？當今武林有誰不知道老毒物的陰狠毒辣，此事實叫老夫難信。」

徐元平道：「令嫒允予下嫁千毒谷主公子，故得千毒谷主的百般愛護。」

上官嵩怒道：「我女兒是何等之人，豈肯允婚老毒物那醜怪之子，你信口雌黃，當心性命。」

徐元平想到上官婉倩相救之情，對她的父親自是該忍讓幾分，當下淡然一笑道：「千毒谷主和令嫒，都在這古墓之中，不難相遇，如若老前輩不信晚輩之言，見著令嫒時，不妨問她一聲，如有一字虛言，任憑老前輩處罰就是。」

久久未發一言的金老二，突然插嘴說道：「令嫒親口允婚千毒谷主之時，在下也在旁側，此事實是千真萬確。」

上官嵩忽然想起女兒服毒待死之事，不禁黯然一歎，道：「任憑爾等巧舌如簧，老夫終難相信會有此事。」

徐元平知他心中已然相信七成，只是不願承認罷了，回頭對宗濤說道：「老前輩，這墓中不但機關重重，而且還有甚多毒物守門，此室中暗門忽開，燈火照道，分明是墓中主人，有意和我們相見，再延時刻，暗門一閉，那就要大費一番周折了！」

易天行道：「此言有理。」當先舉步行去。

眾豪正待舉步隨行，突聽湯萬里高聲說道：「查子清！」

查子清回頭問道：「什麼事？」

湯萬里道：「老夫傷在你蜂尾針下，就這麼白傷了嗎？」

查子清道：「適才湯兄，拳腳交加，幾乎把犬子傷在手下，兄弟不是也認命嗎？」

易天行接口說道：「這一場混戰，不論哪個吃虧、沾光，幸無傷亡，眼下境遇特殊，四顧茫茫，已然是一個同舟共濟的局面，咱們這班人中，大都是在武林各有成就之人，不是名重一時的大俠，就是獨霸一方的豪雄，彼此之間自是難免恩怨牽扯，勾心鬥角，不過此刻的形勢不同，兄弟深望諸位暫時放棄了個人恩怨，共謀大計，揭穿這一場曠絕武林的騙局！」
查子清哈哈一笑，道：「易兄說得不錯。」
湯萬里回顧那長眉老人一眼道：「在下和這位老兄台，算是白白的挨了一針。」
長眉老人道：「你怎能和老夫相比。哼！老夫就是再多中他幾枚毒針，也是不會受到毒害。」
查子清微微一笑，默然不語。
湯萬里眼看大勢已去，孤掌難鳴，如若堅持要報一針之仇，勢必激怒群豪不可，又碰了那長眉老人一個釘子，立時默然，大步地向丁玲走去。
鬼王雙目一瞪，喝道：「站住！」
丁玲嫣然一笑，接道：「他是來討藥吃的。」取出一粒藥丸，遞了過去。
湯萬里接過藥丸，一口吞下。
徐元平大步走近那長眉老人，低聲說道：「老前輩，可要晚輩扶你走嗎？」
長眉老人一挺而起，道：「笑話！」舉手在猩猩背上拍了一掌，接道：「走啦！」
那狀似熟睡的金毛猩猩，經那長眉老人拍過一掌之後，突然一躍而起。
這裂開的暗門，似乎是有人在暗中操縱一般，當室中群豪，最後一人走出之後，突然砰的一聲，關了起來。
易天行冷笑一聲，道：「果然是布設精奇，巧奪天工。」口中說話，腳下卻加速向前奔

行。

這條甬道，雖然有十五、六丈長短，但群豪奔行迅快，片刻工夫，已然到了盡處。

甬道至此，分向兩側分開，但只深入丈許，即為兩道石壁所阻。

只見左面壁間寫道：死亡之路，右面壁間寫著：求生之門，鮮紅的字跡，在燈火珠光映射下，耀眼生輝。

易天行回顧了宗濤一眼，道：「宗兄，咱們走死亡之路呢？還是走求生之門？」

神丐宗濤縱聲長笑，道：「我瞧咱們這般人，都帶著滿臉晦氣，還是走死亡之路得好。」

易天行道：「兄弟也是這般看法。英雄所見略同！」

查子清道：「讓兄弟先試這石壁的堅度。」揚手一記百步神拳，直擊過去。

但聞砰的一聲，發出拳勁，激散成風。

湯萬里探手從懷中取出鋼鑿，接道：「兄弟開道。」大步直走過去。

這古墓中奇異的布設，似是已促使這些水火不容的群豪，暫放下糾結複雜的恩怨。

易天行目光一轉，投注在徐元平的臉上，說道：「徐世兄的戮情劍，削鐵如泥，這石壁雖然堅硬，決難當受利鋒破堅之力。」

徐元平冷哼一聲，大步向前走去。

丁玲高聲叫道：「不要去！」

徐元平愕然止步，回過頭，道：「為什麼？」

丁玲道：「你把寶劍借給易天行，讓他去破那石壁吧！」

徐元平忽然想到金老二誤觸機關斷臂之事，不禁猶豫起來。

易天行微微一笑，道：「丁兄，你這位令嬡，好多的心眼。」

右手一伸接道：「徐世兄可肯將手中寶刃，借給在下一用嗎？」

只聽砰的一聲大震，石屑紛紛下落。

原來湯萬里已掄動手中鋼鑿向那石壁上鑿去。

徐元平舉起戮情劍道：「有何不可？」伸手遞了過去。

易天行接過寶刃，笑道：「如若我不肯還你寶刃，等一會兒動手之時，你又將少去一分取勝之機。」

丁玲接口說道：「你如當真的賴皮到那等程度，只怕所有之人，都將群起攻你。」

易天行道：「鬼丫頭不用激我，揭穿這古墓秘密之後，總要讓你見識一下易某人的真實武學，不論哪一位願意出手，在下都當奉陪。」說罷緩步向那石壁走去。

只聽砰砰大震，不絕於耳，湯萬里手掄鋼鑿，不停地在那壁上敲打，死亡之路四個鮮紅的字跡，已被敲得散落一半。

易天行低聲說道：「湯兄請休息一下，讓兄弟試試戮情劍的鋒刃如何？」

湯萬里收了鋼鑿，人卻依言向後退去。

寶刃鋒芒，果不虛傳，劍鋒著壁，有如摧枯拉朽，直刺而入。

易天行突然回頭喝道：「諸位退開！」話出口人已倒飛而退，喝聲未完，已到了轉角之處。

群豪屏息而立，等了良久，仍然不見動靜，那石壁依然完好如初。

查子清望了易天行一眼，道：「戮情劍鋒芒如何？」

易天行道：「你再發出一記百步神拳試試？」

查子清依言施爲，運氣發出一拳，迫擊那石壁之上。

但聞砰然一聲，中拳之處應手碎裂，暴開成一個兩尺見方的圓圈。

原來易天行探劍刺入石壁，試出了厚度之後，運氣施劍，疾快地劃了一個圓圈，倒躍而退。

查子清道：「易兄好快的手法。以兄弟的目力，就未看到你的行功運劍，石壁已被劃裂……」

丁玲冷然接道：「哼！什麼話都說得出口，也不覺著肉麻？」

查子清雖然心機陰沉，也不禁臉上一熱，羞紅直泛雙頰，回頭對丁高說道：「丁兄這位寶貝女兒，實該好好的管教一下了！」

丁高淡淡一笑，道：「可要兄弟殺了她嗎？」

查子清怒道：「你不管教，兄弟替你管教了！」

神丐宗濤呵呵一笑，接道：「誰敢動我的乾女兒，我要剁了他十個指頭。」

查子清自知難是宗濤和丁高兩人之敵，強忍胸中氣忿，自找台階說道：「宗兄不用賣狂，待出了這古墓之後，兄弟定要領教領教。」

宗濤縱聲笑道：「以老叫化的看法，咱們都別想活著出去。」

丁高愣了半晌，道：「宗兄，小女幾時認到你名下了？」
宗濤雙目一瞪，道：「怎麼？你不願意那就……」
丁高接道：「宗兄不要誤會，小女得蒙垂顧，收做義女，兄弟極感榮幸。」
丁玲嫣然一笑，道：「乾爹最愛說笑，爹爹不要放在心上……」目光投注到易天行臉上，接道：「你該把戮情劍奉還人家了吧？」
易天行點頭微笑，道：「丁姑娘說得是。」緩緩把手中寶刃，遞了過去。
徐元平一揮掌中戮情寶刃，便要縱身躍入那兩尺方圓的門戶。
宗濤、金老二，不禁齊聲喝道：「且慢！」兩人一齊擋在徐元平身前。
易天行笑道：「壁洞既是兄弟所開，還是由兄弟當先進去得好。」腳步一邁，由壁洞中跨了進去。
宗濤道：「易天行雖然心腸狠毒，心智陰險，但卻也不愧是條漢子！」
話聲未了，突見易天行又已反身躍出，面上微帶驚詫之色，道：「徐世兄可否再將寶刃借我一用？」
徐元平問也不問，便將戮情劍利刃遞過。
丁玲道：「裡面難道還有一重石壁嗎？」
易天行道：「正是！」話聲未了，人已穿入洞壁，宗濤、徐元平一齊隨之而入，只見裡面僅有三尺寬狹之地，前面果然又是一重石壁。

易天行揮動利刃，破壁而入，哪知裡面竟然還是一重石壁。眾人心中俱都大奇。只見易天行擊破五重石壁，第六重石壁之上，卻留著一張潔白的字柬，上面赫然寫道：「自作聰明，多費力氣。你們若是自『求生之門』進來，便可省去破壁之功。如此辛辛苦苦，又是何苦？」

字跡龍飛鳳舞，易天行面上突地泛起一種悵然若失之色。

宗濤變色道：「這墓中果然有人！」

易天行長歎一聲，道：「不但有人，而且還是個人上之人。只是兄弟費盡心力，卻也想不出此人會是哪一個？」言語之間，又自劃開石壁，當先一躍而入。

群豪魚貫相隨，進入了最後一堵石壁。

這是個廣敞的大廳，十二盞玻璃燈光焰熊熊，但因這敞廳四壁，都是用黑漆漆成濃墨之色，燈光反映的亮度甚是微弱，形成一種恐怖氣氛。

十二口黑漆棺材，規律地排在十二盞玻璃燈的後面，棺蓋封閉緊嚴，生似那漆棺之中，在很久以前，已經裝入了死人。

易天行環顧四周的景物一眼，讚道：「這氣氛確然使人有一種生不如死的感覺，陰沉，恐怖，兼而有之，虧他想得出來……」

緩緩轉過身倒握戮情劍，遞到徐元平的手中說道：「看敞廳擺佈，咱們似已進入禁要之區，隨時都可能發生驚變，此劍鋒利無匹，身能懷此利器，當可保幾分生機。」

徐元平接過戮情劍，道：「但願你心願得償，見得這墓中主人，揭穿這古墓之秘，留下性命，好和我決一死戰。」

易天行笑道：「在下自信不致使你失望……」突然橫跨兩步，走到一口黑漆棺木之前，伸手欲揭棺蓋。

徐元平目光一掠楊文堯，只見他雙目凝神，凝注在易天行身上，但卻默默不語，徐元平忍耐不下，突然大聲喝道：「住手！」

易天行回頭一笑，道：「什麼事？」

徐元平道：「我要手刃親仇，不願你死在那棺材中暗算下。」

易天行道：「你的武功和機智，都在極快的長進之中，為我籌謀，眼下就該和你做個了斷。」砰然一掌拍在棺蓋之上，掌落人退，聲音入耳，人已退出了三尺開外。

廳中群豪紛紛移動身軀，蓄勢戒備。

那堅牢的棺蓋，在易天行大力金剛掌一擊之下，砰然大震聲中，破裂成兩半。

只聽那棺木之中，嚶嚀一聲嬌吟，緩緩伸出一條手臂，十指纖纖、膚白似雪，顯然是女人的手臂。

易天行冷笑一聲，道：「只要能遇上一個活人，就不難問出底細。」

那玉臂搖揮了幾下，生似一個人長眠醒來，揮臂伸了兩個懶腰，又緩緩地收回棺中。

陰沉的敞廳中，漆暗如墨的四壁，十二盞高燃的玻璃燈，十二具密封棺材，交織成一片恐怖和黯然，使人感覺生命的蕭索，不自禁地聯想到死亡。

群豪個個圓睜著雙目，盯著那副棺材中伸出的玉臂，個個都運功戒備，準備應變。

顯然那玉臂緩緩地收回棺中之舉，大出群豪預料之外，愕然相顧良久，仍然不見那玉臂再伸出來，好像那人收回了玉臂之後，重又睡熟了過去。

易天行似已等得不耐，冷冷地說道：「再要故作神秘，可別怪我易某出手狠辣了，你縱然武功過人，也難當得我突然出手一擊！」

但那棺中之人，似是沉沉睡去一般，仍然不聞一點回應之聲。

楊文堯心懷鬼胎，生怕易天行對自己動了懷疑，挺身而出說道：「易兄，請替兄弟掠陣！」大步向那棺材走去，一面運集功力，聚勁右掌，只要一有變故，立時將以迅雷不及掩耳的舉動，運掌拍出。

易天行回顧查子清一眼，道：「查兄的百步神拳，專以攻遠，準備接應楊兄！」一面說話，一面放步向前走去。

楊文堯走近那棺材之後，先重重地咳了一聲，然後運手一撥棺蓋。

那棺蓋早經易天行掌力劈裂，稍一用力，立時向一側滑開，砰的一聲，摔在地上。

只聽那棺木中一聲嬌呼，突然坐起來一個長髮散披的女人。

那張美麗的面孔，柳眉星目，瑤鼻櫻口，緩慢地站了起來。

楊文堯不自主地向後退了兩步，冷冷地喝道：「先把你的雙手舉起來！」

那女人一面眨動著圓大的眼睛，打量廳中之人，一面緩緩舉起了雙手。

一雙赤裸的玉臂，當先伸出棺木。

隨著那舉起的雙手，緩緩地站起了身子。
楊文堯一皺眉頭，喝道：「你沒有穿衣服麼？」
那少女一雙閃動不定的秋波，凝注楊文堯身上，邁起了雪白的玉腿，踏出棺材。
上官嵩冷哼一聲，喝道：「赤身露體，成何體統！」
原來棺木中站起的女子，除了一束在前胸的黃綾，和覆在腰胯間的白絹之外，全身再無片衣寸縷，光腿赤足，裸露著雙臂，緩步地向前走來。
她似是根本沒聽到楊文堯喝問之言，緊閉著嘴巴，一語不發。
易天行已到了楊文堯的身後，低聲說道：「楊兄，運集五成功力，試她一掌。」
楊文堯右手一揚，斜斜拍出一掌，推擊過去。
一股暗勁，直撞過去。
那緩緩行進的女子，吃楊文堯掌勢一撞，口中啊喲一聲，仰面向後倒去，砰然一聲，著著實實地摔了在地上。
楊文堯絕未料到這隨手一擊，竟然會把對方擊倒在地上，不禁微微一怔。
錯愕之間，忽聽樂聲悠揚，傳入耳際。
這樂聲由低漸高，由簡入繁，初響之聲，只是一種極單純的弦聲，但倏忽之間，幾種管聲同時混入，還未來得及分辨，弦管爭鳴，滿室繚繞，合奏出一闋淒涼動人的樂章。
楊文堯目光轉動，環掃了四週一眼，說道：「這樂聲從哪裡傳出來的？」
易天行道：「就從這棺木之中。」

神丐宗濤取過紅漆葫蘆，喝了一大口酒，道：「見怪不怪，其怪自敗，咱們走過去不理它就是了。」當先舉步而行，立向後壁走去。

易天行道：「楊兄，你走近她仔細瞧瞧，我不信她真的被你一掌打死。」

楊文堯緩緩地舉步走了過去，將近那女子身側之時，突然飛起一腳，踢向那女子右肋。

這一腳用力甚大，別說是血肉之軀，縱然是巨石木樁，也將被他這一腳踢得樁折石裂。

徐元平看得心中不忍，高聲喝道：「楊文堯，不要踢她……」

喝聲中奮身一躍，直向楊文堯撲了過去。

易天行一皺眉頭，道：「你要幹什麼？」揮臂攔去。

徐元平猛然一沉丹田真氣，硬把向前衝行的身子收住，落著了實地，道：「這等手段對付一個婦道人家，未免太狠毒了。」

易天行微微一笑道：「我剛才還讚頌你機智大進，怎麼片刻工夫，又動了婦人之仁，須知此刻咱們正陷身在險惡無比的環境之中，隨時隨地，都可能遇上驚滔駭浪的凶險，你這一念仁慈，說不定將招致殺身之禍。」

徐元平道：「那女人已被楊文堯掌力震昏，難道一定要把她身體毀傷才行嗎？」

易天行道：「如若我的推想不錯，她並沒有死去，不信你過去瞧瞧。」

楊文堯自和徐元平動手相搏過一次之後，對這位少年英雄，已生出了極大的戒心，聽得他喝叫之聲，竟然不敢再踢下去，陡然收住了踢出去的右腿。

大踏兩步，到了那半裸女子身前，伸手向她鼻息之間探去。

果然那女子仍有著微弱的氣息。

楊文堯眼珠兒轉了兩轉，沉聲問道：「是死是活？」

徐元平道：「奄奄一息，生死難決。」

丁玲一直注視著徐元平的一舉一動，目睹楊文堯臉上的奇異神色，立時大聲叫道：「徐相公當心活人！」

楊文堯確實下了暗算徐元平的用心，而且已暗中運集功力，勁聚右掌，準備在徐元平起身之際，猝然發難。丁玲大聲一嚷，不禁吃了一驚，趕忙向後退了兩步。

徐元平緩緩站起身子，星目中神光暴射，凝注楊文堯臉上，說道：「如非丁姑娘這一叫，定然叫你試試我『達摩三劍』的滋味！」

易天行怔了一怔，道：「達摩三劍！」

徐元平已知失言，但已無法改口，只好硬著頭皮，說道：「怎麼樣？」

易天行笑道：「達摩三劍，乃失傳之學，不知徐世兄如何知得？」

徐元平道：「縱然我瞭解甚深，但也不會告訴你。」

只聽神丐宗濤的聲音，遙遙傳了過來，道：「小兄弟，把戮情劍借給老叫化子用用。」

這時弦管交混之聲更加嘹亮，曲調也更爲淒涼，但這墓中之人，都是武林一時高手，個個內功深厚，定力堅強，絲毫未受感染。

徐元平應了一聲，一掌拍在那半裸女人的「玄機」要穴之上，大步地向前走去。

易天行首先聽出那樂聲不對，高聲說道：「趁他們尚未起而發難，咱們要先發制人，諸位

如若肯聽我易某人的話，那就快把這棺材毀去。」

一面喝叫，一面向那半裸女子迫去，揚起一腳當胸踏去。

只見那半裸女子微閉的雙目，突然一睜，疾快地一陣翻滾，人已到七、八尺外，一挺而起，探手從束胸黃綾之中，取出一個銀哨，吹出一陣尖銳刺耳的聲音。

但聞一陣砰砰大震，響不絕耳，十一具密封緊閉的棺蓋，突然大開。

每一具棺木之中，都站起一個長髮散披，黃綾束胸，白絹覆胯的美麗女子，邁起了粉白的右腿踏出棺木。

這些女人，雙手之中均都抱著一宗樂器，簫、笛、琵琶、古箏、三弦、琴、笙、瑟、鼓，應有盡有。

棺蓋一開，樂聲更是響亮震耳，群豪心頭立時受到了巨大的感應，個個心神震動。

易天行氣聚丹田，大喝一聲，揚手劈出一掌。

一股強烈的掌風，劃空湧出，排山倒海般直撞過去。

但見那些手抱樂器，胸束黃綾的長髮女子，紛紛向兩側躲去，但她們手中的樂器，並未停止，響聲依然，動人心弦。

易天行這揮掌一擊，至少用出了七成以上的功力，激盪的暗勁，吹飄起那些懷抱著樂器女子的覆胯白絹，和散垂的長髮。

這時徐元平已走了一丈多遠，目睹廳中的變化，不覺愕然止步，就在他一怔神間，易天行的掌風已破空湧至，他為了避讓易天行的掌力，不得不橫向一側讓去，正和那些懷抱樂器的女子，擠在一起。

只覺耳際間，弦管聲震，不自禁地一閉雙目，側過臉去。

就這一失神間，忽覺左胯上一陣輕微的疼痛，似是被人用針扎了一下，不禁大怒，冷哼一聲，回手拍出一掌。

但聞咚的一震，一個長髮女子，突然把手中所捧的一面皮鼓遞了過來，正好迎在徐元平拍來的掌上。

忽聽丁玲高聲叫道：「當心她們手中樂器藏有暗器！」

易天行大聲叫道：「此時此情，咱們已經陷入險惡的危機之中，多一分仁慈用心，就多一分死亡的機會……」

話還未完，那十二具棺木之中，突然又躍出十二個美麗的少女，和著那震耳的樂聲，邊歌邊舞起來。

易天行殺機已動，呼的一掌，照一個少女劈去。

掌力到處，響起了一聲尖厲的叫聲，一具少女的軀體，應聲而起。

楊文堯探手一把，抓住了一個少女的右臂，微一用力，登時把那少女臂骨折斷，只聽那女子啊喲一聲大叫，仰身向地上倒去，顯然她已疼得暈了過去。

查子清也在這一瞬之間，發出一記百步神拳，打傷了一個少女。

楊文堯心中大爲奇怪，回頭對易天行道：「易兄，這些人都不會武功。」

易天行道：「兄弟也覺得有些奇怪……」

只聽對面不遠處傳過來一陣軋軋之聲，迎面的石壁，突然裂開，緩緩地向兩邊縮去，敢情那石壁是活的。

一道強烈的亮光，直照過來，十二盞熊熊燃燒的玻璃燈，登時黯然失色。群豪凝目望去，只見一片白綾幔遮著大廳中，豎立著二十四支火炬。

易天行打量那大廳一眼，突然放步向前走去。

廳中傷亡橫陳，不時發出痛苦的呻吟，但這些傷亡之人，竟然沒有一個抱有樂器。顯然，那十二個懷抱樂器的少女，個個都會武功，而這十二個曼舞輕歌的少女，卻都是平常之人。

一片素白的大廳中，布設著一個靈堂，紙花火燭，素幃低垂。

靈幃上一個白色大匾，橫寫著四個大字「貪心罹禍」。

易天行看了一皺眉頭，冷冷說道：「好大的口氣！」探手一把扯下了靈幃上的橫匾。

那橫匾之後，又是一片白綾橫幅，寫道：「生不如死。」

易天行冷笑一聲，道：「我倒看看你一共有幾條橫幅。」右手一招，又抓住了橫幅一角，正待扯下，突聞一陣軋軋之聲，傳了過來。

神丐宗濤哈哈一笑，道：「好啊！又有花樣來了。」

只聽一個蒼老尖銳的聲音答道：「在這裡了。」一角素幔起處，緩步走出來手握竹杖，滿頭白髮的梅娘。

易天行微微一笑，道：「諸位才來嗎？」

梅娘一頓手中竹杖，冷然答道：「你還未死，豈能算遲。」

但見素幔輕啓，緩步走出來黑紗蒙面的紫衣少女，她身後緊隨著錦衣修軀的王冠中，和那紅衣獨腿大漢。

易天行目光一掠那紫衣少女道：「姑娘晚了一步。」

蒙面黑紗中傳出紫衣少女嬌甜的聲音，道：「二谷、三堡中人，不知到了幾個？」

楊文堯道：「用不到姑娘費心……」

紫衣少女冷笑一聲，接道：「稍安毋躁，我替你們帶來一個幫手。」舉起雙手，輕擊一掌。

素幔重起，走出來駝、矮二叟，在兩人之間，挾持著一個瘦矮之人，和一位青衣少女。

宗濤望了那矮人一眼，大聲笑道：「冷老大！」

笑聲未絕，忽聽上官嵩大叫一聲：「倩兒！」縱身直撲過去。

梅娘一揮手中竹杖，冷然說道：「站住！」一股強厲的杖風，橫裡擊了過來。

上官嵩只覺對方杖勢，不但來得勢道強猛，而且招數變化，亦是不可捉摸，迫得向後疾退了兩步。

紫衣少女忽然高聲說道：「放開她，讓他們父女談談身後之事。」

歐駝子應了一聲，舉手一掌，拍在那少女後背。

只見她一雙瞪得又圓又大的眼睛，緩緩地轉動了一下，嬌呼一聲爹爹，疾向上官嵩撲了過去。

上官嵩張開雙臂，迎接著撲過來的女兒，臉上老淚紛紛，激動地叫道：「孩子，苦了你啦。」

上官婉倩黯然說道：「女兒實未想到還能見得爹爹一面。」

易天行突然大步走來，低聲叫道：「上官兄。」

上官嵩按捺下心中悲苦，回頭說道：「怎麼樣，易兄可是看著兄弟不……」忽然想到易天行相救女兒之情，咳了一聲，住口不言。

易天行道：「上官兄不要誤會，你們父女相會，乃一大喜事，想來定有甚多離情訴說，請到一側談談，兄弟想和這位姑娘說幾句話……」話到此處，聲音突然一低，施展千里傳音之術，接道：「兩位在此地談話，甚多不便，對方如若出手施襲，兩位只怕不易閃避。」

上官嵩突然改顏相向，拱手一禮，道：「多謝易兄關照。」牽著上官婉倩，向大廳一角走去。

神丐宗濤冷笑一聲，取過背後的紅漆葫蘆，咕咕嘟嘟地喝了兩大口酒。

易天行回目望了宗濤一眼，笑道：「宗兄可是懷疑兄弟挑撥你和上官兄嗎？」

宗濤冷冷說道：「哼！狗嘴裡絕長不出象牙來。」

易天行臉色一變，道：「兄弟一口一個宗兄，宗兄卻這般輕賤兄弟，難道宗兄認為兄弟真怕你嗎？」

宗濤冷笑一聲，道：「老叫化向來出口不雅，你如不愛聽，就別給老叫化講話。」

只聽那紫衣少女道：「易天行，咱們相約之事，還算是不算？」

易天行淡然一笑，道：「在下想和姑娘談一點正經之事。」

紫衣少女道：「你說吧！」

易天行道：「姑娘的才智，在下一向敬服，但這古墓中早已有人之事，不知姑娘是否已經料到？」

紫衣少女道：「事先不知。」

易天行道：「這就是了，創造這古墓之人的才智，不但高過在下，也強勝過姑娘了。」

紫衣少女道：「單就他築建這古墓而言，倒是不錯。」

易天行道：「姑娘有此想法，那是最好不過。」

紫衣少女道：「你可是想勸我合力同心，共謀揭穿這古墓之秘嗎？」

易天行回顧了身後群豪一眼，笑道：「眼下這靈堂中人，彼此之間，大都有著糾結不清的恩怨，但在此時此情中，都已暫時放下，共謀同心，揭穿這創造古墓的絕代人才，如若姑娘肯和在下合作，我易某人確信咱們可佔上風。」

紫衣少女道：「那人能創造出這孤獨之墓，建造了這樣靈巧的機關，想必已有了萬一的準備……」

她突然向旁側橫跨兩步，倚靠在梅娘的身上，接道：「就目下實力而論，不論這墓中主人網羅了多少高手，都無法和咱們硬拚力戰。單就武功而言，我也認定他難以抗衡。但如他早已在這禁要之地，預布機關變化，事情又當別論。他雖然一敗塗地，咱們也逃不了，該是個同歸於盡的結局。」

易天行怔了一怔，道：「這個在下倒是還未想到。」

紫衣少女道：「因此，諸位如想多保幾分生機，那要聽我的指命行事。」這幾句話，說的聲音甚高，全廳中人，全都聽得十分清楚。

易天行微微一笑，道：「姑娘未免把自己估計得過高了。老實說，目下的人，誰也無法管誰，但任何人亦可指命群豪，統率全局，但這只限於一件事情。」

紫衣少女道：「如若你們願意接受我之指命，咱們就攜手合作，如若不願受我之命，那咱們就各行其是，互不相關。」

易天行微微一笑，道：「在下只望這古墓隱秘揭穿之前，彼此之間，暫息干戈。」

紫衣少女道：「好吧，我們袖手旁觀就是。」

易天行目光一掠那身材矮小之人，又道：「在下還有一件不情之請。」

紫衣少女道：「你可是要我釋放千毒谷主？」

易天行點點頭肅然說道：「不論這古墓之秘，是否能夠揭穿，目下之人，勢必要有一場自相火併不可，悲慘的結果，早已決定了，揭穿這古墓之秘以後，姑娘就是想置身事外，只怕也是難以如願。」

紫衣少女道：「那很好，也讓我們見識見識中原的武學……」回過頭去，低聲說道：「胡矮子，放了千毒谷主。」

胡矮子應了一聲，舉手一拳，擊在千毒谷主的後背。

這一拳用力甚大，千毒谷主矮小的身軀，被打得向前一連跑了五、六步遠。

易天行伸手一把，抓住了千毒谷主的左臂，說道：「冷兄……」

易天行「冷兄」兩字方自出口，千毒谷主的右拳竟也同時發出，呼地一拳，向易天行下顎直擊過去，拳風虎虎，強勁絕倫。

他與易天行貼身既近，拳勢又如此急劇強猛，群豪心中一驚，俱都大出意料之外，只道易天行難免要傷在他這一拳之下，群豪心裡十中有九都起了幸災樂禍之心，只望他這一拳打得越重越好。

徐元平一見紫衣少女現身，神情之間，便突地起了一種淒迷悵惘之色，心中亦不知是何滋味。此刻見到千毒谷主突施暗算，一拳擊出，劍眉微軒，急得竄了過去，並指點向千毒谷主肘間「曲池」穴。

哪知他身形方動，易天行的左掌已無影無蹤地抬起，只聽「砰」的一聲，拳掌相接，易天行身子微微一震，千毒谷主連退兩步，右拳卻已被易天行的左掌緊緊握住，再也掙脫不開。

徐元平身形一頓，群豪不禁在暗中失聲地歎息，只聽易天行哈哈笑道：「冷兄好雄渾的內力！」手掌一緊，一陣內力自掌心發將出去，千毒谷主那憔悴的面容，更是蒼白如紙，但目光中，仍是茫茫然，彷彿絲毫不覺痛苦。

易天行大笑道：「各位放心，在各位兄台未死之前，兄弟絕對不敢先各位而死的。」

群豪面頰一紅，易天行含笑望了徐元平一眼，道：「兄弟雖不能與徐世兄為友，但能與徐世兄這種英雄人物為敵，心裡也覺光榮得很！」

徐元平道：「我本無救你之心，只不願見到別人暗算傷人而已。」

易天行笑道：「如此胸襟，如此……」目光轉向千毒谷主，笑容突地一斂道：「徐世兄這卻錯了，冷兄亦非暗算傷人之輩，只是他身上三處穴道被點，胡矮兄只解了其中之二，他四肢雖能運轉，但神智卻未恢復，是以才會有此一拳。」

說話之間，他已暗中運氣解了千毒谷主的穴道，緩緩地鬆開手掌。

千毒谷主倒退一步，木然立在地上，呆愣了半晌，回首望了梅娘及駝、矮兩叟一眼，面上勃然變了顏色，大怒道：「好矮子！」雙臂一張，骨節格格作響，大步地向胡矮子走了過去。

胡矮子冷冷一笑，道：「好矮子，你過來！」

原來千毒谷主身材亦甚矮小，並不比胡矮子高上多少，只是這兩人身材雖然矮小，但武功卻全是走的剛烈一路，此刻兩人俱是箭在弦上，只要出手一擊，便是石破天驚，立判生死之勢。

哪知易天行突地橫身一掠，擋在兩人身前，口中說道：「冷兄暫請息怒！」目光卻望在那紫衣少女身上。

紫衣少女道：「胡矮子，退下來。」

話聲未了，那低垂落地的白綾素幃中，突地捲出一陣陰森森的冷風，白綾捲起，燭影搖紅，爲大廳中帶來了一陣淒清森冷之意。

群豪都爲這突來的冷風，吹得心神一動，齊齊轉臉望去。

只見那飄起的白綾素幃之後，高燃著兩行白色的蠟燭，一直向後面延伸過去，但見那白色

的燭光，由大而小，由低而高，直到十丈以外。

燭火盡頭，有一具黑漆的棺木，在那棺頭兩側，似是寫有兩副對聯，只是距離過遠，那棺頭燭火，又不及這廳中火炬光亮，群豪目力雖好，但也是看它不清。

易天行回顧了那紫衣少女一眼，道：「排場不小。」

紫衣少女道：「一個人死後，當真埋葬這等地方，實使人有著生不如死之感。」

易天行目光環掃了群豪一眼，朗聲笑道：「傳誦武林的古墓之秘，即將揭穿，此時此情，兄弟深望諸位，暫把彼此間個人恩怨拋開，尤不得暗施算計，如有存心故違，那就是我們公敵，人人得而誅之……」

語音未絕，突然響起一聲暴震，一支火炬突然炸裂，火花飛濺中，光亮一閃而熄。緊接一陣嘭嘭之聲，不絕於耳，滿室火炬，連續爆炸，片刻間盡皆碎裂，火花四飛，光亮盡熄，大廳突然間黑暗下來，靈幃後兩行長長的燭火，反顯得明亮起來。

易天行長歎一聲，道：「天外有天，人外有人，這人的才智，實叫我易某人自歎弗如。」

紫衣少女接道：「可惜我爹爹未來此地，這創造古墓之人，或可是他一個敵手。」

易天行道：「昔年衡山大會，令尊獨駁中原武學，豪壯之言，猶在耳際，在下倒是真的希望他能及時趕來，湊湊這場熱鬧。」

王冠中冷冷說道：「家師何等才智，他如肯涉足江湖，不但這古墓之秘難以瞞得過他，在場諸位，只怕也難有今日這等聲勢了。」

來。

徐元平聽得大爲氣憤，劍眉一揚，正待反脣相譏，忽覺香風襲人，那紫衣少女放步直走過來。

他的目光一觸及到那紫衣少女的身上，立時生出了一種惶惑和不安的感覺，欲待出口之言，也同時噤了下去。

但覺香風掠面而過，紫衣少女直對丁玲走去。她一行動，王冠中和梅娘齊跟了過來。

## 三七 玉蟬金蝶

鬼王丁高一橫身子，攔在丁玲前面，冷冷喝道：「幹什麼？」

易天行呵呵一笑，道：「丁兄不要誤會，在下相信蕭姑娘，不會傷害令嬡。」

只聽那紫衣少女柔甜的聲音，起自耳際，道：「丁姑娘，你受了傷。」

丁玲一側嬌軀，從丁高臂下鑽了出來，說道：「我傷得很重，只怕難再活過幾天了。」

紫衣少女道：「不要緊，我能給你治好，快過來讓我瞧瞧你傷得怎樣？」

丁玲依言走了過去，說道：「你爲什麼戴起這遮面的黑紗呢?可是怕你的美麗，眩暈了他們這些人的雙目嗎？」

這正是群豪關心之事，見過那紫衣少女美麗之人，腦際間一直迴旋著那羞花容色，傾國媚笑，但他們卻無法在腦際描繪出那紫衣少女的清晰輪廓，只覺她無處不美，一見難忘，但對她形貌記憶，卻又如霧裡沙灘雲中月，隱隱約約，模糊不清。

未見過這紫衣少女美麗的人，更是渴望一見。

險惡的境遇中，使群豪這衝動的意識受到強烈地壓制，但經丁玲一提之後，立時又鮮明地泛現心頭。

只見那紫衣少女的蒙面黑紗上，泛起一陣波動，似是她整個嬌軀都在打顫。

不知何時，響起了一縷低微的淒涼歌聲，從打顫的黑紗中婉轉而出。

歌聲漸高，音調也愈加淒涼，迴盪在白綾環垂的大廳中。

像一個深閨的怨婦，對久別歸來的丈夫訴說著相思的痛苦，纏綿的情意，哀傷的音調，像魔掌一般，撥動了人的心弦，聽得人豪氣頓消，心神黯然，一顆顆晶瑩的淚珠，奪眶而出。

只聽那歌聲由高轉低，漸不可聞，廳中群豪迷醉的心神，也逐漸地清醒過來。

但聞徐元平大喝一聲，吐出一口鮮血，身子搖了幾搖，重又站穩。

易天行重重咳了一聲，歎道：「此曲只應天上有，人間哪得幾回聞，在下如早聆此曲，武林間當可免去這一場浩劫。」緩步地對徐元平走了過去。

神丐宗濤突然向前衝行兩步，道：「易天行，你可要先破壞你許下的諾言……」

易天行肅然說道：「如說在下的心中所畏，確然該借此機會，把他除去…」

他敞聲大笑一陣，接道：「但兄弟還不致這等魯莽……」

宗濤忽然歎息，道：「大惡、大賢都非常人，老叫化多慮了。」

易天行伸手抓住了徐元平的右腕，只覺他脈搏跳躍的速度驚人，顯然他心中也正有著劇烈地激盪，當下暗運內力，扣緊了徐元平的脈穴，一掌拍在徐元平「天柱穴」上，口中大聲喝道：「父母大仇未雪，死將抱憾終身。」

徐元平打了一個冷顫，緩緩地睜開雙目，接道：「多承指教。」

掙脫被握右腕，向後退了兩步，閉目調息。

易天行回顧那飄起的靈幛，重又垂了下去，燭火的光亮隔著那素幛透射出來。

只聽一聲怪叫道：「可是這個女娃兒麼？」

群豪齊齊轉臉望去，只見那說話之人，身軀瘦長，鬚髮蓬亂，雙眉長垂眼瞼，左手中牽著一頭閉著雙目的金毛猩猩，雙目中神光閃爍，盯注在上官婉倩的臉上，正是「喪廬」中那位毒老人。

上官嵩目睹那長眉老人對女兒的惡形惡狀，心中大爲氣憤，低聲說道：「倩兒，不用害怕，我去教訓這老頭兒一頓！」

上官婉倩急急說道：「爹爹不可出手，這位老前輩對我有恩……」目光轉注那長眉老人的身上，接道：「你可是問那開藥方的人嗎？」

長眉老人道：「不錯，可是這紫衣女娃兒嗎？」

上官婉倩道：「不錯啦，就是她！」

長眉老人仰臉大笑道：「好啊！終於見著了她！」大步直對紫衣少女走了過去。

梅娘一揮手中竹杖，冷冷喝道：「站住！可要討死？」

紫衣少女道：「梅娘，放他過來。」

梅娘收了竹杖，退到那紫衣少女身側，但目光卻仍一直不離那長眉老人的雙手、雙足，只要他手腳一動，立時將以迅雷不及掩耳之勢，反擊過去。

只聽紫衣少女長長地歎息一聲，道：「你找我有什麼事？」

長眉老人道：「老夫生平，以精通醫理自負，卻不料世上竟然有更勝老夫之人。」

紫衣少女道：「你只是告訴我這件事嗎？」

長眉老人道：「老夫近日之中，曾經目睹過一個藥單，單上開出的藥物，使老夫佩服得五體投地，自歎弗如。」

紫衣少女道：「藥單現在何處，拿給我瞧瞧吧！」

長眉老人轉頭顧了徐元平一眼，道：「藥單已被他毀去，老夫只想見那開藥單之人。」

紫衣少女歎道：「你一把年紀了，還有這等強烈的爭勝之心？」

長眉老人突然提高聲音說道：「那藥單可是你開的嗎？」

紫衣少女道：「是又怎樣？」

長眉老人道：「老夫不信！我窮聚一生精力研究醫道，就開不出那樣的藥單……」

紫衣少女道：「如若是我開出的藥單，你要怎樣？」

長眉老人道：「如那藥單是你開出，想你必然記得那單開的藥物了。」

紫衣少女道：「你可記得那單上藥物？」

長眉老人道：「雖然記憶不全，但可記十之六、七。」

紫衣少女道：「雄黃、砒霜、紅花、龍涎香……」一口氣背了下去，連數出一十三種藥物。

長眉老人點頭歎道：「一點不錯，那藥單果然是你開的了……」微微一頓，又道：「你今年已經幾歲了？」

紫衣少女道：「你問事倒是滿多嘛！我十九歲了。」

長眉老人臉色突然大變，仰臉說道：「老夫年登古稀，還不如你這個十九歲的娃兒，還有何顏活在人世！」一頭直向地上碰去。

這時，群豪剛由那醉人的歌聲中清醒不久，有些神志尚未全復，有些仍迷戀在那紫衣少女的歌聲中，耳際還響著那纏綿、淒涼的餘音。

沒有人能想到這長眉老人的生性，竟然會暴烈至此，因一張藥方，竟動了無顏偷生之心。

只聽一聲砰然大震，鮮血飛濺，腦骨碎裂，可憐毒老人已經屍橫庭堂。

四圍高手雲集，竟然搶救不及。

紫衣少女長歎一口氣，道：「唉！可憐的老人……」

易天行俯下身去，抱起了那老人的屍體，自言自語地說道：「老前輩死得早一些了，還有很多熱鬧的事，可惜你沒法子看到了。」一面說話，一面舉步向那靈幃走去。

相距那靈幃還有兩、三步遠，突然張口吹出一股強風，飄起素幃。

易天行大邁一步，跨過供台，回頭對群豪說道：「兄弟走在前面，替諸位開路。」

神丐宗濤高聲說道：「善、惡在於一念之間，易兄請等等老叫化……」飛身一躍，落在易天行身側說道：「咱們一道走吧！」

易天行道：「三十年武林生涯，兄弟第一次得宗兄這般垂愛。」

宗濤肅然說道：「老叫化生平之中，殺人不能算少，但卻無一件耿耿於懷，老叫化生平最大一件難忘之事……」

易天行道：「可是與令師妹有關嗎？」

宗濤道：「易兄之言，雖不中亦不遠。老叫化難以忘懷的事，就是未取得掌門金牌……」

易天行騰出一手，探入懷中，說道：「兄弟可以使金牌歸於宗兄。從今之後，再不必受令師妹的牽制了。」摸出一片金牌，送到宗濤面前。

宗濤凝目望去，果是恩師失落的金牌，一點不假，不禁愣在當地。

易天行微微一笑，道：「如若兄弟還能生離古墓，自當帶宗兄去見令師妹一面。」

宗濤黯然一歎，道：「往事如煙，只要收回金牌，我已不願再見她了！」

易天行呵呵一笑，道：「兄弟誠然未爲善事，但我手下之人，大都惡跡昭著。令師妹已被我囚禁在一處幽密的山洞之中，如若兄弟不能出這古墓，她勢必終老那幽密的山洞不可，那也是她的報應。」說話之間，大步向前走去。

宗濤緊隨在易天行的身後，運氣戒備。

群豪略一猶豫，齊齊舉步而行，魚貫相隨。

只有南海門一幫人站著未動，徐元平仍然在運氣調息。

金老二緊緊地貼在徐元平的身旁，滿面俱是關切之色，他本想探問徐元平的傷勢，但又不敢打擾徐元平運功調息。

紫衣少女緩步走到徐元平身前，又回頭走了過去，突又轉過身來，呆呆地望著徐元平，她心裡似乎也頗爲激動，閃動的眼光，似是從垂臉黑紗中迸射出來，更似含蘊著許多言語。

梅娘輕歎道：「孩子，你心裡有什麼話，只管說出來便是，怕什麼？」

紫衣少女點了點頭，只見徐元平睜大了眼睛，望著自己，忍不住歎道：「你心裡為什麼還要想著我？你若當我死了，該有多好。」

徐元平緊閉嘴唇，一言不發，但神色卻更激動。

紫衣少女淒然一笑，道：「有時我真希望自己笨些，人若笨些，心裡的憂煩苦悶就會少得多了。」

徐元平道：「你若當我死了，心裡的苦悶也許會少些。」他似乎費了許多氣力，才將這句話說出。

紫衣少女歎道：「有時我真願當你早已死在我親手築成的墓裡，可是……可是造化弄人，卻偏叫我時常見到你。」

她說這句話時，也似乎下了很大的決心。要知他兩人心中雖然都蘊藏著濃濃的情意，但彼此之間卻誰也沒有說出口來，直到今日，大家都知道來日無多，會短離長，才忍不住地訴出了自己的心事。

梅娘手掌一揮，將那一幫南海門人都遠遠引了開去，突又回首道：「喂，你還站在那裡做什麼？」

金老二望了望徐元平，又望了望紫衣少女，心裡也不知是悲是喜，終也走了開去。

紫衣少女、徐元平面面相對，卻是誰也說不出話來。

梅娘仰面望天，突地大聲道：「你們知道嗎？古來有一句話，是：一刻千金，這句話用來形容此刻的情景，雖然有些不妥，但卻也恰當已極！」

紫衣少女輕輕一歎，道：「梅娘在催我們說話了。」
徐元平道：「你爲什麼不說呢？」
紫衣少女道：「說什麼……」
徐元平道：「說什麼……」
紫衣少女道：「我那日見到易天行，他說你已真的死了。」
徐元平歎道：「有些人雖死如生，卻也有些人雖生如死……」
紫衣少女道：「你年紀輕輕，崛起江湖，如今武林中人聽到徐元平三字，誰不暗中稱讚，俠名既傳，便是千萬年後，也會有人時常提起，你已該是雖死如生，怎能說雖生如死？」
徐元平默然半晌，緩緩道：「你……你難道還不知道我？」
紫衣少女道：「我……怎麼會不知道你。」
兩人俱都垂下頭來，誰也不再多說一字，但兩人心意相通，情意互流，都覺得自己一生之中，再無比此刻更歡愉的時光。
突聽梅娘輕叱一聲，道：「去而復返，所爲何來！」
徐元平、紫衣少女微微一怔，齊齊轉過頭去，只見低垂著的白綾間，木然卓立一個青衣少女，卻正是上官婉倩。
上官婉倩雖然一心想作出鎮定之態，但她的眼波卻已將她心中的幽怨悄悄地告訴了別人，世上有許多人都能將情感隱藏，但芸芸眾生中，又有誰能完全隱藏自己目光中流露出的心事！
紫衣少女輕咳一聲，轉過頭去，梅娘大聲道：「好個不知趣的女孩子！」

上官婉倩目光凝注，卻生像是根本沒有聽見，她眼波逐漸朦朧，彷彿平添了一層薄霧。

徐元平吶吶道：「上官姑娘……」語聲未了，突聽一聲大喝，自幕帷中傳了出來。

這喝聲響亮異常，顯然那進入靈幛後的群豪，已經遇上了重大的事故。

但站在靈幛後面的上官婉倩，卻仍然靜靜地站著未動，似是這世間任何事，都已和她沒有了關係。

上官婉倩的身軀，剛好擋住幾人的視線，但見燭火通明的靈幛後，人影閃動，卻是無法看清楚發生了什麼事情。

紫衣少女突然長長歎一口氣，幽幽說道：「她待你一定很好，這些時日中，你們相處得可快樂嗎？」

徐元平道：「她是個很好的姑娘……」

紫衣少女說道：「那你爲什麼不叫她過來，她服了我們南海門獨門慢性的毒藥，最多也活不過一個月了……」

徐元平訝然說道：「什麼……」

紫衣少女道：「她已經活不過一個月了，所以她對這生命中僅有的一段時間，珍惜無比……」

徐元平道：「原來如此。」

只聽長笑和厲喝之聲，由那靈幛後面傳了出來，靈幛後通明的燭光，突然熄去。

白綾幔遮蔽的大庭中，完全的黑了下來，除了壁綾的素白之外，所有的人和物，都成了幢

幢的黑影。

徐元平突然感覺到一陣淡淡的香味，撲鼻襲來，那紫衣少女竟然緩緩地走近了他的身側。

一個低微的僅可對面相聞的聲音，起自耳際，道：「這些時日之中，我一直在欺騙著自己，我已經親手把你埋在那山麓間，我替你燒了很多紙錢，替你建築了一個很好的墳墓，讓你在九泉之下，生活得很快樂……」

徐元平淡淡一笑，接道：「可惜那被你親手埋葬的人不是我，但那人很有福氣……」

紫衣少女接道：「我必須要全心全意的去相信我親手埋葬的人是你，雖然我早已知道了你仍然好好的活在世上，但我必須自己欺騙自己……」

徐元平奇道：「爲什麼？」

紫衣少女道：「因爲從來沒有人像你對待我那樣冷酷。」

徐元平默然不言，心中卻暗暗地忖道：我幾時對你冷酷了？

這本是他心中之言，但那紫衣少女卻似聽到一般，立時接口說道：「我說錯了，我說世上所有的人，沒有不對我百般遷就的，但你卻不肯遷就我……」

徐元平笑道：「爲什麼我要遷就你？」

紫衣少女突然伸過一隻手來，低聲說道：「我不要你遷就我了，女孩子是應該柔順些，唉！我過去太任性了。」

徐元平一和她手指相觸，立時感覺到心神震動，趕忙向後縮去。

紫衣少女緩緩地低聲說道：「不論一個人有著何等的大智慧，也難和天道對抗，一日長

掛，看多少人事滄桑，誰能使日月倒流，時光重回！咱們相逢雖然未晚，但一室間決難容得下兩個任性自負的人，過去已然過去，就像永不回頭的時光一樣……」

徐元平肅然說道：「姑娘說得不錯，在下身負血海深仇，強敵尚在眼前，這一番搏鬥結果，誰也沒法預料，未來茫茫，想它徒招苦惱，姑娘珍重，在下要去了。」放開大步，向前走去。

忽然那紫衣少女低聲叫道：「站住！」

徐元平愕然止步，回頭說道：「姑娘還有什麼吩咐！」

紫衣少女道：「造化弄人，天下盡多繫鈴解鈴之事，這裡有二粒解藥，你帶給那位上官姑娘吧，我下毒害她，爲了忌恨她，想要她受盡死前那一段的痛苦，奉上解藥，想讓她再多受幾年活罪。」

徐元平接過丹藥，道：「姑娘語中多含玄機，叫人費解得很。」

紫衣少女道：「你最好別太明白，快些去吧。」

徐元平轉過身子，大步而行。

上官婉倩仍然站在那靈幃的後面，若有所思地呆呆不動。

徐元平舉步跨過供台，幾乎和她撞個滿懷。

上官婉倩迎住徐元平說道：「那毒老人救了你，但他卻先你而死。」

徐元平道：「我要向易天行討回他的屍體，如若能夠出這古墓，我要修築『喪廬』，以存

放他的屍體。」

上官婉倩道：「他本是隱跡於山林間的奇士，爲了你牽入江湖的恩怨之中，落得個慘死下場。」

徐元平黯然接道：「你爲我服下奇毒，施恩重過那毒老前輩。」

上官婉倩道：「我心存私情，想和你常聚一起，但那毒老人卻是一無所求，怎配和他相提並論。」

徐元平一時之間，想不出她言中之意，緩緩地伸出手去，把解藥遞了過去，說道：「蕭姑娘讓我送給你的解毒藥物。」

上官婉倩道：「她可是想要我多受幾年活罪嗎？」

徐元平道：「她也是這般的告訴在下，只是我一時間想它不透。」

上官婉倩長長地歎息一聲道：「不用去想它了，你該澄清雜念，一心一意爲父母報仇，易天行不是平常之人，這一戰，實難預料到誰生誰死……」

接過解藥，又道：「快些去吧，不要想到南海門那鬼丫頭，那會使你貪戀到人世間的美好，對敵間會減幾分剽悍銳氣。」

徐元平沉思片刻，凜然說道：「多承指教。」一側身子，大步向前走去。

原來他仔細思量了上官婉倩之言，果然覺著不錯，自和那紫衣少女相見之後，腦際之間，一直浮動著紫衣少女的音容美貌，那強烈的復仇之心，已逐漸被那美麗的音容美貌所侵蝕，上

官婉倩幾句話，使他忽然警覺。

通道中一片漆黑，聽不到一點聲息，似是進入這靈幃後的人，都被一種神秘的力量所吞噬。

徐元平停下腳步，暗中運氣調息。這出奇的幽寂，使人預感到驚人的風暴即將來臨。在這等充滿著神秘恐怖的環境之中，人類的觸覺和預感，特別的靈敏。

這些時日之中，徐元平不但武功精進，而且已體悟到《達摩易筋經》中上乘的吐納心法，長長地吸兩口氣，立時心靈空明，一塵不染，耳際間響起了此起彼落的呼吸之聲，似是所有的人都在運氣調息。

徐元平又舉步向前行去，這時，他的腳步飄逸異常，舉重若輕，聲息全無，眼力也隨著增進了甚多，只見群豪大都凝神而立，運氣調息，似是在等待著什麼。

他穿越群豪而過，眨眼間到了易天行的身側。

易天行左臂輕輕一伸，攔住了徐元平，低聲說道：「徐世兄不可躁進。」

徐元平道：「爲什麼？」神色一片不服之氣。

易天行微微一笑，道：「這墓中主人，已經傳出了話，要咱們等待片刻。」

徐元平冷哼一聲，道：「你一向自視甚高，怎的此刻這般聽人的話？」

易天行道：「在下對這古墓主人，心中極爲敬服，深信他不會謊言相欺……」

說話之間，忽聽一個細微但卻甚是清晰的聲音傳了過來，道：「在一盞熱茶工夫之內，生死門即將大開，美女迎賓，佳釀待客……」微微一頓之後，又道：「諸位來得這般迅快，倒出

了老夫的意外，可見中原武林道上，果然不乏能人。老夫因一時錯估了諸位之能，以致準備不及，慢怠嘉賓，尚請原諒。」

徐元平一皺眉頭，道：「這是什麼人？」

易天行道：「聽他的口氣，自然是這古墓中的主人了。」

徐元平豪氣忽發，朗朗一笑，道：「咱們這樣多人，難道就真聽他的擺佈嗎？」

易天行道：「徐世兄這份豪氣，實叫在下佩服。咱們如能鬥倒這古墓主人，只餘下你我之爭了，風雲際會，百年難逢。你如再把我鬥倒，當可輕而易舉的取得天下盟主之尊……」

突然一聲大震，打斷了易天行未完之言，兩盞垂蘇宮燈，飄飄而出。

一個蒼勁的聲音，傳了出來，道：「老夫已大開生死門，迎接貴賓，入門之前，諸位必得先知老夫的兩大戒法，迎賓美女，個個嬌艷絕倫，但她們卻是寸鐵未帶，決不會暗算諸位，十丈花廊，要全依定力度過，諸位如自信不為美色所迷，儘管大步而入，萬一定力不堅，為那些美女容色所亂，儘管各擇所好，享一番閨房之樂，哈哈……哈哈……」

一陣大笑過後，那聲音重又接著說道：「但諸位決不能隨便出手傷害她們，一人違約，全體處死，老夫也不再和諸位相見了，立時便將開動機關，放出十萬毒蜂，三千條毒蛇，熄去室內燈光，讓諸位身受蜂螫、蛇咬的味道，諸位雖然個個身負絕學，但身處十丈通道，又在伸手不見五指的黑暗中，也實難施展手腳，和蜂、蛇抗拒，此為一戒，幸望諸位守記，免得一己誤眾。」

那蒼勁的聲音一頓重又傳了過來，道：「過了十丈花廊，諸位將又見到生平難遇的奇幻

景色，奇物、珍寶，美不勝收。那些奇物珍寶雖是老夫準備好的禮物，但卻只能整收，不許零取，待老夫和諸位見面之後，諸位中或將有一人是那奇物珍寶的主人。如若有人擅取，諸位即將全體代他受過，老夫便要採取殘酷手段對付諸位了……」

易天行氣聚丹田，高聲說道：「什麼殘酷手段，不知可否先行一告，使我等提高戒心？」

但聞一陣悠長的笑聲，傳了過來，道：「老夫將開動機關，把諸位困在一座堅牢的石室之中，放出迷神毒煙！使諸位神志受那毒煙所傷，自相殘殺而死。」

易天行道：「這方法的確夠毒夠辣，在下也相信你確有那迷神毒煙。兩大戒法，我們完全答應遵守，如有人擅自違犯，不用你出手懲罰，我們自會群起而攻，自行處決。」

那蒼勁的聲音重又傳了過來，道：「很好，咱們就此一言為定。」

聲音突然中斷，那停在壁間的巨大棺木前端，忽然自行開裂。

群豪凝目向裡望去，只見裡面燈火通明，人影閃動。

神丐宗濤一皺眉頭，道：「咱們可要從棺材中走過去嗎？」

易天行微微一笑，道：「兄弟走在前面就是。」一矮身，大步向前走去。

群豪隨在易天行的身後而行。

這巨大的棺材裡面，竟然是一條四、五丈長的通道，走完通道，景物忽然一變。

只見一座紅色的門樓之上，寫著三個斗大的金字：「生死門」。

紅門裡面，是一座廣大的庭堂，燈火輝煌，美女羅列，狀極恭謹。

易天行抱著那長眉老人的屍體，大步而入，高聲說道：「諸位姑娘，請讓去路，別讓血污沾了你們的素手羅衣！」

那些垂首女子，分穿紅、黃、藍、白、黑五色，距離間隔，亦似有著一定尺寸，五色繽紛中隱隱排成了一個「死」字。

突然間，一聲鑼鳴，所有的垂首女子，忽的一齊抬起頭來，嫣然一笑。

群豪目光一轉，果然發覺這些女子，一個個容色絕世，櫻唇輕啓，笑容如花，眉目傳情的媚態橫生，果然是風情撩人。

易天行回顧了群豪一眼，笑道：「諸位如若自知定力不足以走完這十丈花廊，最好是閉上雙目而行，有道是眼不見，心不煩……」說話之間，那排列的美女，突然開始緩緩移動。

群豪早受警告，心中早有了準備，眼看那排列的美女，個個容色絕倫，趕忙運氣調息，盡量保持內心的平靜。

但見那緩緩移動的美女，速度逐漸加快，交叉穿梭，身影亂閃。

易天行自恃功力深厚，不爲美女容色所動，一面流目四顧，一面縱聲大笑，放步向前走去。

群豪齊隨在易天行身後，向前奔去。

但見那疾轉不息的美女，紛紛向兩側讓去，一面脫去身上衣服。

片刻之間，所有美女身上的衣服，盡皆脫去，玉臂粉腿，佈成了撩人綺念的肉陣。

易天行重重地咳了一聲，高聲說道：「你們的主人，已傳出了話，不許在下等傷害你們，

但諸位亦不能攔擋我們的去路……」他縱聲大笑一陣，又道：「各位姑娘盡可裝模作樣，做出嬌媚的神態，也可使我們大飽一次眼福。」

說話之間，那羅列的美女，已排成了一座陣圖，每人保持著一定的間隔距離。

只聽一個嬌柔細細的聲音，說道：「諸位請從我們之間，穿行過去。在你們行進之中，她們將以美目巧笑傳情諸位，嬌軀秀色，任君選擇……」

易天行看去，那些排成陣圖的美女，一個個俏目流轉，神情間，流露出一種異常渴望之色，那神情確有著一種撩動人心的嬌媚，不禁心頭一動，回過頭去，說道：「這些美女，不但美艷，而且還似服了一種藥物，哪位如自知定力不足以克制心中慾念，最好是閉上雙目，依借雙耳，跟隨著前人腳步而行。」

說罷緩緩地向前走去。

神丐宗濤哈哈一笑，道：「老叫化從未享過這等眼福，今日一見，縱死何憾！」

舉步隨在易天行身後而行。

丁玲突然加快腳步，走到徐元平身側，低聲說道：「這些女子，雖然個個美艷，但和那南海紫衣少女相較，何啻大巫小巫，你只要一心想著那紫衣丫頭的容貌，就不會被這些女人誘動心神了。」

徐元平生平之中，從未見過這等場面，心中驚奇交集，不自覺地多望了那些女人一眼……直待聽到丁玲相誡之言，才趕忙收斂心神，舉步向前行去。

初走一段，群豪都尙未覺出什麼，但走了一段之後，漸覺不對，只覺一陣陣女人的幽香撲

鼻沁心，心中逐漸把持不定……

粉光肉色，陣陣幽香，已足以令人意動神馳，心旌搖蕩，何況這些裸女又開始發出一陣陣銷魂蕩魄的笑聲。

刹那間，群豪耳畔俱是一陣陣輕輕的喘息，呢喃的囈語……彷彿是發自喉間，彷彿是出自丹田，又彷彿是發自鼻端。

群豪縱然能閉起眼睛，屏住呼吸，但卻萬萬無法閉起自己的耳朵。

於是本已閉起眼睛、屏住呼吸的人，聽到了一陣陣蕩人心魄的聲音，也忍不住地將眼睛張開。

易天行回首一望，但見許多人面色已變爲赤紅，目中也有了異樣的神色，有的人頭額之上，甚至已沁出了粒粒汗珠，但都咬緊牙關，克制著心裡的慾念。

這其間平日行爲放蕩之人，反而較易把持，只因他們所見已多，經歷也多，而那些一生耿直，不近女色之人，驟然落入這溫柔陷阱，卻反而五內如焚，不能忍受。

突聽一聲大喝，湯萬里一撩長鬚，閃電般地抱起了一個裸女，向後狂奔而行，只聽那女子放蕩的笑聲，隨著湯萬里的步履遠去。

易天行暗歎一聲，喃喃道：「想不到這樣一條漢子，終也逃不過色字一關……」

語聲未了，只聽身側有人接口道：「他雖然沒有逃過此關，但此刻卻已由世上最痛苦之人，變爲世上最快樂的人了。」

易天行雙眉一皺，轉目望去，只見查玉雙拳緊握，全身顫抖，目光有如餓狼般盯在一個裸女身上。

易天行大喝一聲：「咄！」隨手一掌，拍在查玉後背。

查玉身子一震，呆了半晌，俯身道：「多謝前輩。」

他跟在易天行身後，大步向前走去。

裸女之陣，雖不甚長，但其中途徑，卻是彎彎曲曲，群豪步履沉重，走了許久，還未走出，只覺自己生平所經的途徑，再無這般艱苦漫長。

但聽易天行大喝一聲，縱聲高歌起來，歌聲高昂，音節鏘鏘，有如金石擲地，震盪人心。群豪精神俱都一震，不約而同地挺起胸膛，踏著易天行歌聲的節奏向前走去。

宗濤一腳踏出這溫柔魔陣，便當頭向易天行一揖，朗聲道：「老叫化一生未服過人，今日卻要向你一禮，只因老叫化一生閱人雖多，卻未曾見到你這樣的人。」

易天行歌聲不絕，面上卻微微露出了笑容，片刻間群豪俱已走出。

查子清仰天吁了口氣，道：「好險……」

易天行正色道：「色字一關，你我雖然僥倖度過，但財字一關，只怕較色字尤險，常言道：人為財死，各位切莫忘懷了。」

一面說話，一面當先走去。

轉過了一個彎子，眼前突然一亮。

一行長長的垂蘇宮燈，高高地吊在通道頂上，光耀如晝。

通道兩側突出的石板上，擺滿了玉石古玩，金銀珠寶。愈向前走，擺設愈是名貴，大都是罕見的珍貴之物，每一件都足以打動人心。

易天行一面觀賞，一面讚歎，道：「當真是收藏巨富，雖禁宮內苑，恐亦不足相抗。」

楊文堯道：「唉！這些古玩翠玉，明珠珍畫，大都是罕見之物，兄弟耗盡了數十年的心力，到處搜羅，但與此相比，何啻天壤之別，當真是小巫見大巫了……」

楊文堯說至此處，忽然住口不言，大步向前衝去，超越過易天行，搶先進入了一座大庭。

庭中燭光輝煌，可鑒毫髮，三、四丈方圓的大庭中，擺滿了各種罕見的古玩，珠光寶氣，美不勝收。

忽聞一聲驚叫，道：「啊！玉蟬、金蝶！」

沉醉於那燦爛奪目寶光中的群豪，都被這一聲驚叫喚醒，齊齊抬頭看去。

只見一座特製的木架之上，端放著揚名天下的雙寶，玉蟬通體如雪，晶瑩透明，兩隻綠豆般大小的眼睛，卻赤紅如火、栩栩如生。

金蝶較玉蟬大了甚多，連同雙翼，足足有一尺多長，不知用何物打成，雙翼薄如紙片，眉目觸鬚，清晰可見。

這時，已有一人大步行了過去，背手站在那木架之下，雙目凝注在玉蟬之上，臉上的神情變化不定，目光上流現出無比的渴望。

易天行仔細瞧去，那人正是神算楊文堯，想剛才那一聲驚叫，也必是此人所爲。

目光環掃，只見全場中人，除了神丐宗濤之外，大都被那兩件傳誦武林的奇寶所惑，目光中滿是渴求之情。

只聽楊文堯長長地歎息一聲，道：「人爲財死，鳥爲食亡，千古名言，一點不錯。能得此寶死而何憾？」說完，伸手去取那木架上的玉蟬。

只聽查子清大聲喝道：「住手。」

楊文堯回頭打量了查子清一眼，冷冷說道：「幹什麼？」

易天行接口說道：「楊兄個人的生死，雖不足惜，但我等卻不願奉陪……」微微一頓之後，又道：「你可記得那古墓主人之言麼？」

楊文堯道：「這個……」

易天行不容他說下去，接道：「如若楊兄一定要取，只怕在場之人，都容你不得。」

神丐宗濤哈哈一笑，道：「楊文堯，你回過頭來瞧瞧？」

楊文堯依言回過頭來，只見無數道目光，投注到自己身上，每人都已運集了功力，蓄勢待發，看樣子只要自己一動那玉蟬、金蝶，無數的拳掌立時將以排山倒海之勢撞擊過來。

面臨生死的關頭，楊文堯反而鎮靜了下來，目光緩緩地由群豪的臉上掃過，說道：「諸位當真相信這古墓中主人之言嗎？他如存下了殺害咱們之心，就是一個不取，也是難以逃得過他的毒手。」

易天行道：「不論這古墓主人之言，是真是假，楊兄最好別生貪心，懷璧其罪，只要一取這玉蟬、金蝶，在場之人包括兄弟，立時都將生殺人之心。」

他微微一頓之後，又接道：「兄弟承蒙諸位抬愛，擁做暫時領隊之人，現下大體算來，

幸未辱命，此時此地，兄弟這領隊之名，也奉還諸位，告個終結了。」一側身，向石門之內行去。

只聽丁玲高聲叫道：「易天行，快退出來。」

易天行已入門，聽得丁玲呼叫之言，重又退了出來，微微一笑，道：「聰明的姑娘，又想出了什麼花樣？」

丁玲冷冷說道：「大智若愚，大惡若賢，如以你在這墓中的行動看來，當真是叫人難信你是一位身負萬惡的巨凶……」

易天行臉色微微一變，眉宇間突然泛現起一片殺機，沉聲對丁高說道：「丁兄如若再不管教你這個刁蠻的女兒，兄弟可要替你管教她了。」

丁玲格格一陣嬌笑，道：「你可是害怕了嗎？我偏偏要說個明白，我不相信你會在此時此地之中殺了我……」

易天行突然抬手一指，點了過來，道：「不信你就試試？」

耳際間同時響起了兩聲大喝，兩股強厲的掌風，同時湧到，一股擊向了易天行的前胸，一股攔阻他的傷人指力。

群豪定神看去，兩個發出掌力之人，一個是徐元平，一個乃是神丐宗濤，徐元平救人，宗濤擊向易天行的前胸。

徐元平出手雖快，但易天行的動作何等迅快，內力何等強大，右手被徐元平掌力所阻，但指風仍中了丁玲的身軀，只不過偏離要穴，指風減弱了一些，只見丁玲的身軀搖晃了一陣，突

然向後倒了下去。

丁高身子一側，大步衝了過來，道：「玲兒，你傷得很重嗎？」雙手疾扶，托住了丁玲向後倒臥的身子。

丁玲掙扎著由丁高的懷中抬起頭來，說道：「你想混水摸魚，當先進入這幽暗的甬道中，隱身暗處，藉機傷人，以你的功力，暗施算計，自然是十拿九穩了……」

話至此處，突然一陣急咳，痰湧咽喉，雙頰如火，似是有一股悶急之氣，湧塞難出。

丁高黯然說道：「孩子，你當真傷得很重。」輕輕一掌，拍在丁玲後背「命門穴」上。

丁玲猛然咳嗽一聲，吐出一口混有鮮血的濃痰，急急地說道：「你想借這一段幽暗的行程之中，一舉把你心中憚忌之人，完全殺死，然後再放手和那古墓主人一拚，僥倖度過這幽暗甬道之人，不知就裡，只道你易天行當先為他們開道，心中還對你感激甚深，你已樹立了良好的聲譽，大部分人，都將很自然地聽你之命，這辦法很好啊！可惜被我丁玲揭穿了。」

易天行鐵青著臉色，說道：「鬼丫頭當真是聰明得很……」

突然縱聲大笑一陣，接道：「可惜你還有一點沒有想到，眼下情景，已經是進退兩難，向前走生死難測，向後退，死路一條，雖然明知這一段生死路上凶險重重，但已如箭在弦上，不得不發。」

丁玲道：「你不要勉強裝出鎮靜，我已知道你內心中十分惶急。」

易天行緩緩地揚起右手，冷冷說道：「你已是氣若游絲之人，我只要輕輕給你一掌，立時可以把你震斃掌下。」

就在他舉起右手之時，徐元平和宗濤同時挺身而出，擋在丁玲的前面。

易天行目光一轉，笑道：「不用我這一掌，她也活不成了。」翻身一躍，直入石門之內。

丁玲突然一挺身子，站起了嬌軀，回頭對丁高說道：「爹爹，女兒就要走了，咱們父女一場，女兒未能爲爹爹披麻戴孝，反有勞爹爹爲女兒送終……」說話之間，人已跪了下去，接道：「請爹爹受我一拜吧。」

在這等訣別的情景之下，冷酷的鬼王丁高，亦不禁黯然垂淚，伸出雙手，挽住了丁玲玉腕，說道：「孩子你傷在何處？快些告訴爹爹，你爲了揭穿易天行的陰謀受傷，在場之人，都不會坐視你傷重而死，孩子，快告訴我傷在什麼地方？」

丁玲淒涼一笑，道：「爹爹不用多費心啦，我知道自己的傷勢……」回目向徐元平望去，只見徐元平也正瞪著一雙星目，望著自己，滿是焦慮惶急之情。

只聽那石門之內傳出來兩聲大喝，一股強厲的暗勁湧了出來。

神丐宗濤冷哼一聲，隨手拍出一掌，內力山湧，硬把那一股湧出石門的暗勁，給硬生生地擋了回去。

丁玲目光移轉，掃視了群豪一眼，扶著丁高的手腕站了起來，痛苦的臉色上，泛現出一抹微笑，舉手對徐元平招了一招，說道：「我已經快要死了，不知你肯不肯聽我兩句遺言？」

徐元平道：「姑娘有話，儘管請說，在下力所能及，無不全力以赴。」

丁玲點了點頭，上氣不接下氣地說道：「你要好好照顧我的鳳妹妹……她是個胸無城府，天真純潔的孩子……」忽然一陣急咳，打斷了未完之言。

徐元平道：「姑娘但請放心，丁鳳姑娘已爲在下認做義妹，今生一世，我都把她當自己親生妹妹一般看待。」

丁玲異常艱苦地說道：「你一向重諾守信，言出如山，得你一句承諾之言，我死也瞑目……」忽然氣血上湧，塞阻咽喉，一口氣接續不上，仰身倒栽下去。

丁高伸臂抱住了丁玲嬌軀，急聲說道：「玲兒，玲兒……」

但見丁玲雙目緊閉，面色白中泛青，人已氣絕逝去。

宗濤黯然一歎道：「鬼谷神女，舌巧心靈，身負詭詐之名，生具兒女心腸，奸詐的仁慈，陰險的善良！可惜天不假年，死得太可惜了。老叫化生平最是敬服此等之人，姑娘你慢行一步，受我老叫化一禮。」

這位揚名武林的風塵豪俠，說完話後，竟然當真地抱拳對丁玲屍體深施一禮。

徐元平想到了丁玲諸多相助之情，不禁泫然淚下，抱拳一個長揖，道：「姑娘對在下施恩良多，恨無一報，竟成永訣，請受我一禮，聊表懷慕。」

群豪想到了丁玲冒死揭露易天行陰謀的豪壯之氣，都不禁疚生內心。這陰謀又是關連群豪的生死，一念動心，個個肅然作禮。

鬼王丁高突然縱聲大笑，道：「玲兒，你死後能得這些武林高人這般崇敬，強過爹爹千倍！榮寵集於一身，埋骨何憾！」

金老二突然長長歎一口氣，道：「可惜那毒老人已然死去，如若還活在人世之上，憑他精博醫道，定可使丁姑娘起死回生。」

只聽一個嬌脆的聲音，傳了過來，道：「那倒未必。難道當今之世，就沒有強過他的人嗎？」

群豪回頭望去，只見那面垂黑紗的紫衣少女，在南海門高手擁護之下，姍姍而來。

徐元平、金老二、宗濤心中俱都大喜，不約而同地暗暗忖道：是了，怎地忘了她了？

只因他三人俱都深知紫衣少女之能，彷彿紫衣少女一來，便可挽救丁玲的性命。丁高悲痛愛女之死，別的聲音，他根本沒有聽到。

徐元平一步趕上去，大喜道，「你來得真好，你若不來，我真的要……」

紫衣少女突地頓下腳步，截口道：「我來了你很高興，是嗎？」

徐元平道：「自然。」

紫衣少女緩緩道：「你是因爲見到我來而高興，還是只因爲我來了可以救活丁姑娘而高興呢？」

徐元平呆了一呆，不知該如何回答，只聽紫衣少女輕輕哼了一聲，緩步走了過去，徐元平沉聲一歎，卻見梅娘已站在他身側，輕輕道：「這孩子天資之聰明，遇事之果斷，當今武林，無人能及。但是……唉，她終於還是個女孩子！」

徐元平又自一呆，口中雖未說話，心中卻不禁暗忖：我自然知道她是個女孩子，難道……

哪知他心念尚未轉完，梅娘又已接口道：「無論是多聰明的女孩子，只要她是女子，就免不了有妒忌之心，尤其是對自己最喜歡的人，這是千古以來所有女子的通病，你知道嗎？」

話才說完，她已擦身而過。

徐元平木立當地，反覆地咀嚼著這幾句話，心裡也不知是何滋味。

紫衣少女姍姍地走到丁玲身旁，眼波四掃，見眾人面上的悲哀沉重之色，心裡頓覺萬念縈迴，暗忖道：我若死了，不知有沒有人會這樣對我？又忖道：她這樣一個女孩子，爲什麼會得到這些人的關心？只因爲她肯犧牲自己，去救別人，而我呢……

眾人目光，俱都瞬也不瞬地望在她身上。只見她緩緩地俯下身去，探了探丁玲的胸口，又把了把丁玲的脈息，再一翻丁玲的眼瞼，然後仰面凝思，閉口不語。

金老二、宗濤，俱是心性急烈之人，丁高更是關心愛女，三人忍不住地脫口問道：「她可還有救？」

紫衣少女垂下頭，輕輕地歎息了一聲，緩緩道：「她已經氣絕，八脈俱斷，縱是大羅金仙下凡，也救不了她。」

眾人身子一震，茫然立在當地。是因他們最後的一絲希望，也告斷絕。

紫衣少女接著又道：「但是，我雖然無力再挽救她的性命，卻能夠保全她的屍身，我可以使她的屍身永不腐壞，讓你們能……」

話聲未了，那邊突地傳來一聲大喝！

眾人一齊轉首望去，只見徐元平急步而來，滿面俱是激動之色，停下腳步後，身子仍在不住地發抖，金老二失色道：「平兒，你怎地了？」

徐元平目光有如利刃般望在紫衣少女身上，大聲道：「你……你……你爲什麼不肯救她，你心腸爲什麼這麼狠毒……」

紫衣少女嬌軀木立。

宗濤道：「兄弟，你怎能這麼說話，丁姑娘氣脈已絕，回天乏術，這怎能怨天，怎能尤人呢？」

徐元平大喝一聲：「不是的！」一手指向紫衣少女接道：「只因她心懷妒忌，妒忌丁姑娘，是以才不肯出手相救於她。」

紫衣少女纖纖的指尖，也起了陣陣顫抖，道：「你……你以爲我是……是這樣的人嗎？」

徐元平道：「是不是這樣的人，只有你自己心裡知道，只要你夜深夢迴時，能問心無愧，別的人自然無法奈何你。」

眾人面面相覷，心裡都不禁有些懷疑。那懷疑的心念，便都從目光中流露出來。

梅娘厲聲道：「徐元平，你怎能隨意污瀆我的孩子。」但是她很明白紫衣少女驕傲而好強的生性，自己心裡，也不能全無疑念，是以說話的聲音，也變得有氣無力。

鬼王丁高突地長身而起，道：「姑娘，只要你能救活我的孩子，無論要我做什麼，我……我鬼王丁高寧可永遠聽命於你……」

紫衣少女嬌俏的身子，不住地顫抖，她面上的輕紗，也有如水紋般起伏著，說道：「你們都以爲我能救得她嗎？」

眾人一言不發，實無異已默認了她的話。

紫衣少女目光一掃，突地仰天狂笑道：「我爲什麼一定能救活她？爲什麼人人都不能做到的事，你們卻要我做到，我若不能做到，你們便要說我心存妒忌，心腸狠毒。」

眾人俱都一愕，只見紫衣少女狂笑不絕，身子卻緩緩地向地上倒了下去。

梅娘驚喚一聲，惶急地一步竄了過去，一把將她抱在懷裡，道：「哎你……孩子你……」她心情太過激動，是以語不成句。

紫衣少女眼瞼半張半合，道：「梅娘……我沒有……錯！」

梅娘緊緊地抱住紫衣少女，眼中已有淚光閃動，道：「孩子，你沒有錯，總是我錯怪了你。」

紫衣少女淒然一笑，不再說話，良久良久仍無聲息，梅娘道：「孩子……你救了別人，如今……如今有誰來救你……」放聲大哭起來。

金老二大驚道：「莫非……莫非她……」

梅娘悲泣道：「你們都害了她，她含冤不白，如今已咬碎口裡的淬毒珠，已是無救的了！」

徐元平大邁一步，衝到梅娘身邊，惶然地問道：「她當真是死了嗎？」

但見梅娘滿頭蕭蕭的白髮，不住地顫抖，顯然她的內心正有著無比的痛苦、激動，淚湧如泉。

忽聽一聲暴喝道：「你這兇手……」呼的一陣杖風，猛向徐元平當頭劈下。

徐元平目光一轉，已然看清是那紅衣獨腿大漢，掄動鐵拐擊來。

他黯然一笑，道：「好吧！我爲她償命就是。」一閉雙目，凝立不動。

就在這生死殊途的一剎那間，忽然橫裡伸過來一支竹杖，封架開那紅衣獨腿大漢的鐵拐，

說道：「不要傷了他！」

那紅衣獨腿大漢，滿臉激忿，雙目盡赤，但回顧了那出杖人一眼後，卻是不敢發作，氣得臉色鐵青，問道：「梅娘……你這是……是什麼意思？」他氣急之下，連口齒也有些結巴起來。

梅娘緩緩地抱起了紫衣少女，道：「姹姹已經死了，你殺了他，姹姹也是難以復生……」

紅衣獨腿大漢望望梅娘懷中的屍體，突覺一股怨恨之氣，直衝上來，怒聲接道：「殺了他亦可略慰師妹在天之靈，你這老氣……」

突聽王冠中大聲喝道：「住口，你發了瘋麼！」

那紅衣獨腿大漢，黯然一歎，滾出來兩行淚水，道：「難道我們對師妹之死，就這樣不聞不問麼？」

王冠中神態亦甚激動，但他涵養較深，強行按制著心頭怒火，說道：「我想梅娘老前輩定有安排，你這般出言無狀……」

梅娘長長地歎息一聲，接道：「不能怪他，姹姹之死，連老身也有萬念俱灰的感覺，恨不得殺盡眼前之人，何況他了。」

王冠中淒然一笑，道：「劉師弟雖然衝動一些，但他說得不錯，師妹是受人污蔑，受不住譏諷，憤而自絕，這筆帳咱們豈能不討？」

梅娘道：「她死得固然含冤莫白，但促成她死亡之因，並非自今日始，這個仇不能自今日算起。」

那紅衣獨腿大漢，縱聲大笑，道：「不錯，凡是牽入師妹之死的原因中人，一個不饒……」

神丐宗濤突然冷笑一聲，接口說道：「別說南海門還未必有能，一舉盡敗中原武林高手，縱然是有此本領，也不能使她復生，哈哈，哈哈，南海門中人物，原來一個個都是酒囊飯袋。」

王冠中冷冷說道：「在下聞得神丐之名已久，你可敢和在下決一死戰。」

梅娘道：「不要慌……」雙目突然暴射出威凌的神光，環掃了四周群豪一眼，接道：「這個仗總是要打，不是我們南海門中人橫屍古墓，就是你們中原武林人物斷魂今朝……」

徐元平突然睜開雙目，望了紫衣少女和丁玲的屍體一眼，長長地歎息一聲，黯然說道：「兩位姑娘之死，論罪魁禍首，易天行首該償命……」

梅娘道：「不錯，第一人是他，第二個該是你了。」

徐元平淡淡一笑，道：「大丈夫愧疚而生，何如慷慨一死，如若你們覺著我應該爲死去的蕭姑娘償命，在下決不推辭，但如你們殺我之後，再殺易天行，何如先讓我們兩個拚個死活出來，你們袖手旁觀，坐收漁利。」

梅娘道：「你和他有仇恨麼？」

徐元平道：「殺父凌母，不共戴天。」

梅娘突然轉過臉去，望著宗濤說道：「你說我們南海門下，一個個都是酒囊飯袋，不知指何而言？」

神丐宗濤冷然笑道：「你既知她口中早含著淬毒珠，爲什麼不早些設法取去，直待她碎珠死去，卻大放馬後炮，振振有詞。」

徐元平滿臉通紅，身軀顫動，顯然他心中也有著無比激動，一字一句地說道：「宗老前輩說得不錯，你既然知道她口中早含有淬毒珠，爲什麼不設法取它出來。」

但聽那石門之內厲喝之聲不絕於耳，且隱隱可聞掌風傳來，似是那石門之內，正展開激烈地搏鬥。

梅娘輕輕歎息一聲，道：「這就要怪上天賜給她太多的美麗了，她爲了保她的清白之身，因此常口含淬毒珠，想不到她竟然忍不下一時譏諷，碎珠服毒。」

片刻之間，死去了兩個絕代紅顏，徐元平觸景傷情，總覺這兩人之死，都和自己有著極大的關係，內心惶惶不安、感慨叢生。

梅娘似是突然想起了什麼重要之事，回過臉去，對王冠中低語數言。

但見王冠中不住地點頭，回身向外走了兩步，陡然回過身來，搖頭說道：「去路遙遠、險阻重隔，我縱能生離此地，也難重返墓中，要走咱們得一起行動。」

梅娘沉吟一陣，緩緩地放下那紫衣少女的屍體，道：「你們好好護守她的屍體，老身去去就來。」轉過身子，急急奔去。

她行色慌匆，似陡然間想起了什麼重要之事。

丁高緩緩地抱起女兒屍體，道：「孩子，這古墓之中，充滿著死亡，爹爹能否全身而退，甚難預料，你生前我沒有好好的愛護過你，如今咱們父女能夠同死一處，我定當好好的照顧於

你。」

徐元平突然對紫衣少女的屍體抱拳一個長揖，說道：「姑娘慢走一點，待在下報了父母之仇，再來給姑娘償命。」忽然轉身一躍，竄入那石門之中。

那紅衣獨腿大漢想出手攔阻之時，已是遲了一步。

宗濤哈哈一笑，道：「百里行程半九十，咱們既然越度了重重機關，豈能被這段生死路給嚇阻不成。」

緊隨徐元平身後，闖入了石門之中，走了兩步，突然又回轉過來，說道：「這一十三丈行程之中，除了那古墓主人，派遣有高手埋伏之外，還有易天行從中暗施算計，老叫化深望諸位能夠暫時拋棄個人之間的恩怨，相互支援，共度此險。」

楊文堯接道：「宗兄言之有理，兄弟全力擁護。」

丁高、查子清齊齊點頭，道：「易天行狡猾無比，如若以一對一，不論鬥智鬥力，咱們眼下之人，只怕沒有一人是他的敵手，此人既是偽善行惡，專以暗算傷人，咱們自是大可不必和他講什麼武林規矩，合力把他除去，也就是了。」

宗濤欲言又止，長歎一聲，轉身向前行去。

楊文堯目光一掃群豪，低聲說道：「冷兄……」

千毒谷主自從和群豪會合之後，一直微閉雙目，不肯多言，直待聽到楊文堯呼叫之聲，才陡然睜開眼睛說道：「什麼事？」雙目神光暴射而出，逼視在楊文堯的臉上。

原來他一直在運氣調息，他內功基礎深厚，這段時間雖然不長，但已完全調息復元，精神大爲充沛。

楊文堯微微一怔，道：「兄弟想和冷兄並肩開道，查兄隨後而行，以他百步神拳，相助咱們，合咱們三人之力，縱然遇上易天行，亦無所懼。」

千毒谷主正待答話，忽見梅娘急急奔返，在她身後，相隨著一個長髮亂垂的少女，千毒谷主目光一掠那少女，急急說道：「倩兒，快些過來。」

只聽上官嵩大聲叫道：「倩兒，到這邊來！」

忽見上官婉倩滿臉凝呆之色，目光緩緩地由上官嵩和冷公霄的臉上掃過，恍如不識一般，緩步地向那石門之中走去。

上官嵩似是看出女兒神情不對，大聲叫道：「倩兒，倩兒，你怎麼連爲父也不認識了。」

但見上官嵩心頭大急，急急地放步衝了過去。

但那冷公霄比他動作還快，而且距離又近，身子一側，緊隨上官婉倩身後而入。

楊文堯、上官嵩、丁高、金老二等，魚貫相隨，衝入了石門之中。

石門外，僅餘下了南海門中之人。

梅娘探手從懷中取出栩栩如生的玉蟬，說道：「中原武林道上，盛傳此物能解百毒，不知能否解得姹兒淬毒珠上的毒性？」

王冠中道：「師妹已把藥毒吞入腹中，難道咱們也要把這玉蟬捏碎讓她服下不成。」

梅娘怔了怔，道：「這個我事先倒未想到。」

王冠中長歎一聲，道：「梅娘前輩可是因爲上官姑娘看到你老人家動手去取玉蟬，是以才下毒手點了她的奇經八脈？」

梅娘道：「不錯！」

王冠中道：「梅娘前輩，你……咳咳……」突地俯下頭去，不住咳嗽。

梅娘歎道：「你不要咳了，因爲我早已知道你想說的話了，你是要說我手段太過狠心，是嗎？」

王冠中突然抬起頭來，沉聲道：「梅娘，那玉蟬是萬萬不可給師妹服下的！」

梅娘道：「爲什麼？」

王冠中道：「這孤獨之墓中，處處充滿了出人意料，詭奇難測之事，有時不禁令人生疑，這整個的古墓，以及所有關於古墓的傳說，只不過是個騙局，那麼，有關那金蟬與玉蝶的傳說，也……」

梅娘截口道：「也可能是假的，是嗎？」

王冠中道：「正是！」

梅娘長歎道：「我也是生出這種懷疑，是以才遲遲未敢將玉蟬讓她服下，但她毒勢如此，除了冒險一試之外，還有什麼辦法？」

王冠中肅然道：「寧可暫保現況，以俟良機，莫要輕舉妄動，弄巧成拙！」他這幾句話說得甚是嚴肅，雖非是一個後學對前輩說話的語氣，但卻充分顯露出他對師妹生死的重視與關心。

梅娘思忖半晌，輕輕歎道：「依你……」她實在也不敢作主，決定這等大事。

王冠中躬身一禮，道：「前輩抱住師妹，在下當先開路！」

那紅衣獨腿大漢濃眉一軒，大聲道：「我來！」

王冠中當先大跨一步，搶在梅娘前面，進入石門。

紅衣獨腿大漢、和駝、矮二叟，緊隨在梅娘身後而行。

一入石門，立時聽得強厲的掌風，迴盪不絕，只是聲響都已在數丈之外，顯然前面正展開一場激烈的搏鬥。

## 三八　南海奇叟

王冠中忽覺腳下一滑，踏在一方鬆軟之物上，本能地探手一抓，隨手撈起一物，原來是一具屍體，不由輕聲一歎，道：「這石道中已死人不少。」

忽見數丈外寒光閃動，緊接著響起了一聲尖叫，顯然又有一人斷送了性命。

梅娘低聲地說道：「冠中，咱們走慢些，讓他們替咱們開道。」

那紅衣獨腿大漢接道：「梅娘高見，咱們免不了要和中原武林高人一拚，借這機會調息養神，也可保存一分實力。」

但聞掌風、拳勁，劃出的嘯風之聲，不絕於耳，但卻凝滯不前，顯然，前行之人已遇上了強大的阻力，一時之間，無法衝過。

王冠中道：「這古墓中的主人，實是不可輕敵，以中原那麼多武林高手聯合之力，竟然是衝它不過。」

說話之間，已然接近了動手之處。

呼的一股拳風，直對王冠中前胸擊來。

王冠中右手一揮，硬接了一擊，左手疾快地還擊過去一掌。

內力洶湧，排風擊去。

只聽神丐宗濤的聲音叫道：「上官兄，咱們阻擋後面，南海門人，已藉機夾擊過來了。」

暗影中響起了徐元平的怒喝道：「擋我者死！」寒光電閃，掄轉在幽寂的甬道之中。

但聞慘叫之聲，此起彼落，似是已有不少人傷在他劍芒之下。

一個蒼勁低沉的聲音傳入了甬道中，道：「你們既然攔擋不住，那就不要攔阻他們了。」

梅娘忽覺全身一顫，幾乎栽倒地上，低聲對王冠中道：「冠中，這聲音好生耳熟？」

王冠中道：「晚輩也覺著有些熟悉，好像師父他老人家的聲音？」

梅娘道：「奇怪呀！這幾年來，他一直未離開過南海，哪裡會有時間，經營這一座孤獨之墓呢？」

王冠中道：「師父之能，神鬼難測……」

忽見幾道目光，幽寂中閃閃生光，攔住去路。

王冠中冷然喝道：「什麼人？」

只聽衣袂飄拂，那紅衣獨腿大漢和駝、矮二叟，一齊衝了上來。

南海門中之人，一個個內心燃燒著憤怒的火焰，把哀傷紫衣少女之死的悲痛，化成了復仇的怒火。

歐駝子首先發難，呼的一掌直推過去。

上官嵩大喝一聲，揚掌硬接一擊。

兩股掌力相撞，激漩成風，迴轉夾道中。

只聽梅娘唏噓地說道：「如若當真是姹兒的爹在這古墓之中，這孩子就有救了。」

王冠中道：「但願上蒼相佑，小師妹得獲重生。」

只聽那紅衣獨腿大漢暴聲喝道：「老叫化果然是名不虛傳，再接我一拐試試。」

宗濤敞聲大笑，道：「咱們有得一陣好打，一拐何足爲奇。」

但見寒光一閃，上官嵩高聲說道：「宗兄赤手空掌，接他鐵拐，未免太吃虧了，由你來對付駝、矮二叟，由兄弟對付鐵拐。」

宗濤笑道：「上官兄不用客氣，駝、矮二叟以二攻一，上官兄動用兵刃，也不算有失身分。」

上官嵩刷！刷！兩劍迫退了駝、矮二叟，高聲說道：「駝、矮二叟中原叛逆，昔年兄弟在西北道上獨鬥兩人三百餘回合，武功不過如此。」

只聽胡矮子暴聲喝道：「上官兄少逞口舌之利，今日咱們不見真章，決不住手。」一面說話，一面撩衣取出一支鐵筆，揮筆直攻過去。

只聽一陣叮叮咚咚之聲，筆劍連環相擊數招，幽暗的夾道中，閃起了一串火星。

上官嵩大喝一聲，左手橫掃出一招「橫斷雲山」，右手劍「白雲出岫」，卻疾向那紅衣獨腿大漢點去，口中厲聲喝道：「什麼人傷了我的女兒！」

宗濤心中一動，暗道：原來他是心憤女兒被傷，才要和南海門下正宗弟子動手，老叫化何不成全了他這個心願？身子一閃，避開鐵拐，右手一揚，接了歐駝子的一掌。

兩人交錯而過，迅快地換了對手。

上官嵩和那紅衣獨腿大漢，似是都有了搶佔先機之心，劍、拐並舉，一齊出手搶攻。

但聞一陣兵刃相擊之聲，劍、拐連續相擊，金鐵交鳴，不絕於耳。

上官嵩雖是用的寶劍，但他的雙劍重量，各達十斤，和一般以輕靈取勝的寶劍，大不相同，既可有一般寶劍劈刺之長，又可以當做重兵刃施用，和人硬打硬接。

這兩人，一個心傷師妹之死，恨不得一舉殺盡中原高手，好替死去的師妹復仇；一個悲懷女兒之傷，恨不得片刻間，制服南海門中所有之人，以迫他們解救女兒傷勢。

憤怒熱血，沸騰在兩人的心胸之中，是以，一動上手，立時巧功並出，各極凌厲，兵刃嘯風盈耳、金鐵相擊聲蕩漾不絕，火星閃迸不已。

激鬥中傳過來徐元平的聲音，道：「兩位老前輩暫請住手，那古墓主人已然下令他屬下停手了……」

宗濤疾急地拍出二掌，逼退了駝、矮二叟，說道：「上官兄，咱們不能延誤了時間，早些走吧！」

微微一頓，高聲對南海門下各人說道：「古墓主人已下令他屬下停手，開門迎賓。你們既然存心要和中原道上高手一搏，也不必急在一時，咱們先去見了那古墓主人之後，再動手不遲。」

那紅衣獨腿大漢雖然不願歇手，但卻被梅娘喝止。

神丐宗濤一扯上官嵩的衣袖，道：「咱們走啦！」一齊轉身向前行去。

十幾丈的行程，轉眼已完，出了夾道，景物忽然一變。

只見一座廣大的敞廳之上，四周滿擺著盆花，八個青衣童子提著長劍，並肩站在靠後壁一座緊閉的紅門前面。

千毒谷主當先迎了上去，拱手對上官嵩道：「托上官兄之福，令嬡在兄弟全力維護之下，有驚無險，安然度過了那一段死亡之路。」

上官嵩轉眼望去，只見上官婉倩長髮垂肩，站在一側，目光凝滯，滿臉茫然神色，不禁一陣黯然，低聲叫道：「倩兒！」緩步走了過去。

上官婉倩愕然地望了上官嵩一眼，茫然一笑，慢慢地轉過身去。

上官嵩心頭一涼，陡然收住了腳步，兩行老淚奪眶而出。

恩養二十年，從小帶大的親生女兒，忽然間把他視做陌生路人，這打擊是何等的沉重。

只聽神丐宗濤低聲勸道：「上官兄，令嬡只不過受人暗算，神智暫時不清而已。只要咱們能夠離開這古墓，不難替她療好傷勢。」

上官嵩回頭望了宗濤一眼，拭去淚痕，道：「多蒙宗兄指教。」

宗濤回顧了大廳一眼，忽然微微一笑，道：「這倒是一片極好的埋骨之地。」

只聽易天行高聲說道：「大駕既然下令屬下停手，引我們進入此地，何以遲遲不肯出見？」

只聽得那兩扇緊閉的紅門，呀的一聲打開，一個身軀矮小、全身黑衣之人，大步地走了出來。

這人的裝束十分滑稽，留著兩撇八字鬍，手中提一個銀光燦燦的旱煙袋，短褂及腹，長褲拖地，附著那矮小枯瘦的身體，活似一個紙紮人。

徐元平一皺劍眉，回頭對金老二道：「叔叔，這個人可也是江湖上的高人嗎？」

金老二道：「此人我也從未見過，不知是哪路人物。」

只見那身體矮小、全身黑衣之人，身子一個旋轉，靠在紅門左側而立。

緊接著走出一個全身白綾的矮小女人，緊靠在紅門右側站好。

那八個青衣童子一齊舉步，走約四、五尺遠，又一齊停了下來，手中長劍，斜斜舉起，搭成了一片劍牆。

神丐宗濤冷哼一聲，罵道：「臭排場倒是不少。」

餘音甫落，敞廳中響起了一陣哈哈大笑之聲，一個青衣老叟，背著雙手，緩步而出。

傳誦江湖的古墓之秘，一旦揭穿，而且和傳言大相逕庭，群豪心中都有著一種惘然的期待，個個聚精會神，凝目而視。

只見青衣老叟宏亮的聲音，響徹大廳，道：「衡山一別，倏忽十載，不知諸位中，還有人識得老夫嗎？」話聲一起，八個青衣舉劍的童子，忽然分退兩側，垂劍而立。

易天行縱聲大笑，道：「我道是誰，原來是你，中原武林被你一手遮盡耳目，一騙十餘年，當真是高明得很。」

青衣老叟目光緩緩地由群豪臉上掃過，道：「故弄玄虛之人，並非出自老夫心裁，這還是你們中原高手自相布設的騙局，只不過被老夫早先發現，借他們的一番心血，和諸位開一次玩

笑罷了。」

聽中群豪，大都聽得為之一怔，神丐宗濤目光一掠易天行，道：「除了易天行外，老叫化想不出誰有這等心機。」

易天行淡然一笑，道：「宗兄過獎兄弟了，這一次卻偏沒有被你猜對。」

那青衣老叟臉色肅然地說道：「那人現在古墓之中，等一會兒老夫自然要他出來和諸位相見……」他微微一頓之後，又道：「這古墓布設精巧，機關重重，埋骨此地，想必無憾。」

易天行臉色一變，道：「你這話，是何用心？」

青衣老叟哈哈大笑，道：「諸位既然到了此地，難道還夢想全身而退嗎？」

易天行回目掃掠了宗濤一眼，欲言又止。

他自知眼下已成群豪之敵，如若和這青衣老叟言語頂撞起來，未必會為群豪支持，故而沉默不言。

楊文堯突然接口說道：「就憑你一人之力，當真想留下我們所有之人不成，在下倒是有些不信。」

神丐宗濤一心想著那布設這古墓之人，說道：「那布設這古墓的原主人既在此處，何不請出一見。」

青衣老叟淡然一笑，道：「這個，先不用急……」忽然臉色一變，話語中斷。

群豪回頭望去，只見白髮蕭蕭的梅娘，抱著紫衣少女疾步而來。

那青衣老叟對梅娘的突然出現，似是甚感震驚，神色大變，呆在當地。

梅娘亦似是大感意外，幾乎把懷抱中的紫衣少女，摔落在地上。

南海門中人個個臉色肅穆，一齊把目光投注在那青衣老叟的臉上。

場中群豪，大都是久在江湖上闖蕩之人，都有豐富的閱歷，一看南海門下之人的神色不對，立時警覺到這一場古墓騙局中，另有曲折內情。

果然，梅娘略一定神，冷笑道：「你好大的膽子……」

那青衣老叟舉手一拱，道：「梅娘，過去的事，咱們以後再談，此刻群豪畢集，哪有工夫談咱們私人之事……」

滿頭白髮的梅娘，突然泛生起兩頰紅暈，厲聲喝道：「我恨不得食你之肉，剝你之皮，冠中，過來抱著你的師妹……」

王冠中大邁一步，走到梅娘身側，低聲勸道：「老前輩暫請息怒，此時此情之下……」

梅娘似是已激忿難耐，一轉身把那紫衣少女交到王冠中的手中，一頓手中竹杖，直向那青衣老叟衝去。

陡然的變化，充滿了神秘，詭奇，廳中群豪都有著豐富的江湖經驗閱歷，也有著丈二金剛摸不著頭腦之感。

那青衣老叟似是畏懼梅娘，看她提杖撲來，神色大爲驚恐，急急揮手說道：「快些把她擋住。」

八個青衣童子應聲而出，長劍齊揮，結成一座劍陣，擋住了梅娘去路。

梅娘竹杖疾揮，呼的一杖掃去，口中怒聲喝道：「擋我者死。」

只聽一陣乒乒乓乓之聲，和竹杖相觸的長劍，盡被震盪開去。

但那八個青衣童子，似是久經戰陣，覺著難以力勝強敵，立時催動劍陣，剎那之間光影交錯，寒芒亂閃，團團地把梅娘圍起。

廳中群豪，都知道梅娘的武功甚高，但卻始終無人和她正式動手相搏一場，此刻見她出手，都不禁凝神注視。

只見她竹杖伸縮，招數變化萬端，凌厲的攻勢中，門戶封閉十分謹嚴。

但那八個青衣童子佈成的劍陣，亦有著奧妙無比的變化，雖在梅娘竹杖強猛的迫逼之下，仍能靈活地運轉，激鬥二十回合，梅娘仍難逾越雷池一步。

駝、矮二叟和那紅衣獨腿大漢，都已運氣蓄勁，隨時準備出手相助。

激鬥中突聞梅娘一聲怒喝，手中竹杖突然加快。但見杖影翻滾，一片嘯風之聲，那八個青衣童子排成的陣劍，登時被那翻滾的杖影，迫得有些亂了陣腳，穿梭交攻之間，已有點手忙腳亂起來。

楊文堯看得一皺眉頭，低聲對查子清道：「查兄，這老嫗功力如此深厚，竹杖揮掃之間，力如巨浪排空，當真是不可輕敵。」

查子清答道：「楊兄說得不錯，人到了古稀之年，尙能保持著如許深厚的內力，實是難得。」

這時，梅娘和那八個青衣童子，已將分出勝敗，梅娘手中的竹杖縱送橫擊，更見凌厲，那八個青衣童子，已被梅娘強猛力攻，由中間截分爲二，陣式的連鎖作用頓失，形成了各自爲戰

之局，再有幾個回合，勢必要傷在梅娘手中不可。

那青衣老叟看出情勢不對，立時轉身向後奔去。

梅娘突然大喝一聲，滿頭白髮，根根都豎了起來。竹杖橫擊，生生把兩個青衣童子連人帶劍震得飛了起來，疾衝過去。

那青衣老叟剛剛跑到那扇紅門前面，梅娘的竹杖，已到了他的身後。

那兩個分列紅門左右，奇形怪狀的一男一女，相互對看了一眼，靜站不動。

似乎是那青衣老叟的死亡，和他們絲毫沒有關係。

就在這千鈞一髮、生死剎那的當兒，那青衣老叟陡然轉過了身子，大聲叫道：「梅娘……」

心堅如鐵的梅娘，突然身子一顫，那疾去如電的竹杖，陡然一偏，扎在那紅漆木門之上，深入了兩、三寸深。

那青衣老叟老而不修，忽的一伸舌頭，道：「乖乖，這一杖如若扎在老夫身上，豈不要洞穿而過。」

梅娘冷哼一聲，罵道：「你這畜生不如的東西，居然還活在世上！」

那青衣老叟目光一掠群豪，面不紅、耳不赤地笑道：「托東主之福……」

王冠中大喝道：「我師父也在此地嗎？」

那青衣老叟突然一皺眉頭，回顧了梅娘一眼，說道：「這人可也是咱們南海門下嗎？」

顯然這青衣老叟和南海門有著極深的關係。

王冠中察顏觀色，發覺這青衣老叟不但和南海門關係甚深，而且和梅娘還有著十分微妙的關係，當下和顏說道：「晚輩乃南海門下首……」忽然想到，自己已被逐出門牆，尚未得師父允准重返南海門下，趕忙住口不言。

梅娘冷冷接道：「我們沒有時間和你說話，東主在不在此地？快說！」

那青衣老叟沉吟一陣，說道：「東主麼，正值行功之時……」

梅娘急急接道：「姹姹命在旦夕，必須早見東主，快閃開，讓我進去。」

那青衣老叟突然低聲說道：「梅娘，你附耳過來。」

梅娘一頓竹杖，道：「你滾開！」大步直向那紅門之內衝去。

青衣老叟大急，右手一伸，突然向梅娘抓了過去，叫道：「不行，梅娘，不能進去。」

梅娘反手一掌，正擊在那人肩頭，立時把那青衣老叟，摔了一個觔斗，摔出去四、五尺遠。

徐元平左手一伸，抓住那青衣老叟右臂，右手戮情劍在他臉上一晃，道：「不要動。」

那青衣老叟本待開口呼叫，但覺寒光掠面而過，森冷之氣，直透肌膚，立時閉口不言。

滿臉怒容的梅娘，冷冷地瞧了徐元平一眼，道：「南海門中之人，不論犯了何等大罪，都不許別人妄動一指，快放開他。」

徐元平臉上神色屢變，沉吟良久，才緩緩地放開那青衣老叟的右臂，顯然，他內心中對梅娘的強凌口氣，大為不服，但又不願和南海門衝突起來，勉強放了那青衣老叟。

這是個十分微妙的局勢，群豪之間彼此恩怨糾纏，使南海門中人形成了一種舉足輕重的力量，任何人在這古墓真相尚未完全揭穿之前，都不願和南海門正面衝突起來。

那青衣老叟被放之後，突然衝到那紅門前面，正容對梅娘說道：「梅娘，如若東主沒有萬不得已苦衷，豈會讓我出來丟人現眼，你如不聽我警告之言，強行闖了進去，勢非造成終身大恨不可。」

梅娘先是一怔，繼而冷笑一聲，說道：「我永不再信你的話了。」竹杖一撥，推開那青衣老叟，直向紅門之中闖去。

那畏怯的青衣老叟，突然間變得勇敢起來，大喝一聲道：「站住！」縱身直向梅娘撲去。

梅娘怒聲喝道：「你要找死。」回手一掌，拍在那青衣老叟的前胸之上。

這一掌打得結結實實，只聽那青衣老叟悶哼一聲，吐出一口鮮血，倒摔在地上。

梅娘忽然長長歎息一聲，凝立不動，那青衣老叟掙扎著爬了起來，說道：「東主，東主一算失……錯……」忽然兩眼一瞪，重又倒摔在地上。

那紅衣獨腿大漢鐵拐一頓，疾衝而上，左手抓起那青衣老叟，右手拍在那青衣老叟的背心上。

只聽那青衣老叟長長地吁一口氣，緩緩地睜開了雙目。

紅衣獨腿大漢急急問道：「我師父怎麼樣了？」

青衣老叟道：「東主如若在一頓飯工夫之內，仍不出來，你們再進去不遲……」

紅衣獨腿大漢厲聲喝道：「我問你師父怎麼樣了……」

王冠中大聲喝道：「二師弟，不許無禮。」

青衣老叟道：「東主，東主，此刻正值生死關頭……唉！天下事，爲什麼……這般……湊……巧，就在他……」一口氣湧在咽喉，人又暈了過去。

這老人斷斷續續的言詞之中，雖然言未盡意，但卻隱隱說出了一件事，就是在那紅門之內的，闢創這古墓的南海奇叟，正遇著驚人的巨變。

梅娘似是也驚覺到事情的嚴重，急急地一把抓住青衣老叟，大聲喝道：「東主遇上了什麼凶險之事，快說！快說！」

那紅衣獨腿大漢右手一揮，擊在那青衣老叟的背心之上，潛運內力，逼出一股熱流，攻入那青衣老叟的「命門穴」中。

滾動的熱流，旋轉在那青衣老叟的經脈、穴道之中，催動他行轉的氣血，迫出他咽喉之中的淤血，吐出了兩大口鮮血後，緩緩地睜開了微閉的雙目，接道：「東主……正要出來和他們……相見，卻沒有料到……遇上了主母……」

梅娘失聲叫道：「姹姹的娘嗎？」

青衣老叟道：「不錯……正是主母……」

梅娘忽然流下淚來，說道：「姹姹的娘，當真還活在世上嗎？」

青衣老叟道：「決錯不了，我看得清清楚楚，兩人見面之後，嘰嘰喳喳，談了起來……唉！東主、主母，才華絕代，兩人都會許許多多的奇怪言語，我也聽不懂他們說的什麼……」

王冠中早已抱著紫衣少女的屍體，圍攏上來，接口說道：「以後呢……」

那青衣老叟長長地吁了一口氣，道：「你慌什麼？以後……他們……忽然打了起來……」

梅娘急道：「現在還在打麼？」

青衣老叟道：「兩人動手相搏幾招，各以內功硬拚起來，四掌相抵，相持不下……」

梅娘急道：「這等打法，乃武家大忌，快帶我們進去……」

青衣老叟急急地喘了兩口氣，道：「如若你們現在衝了進去，只怕要害兩人盡皆受傷……」

梅娘接道：「不要再說下去了……」微微一頓，又道：「冠中，把姹姹給我。」

王冠中依言把那紫衣少女的屍體遞了過去。

梅娘接過了那紫衣少女，又道：「你們集全力，守住這道紅門，不論何人，一律不能放入。」

王冠中沉聲應了，閃開身子，身形移動間，已探手取出了那件奇異的外門兵刃「兩儀尺」。

梅娘走過那紅衣獨腿大漢的身側，回目道：「設法留下他的性命，」紅衣獨腿大漢掌心抵著那青衣老人，面色凝重，目光不瞬，顯然正以內功在為青衣老人療治傷勢，梅娘回目瞧了一眼，閃身掠入紅門。

王冠中雙臂一振，突地大喝道：「天地玄黃，四象化生！」

八個手持長劍的青衣童子，被梅娘杖風所擊後，本已遠遠躲到一邊，此刻一聽這聲呼叱，立刻一展長劍，飛身躍擊，但見一陣劍光繚繞，這八個青衣童子，已在紅門前擺下一道劍陣，王冠中當門而立，虎視群豪，當真有一將當關的威風殺氣！

群豪顧此互望了一眼，宗濤失聲歎道：「天下事之變幻莫測，端的令人不可思議，數日前若有人說這孤獨之墓不過是個騙局，而南海奇叟又在墓裡，我老叫化不但不會相信，而且還當他是個瘋子，而此刻事實……噢，老叫化這次縱能活著走出這裡，也不願再管江湖間事了！」

易天行哈哈笑道：「宗兄一向最是熱心，想不到也會說出這種話來。」

千毒谷主冷冷笑道：「人之將死，其言也善，老叫化大概知道活不長了……」

易天行道：「不然！」

千毒谷主道：「不然？難道你我還能生出此間……」

易天行沉吟道：「常言道兩人同心，其利斷金，以我們這群人的武功才智，若能同心合力，莫說這區區古墓，便是天羅地網，也衝得出去。」

說話之間，他銳利的眼神，緩緩地掃過眾人的面目，仔細留意群豪間的神情變化。

千毒谷主突然伸手一指，疾點丁高「玄關」穴上，查子清大聲道：「易兄，我與上官兄和冷兄，是站在你這一邊。」喝聲之間，人卻已向那紅門衝了過去！

原來千毒谷主、上官嵩、查子清三人，早已暗中以「傳音入密」之功，商議了一遍，決定先與易天行聯手，再向南海門人發動攻勢，混戰一起，宗濤等人雖不願與易天行為伍，卻也不能置身於事外。

只見千毒谷主身形動處，雙手齊揚，數十道細如牛毛的銀芒，隨手暴射而出。

王冠中厲叱一聲，兩儀尺疾揮，只聽一陣叮叮的輕響，千毒谷主所發的暗器，竟都如泥牛入海，歸於無形。

查子清、上官嵩，身形齊動，一個由左而右，一個由右而左，攻向劍陣，刹那間但見劍氣滿天，如牆湧起，八柄長劍，幻作了一道光幕，查子清、上官嵩武功雖高，卻也無法越雷池一步。

易天行回首道：「各位在此旁觀靜候，待我等先爲各位殺開血路！」

宗濤厲聲道：「放屁！誰要你爲我開路！」他生性激烈，縱然明知易天行這是一種激將之法，但話未說完，身子已衝了上去。

王冠中厲聲道：「事值非常，各位如要硬闖此門，莫怪我南海門人要大開殺戒！」

易天行微微笑道：「請便！」

就在這短短兩字，他已隨手攻出七招，直逼得矮叟掌中金筆，再也施展不開，他這才知道雄踞武林的一代梟雄，非但心智超人，武功也實有過人之能。

劍氣如山，叱吒連聲，突聽紅門內響起梅娘的語聲：「東主傳語，請中原武林，各派宗主入內，東主奉茶爲敬！」

王冠中雖然爲之一呆，但卻也不禁放下了心事，知道他師父已然無事。

原來梅娘捧著紫衣少女，掠入了紅門，紅門內便是一條長長的甬道，甬道中無燈無火，卻泛著一種柔和的光輝，亦不知從何而來。

梅娘再也不敢施展輕功，一步一步地緩慢走了進去，甬道的盡頭，垂著一道珠簾，輕柔璧光，映得珠簾五光十色，絡纓繽紛，輝閃不絕。

梅娘輕輕地掀開了珠簾，便是一間精室，室中既無桌椅，亦無陳設，只疏落地擺著十個錦墩，卻自有一種清華高尊之氣。

一個青衣老人，長髮垂肩，背門而坐，他對面坐的卻是一位高髻宮服，容光絕代的中年美婦，珠光之下，有如天仙般令人不敢仰視。

兩人眼瞼深垂，四掌相抵，神態仍是從容已極，誰也看不出這兩人正在以數十年性命交修的無上內功在作生死搏鬥。

梅娘目光動處，只覺心情一陣激動，一步搶了過去，道：「主公，主母，姹姹來了！」

青衣老人、宮裝美婦，卻仍未睜開眼瞼，梅娘雙目一張，淚珠奪眶而出，垂淚道：「姹姹她……她已咬碎淬毒珠了！」

這斷斷續續、輕輕緩緩的一句話，自梅娘口中說將出來，卻有如霹靂自天而下，巨石投入湖心，青衣老人、宮裝美婦，身子同時一震，本已互相緊抵的手掌，立時分開了一寸。

梅娘右掌無名指小指之間，仍緊捏著竹杖，此刻手腕一震，那竹杖便立刻橫亙在他兩人四掌之間，有如電光石火，一閃而至。

但是她這防患未然的動作，卻已成了多餘，只因青衣老人、宮裝美婦，手掌乍分，便已長身而起，兩人面上安詳從容的神色，在這剎那之間，已變做了焦慮與惶急。

兩人身形一閃，同時呼道：「姹兒！姹兒……」四條手臂，一齊伸出，同時想自梅娘手中接過紫衣少女的身體，但青衣老人的右掌指尖與宮裝美婦的左掌指尖微一接觸，兩條手臂迅快地同時縮回，如觸烙鐵一般。

青衣老人厲聲道：「梅娘，你終日守護在姹兒身旁，怎麼會讓她咬碎淬毒珠的？」

宮裝美婦接道：「姹兒怎會受了別人的氣？她怎會受別人的氣？你怎會讓她受別人的氣？」

美婦氣度雖然雍容華貴，但這三句話卻問得又急又快，語聲更是嚴厲已極！

梅娘慘然長歎一聲，道：「此事說來話長，我也無能爲力……」

宮裝美婦面色一沉，截口道：「無能爲力……哼，只怕辦事不力吧？」

梅娘不敢抗辯，頭垂得更低，青衣老人緩緩地伸出手，接過了紫衣少女的身體，放在錦墩之上，翻了翻眼皮，把了她腕脈，長長地鬆了口氣，道：「幸好老夫也到了這裡，姹兒絕對無恙，你也無需再責備梅娘了！」

宮裝美婦冷哼一聲，眼角也不望青衣老人一眼，沉聲道：「梅娘，那個令姹兒受氣之人，到底是誰？你說！」

梅娘道：「徐……」她本想說出徐元平三字，但卻又倏然住口，只因她深知她的主母性烈如火，對姹兒疼愛之情尤深，若是說出徐元平的名字，她決然不會放過，而徐元平卻又是姹姹真心相愛的人。

宮裝美婦目光一掃，厲聲又道：「你不敢說出那人，難道你也是他的同謀？」

梅娘心念一轉，脫口道：「易天行！」

宮裝美婦大怒道：「易天行！誰是易天行？他此刻在哪裡？」

梅娘道：「就在門外！」

宮裝美婦厲聲道：「令他進來！」

梅娘應了，立時轉身而出，喝令群豪入門。

群豪心中不禁為之聳然一動，只因那名播江湖的神秘奇人南海奇叟，如今即將和他們會晤一室之中。

上官嵩長長一歎，低聲對鬼王丁高說道：「老而失子，其疼椎心，兄弟膝下只有一女，卻被南海門擺佈得形同白癡……」

鬼王丁高冷冷地接道：「上官兄就知道失女之痛，難道兄弟就不知道失女之痛麼，要我和易天行合手對敵，除非先還我女兒性命。」

上官嵩道：「丁兄誤會了，兄弟並非是勸阻丁兄不報傷女之恨，但目下形勢不同，丁兄孤掌難鳴，不如暫時同心合力，對付南海奇叟，出此古墓，再行報仇不遲，何苦要爭此一時。」

丁高略一沉吟，長長一歎，道：「看在上官兄的份上，兄弟忍下就是。」

上官嵩一拉丁高，聯袂衝入紅門。

徐元平抱拳對王冠中一個長揖，肅容說道：「丁姑娘的遺體，和那位上官姑娘，有勞王兄照顧了。」

王冠中雙尺交錯，欠身代禮，說道：「徐兄放心，只要你還能生出此門，在下擔保丁姑娘遺體不損，上官姑娘安然無恙。」

徐元平一拱手道：「徐元平拜領盛情。」說罷和宗濤並肩向前走去。

梅娘手橫竹杖，走在最後。這是一段十分平靜的行程，但中原群豪，卻都在暗中運集功力，準備隨時出手。

易天行當先開路，走了約五、六丈遠，到了甬道盡處一座石室之中。

室中光輝皎潔，似是沐浴在明月之中。

一個長髮披垂的青衣老人，盤膝端坐在一角，在他身後平放那紫衣少女的嬌軀。

只見那青衣老人雙手不停地互搓了一陣，再在那紫衣少女身上按摩一陣。

他眼瞼低垂，生似不知中原群豪，已經走入石室之中，連眼皮也未抬動一下。

靠後壁處卓立著一個宮裝美婦，皎輝映射下，艷麗不可逼視。

她有著無比鎮靜，眼看著群豪魚貫步入石室，連動也不動一下。

直待所有的人，完全進入石室之後，才冷冷地喝問道：「哪一個是易天行？」

易天行拱手一笑道：「在下便是，夫人有何見教？」

那宮裝美婦艷紅的粉臉上，突然泛現出一片殺機，道：「可是你氣死了我的女兒嗎？」

易天行目光一掠橫臥在地上的紫衣少女，淡淡一笑，道：「是又怎麼樣？」

宮裝美婦道：「殺人償命，你氣死我的女兒，為什麼還要活著？」

淡淡幾句話中，一派頤指氣使的狂傲之氣。

易天行突然放聲大笑道：「中原武林道上，有誰不知我易天行心狠手辣，視人命有如草芥。我已是滿手血腥之人，再加上一、兩樁也不嫌多。」

宮裝美婦秀眉聳動，冷冷地說道：「你既不願自絕而死，我只有動手殺你了！」

易天行道：「在下敬謹候教。」

那宮裝美婦右手一揚，正待劈出，突聽一聲大喝：「且慢動手！」

回目望去，只見一個手采俊朗的少年，大步走了上來。

那宮裝美婦秀目一軒，冷冷地問道：「你是誰？」

那少年一抱拳，道：「在下徐元平。」

宮裝美婦道：「徐元平，你要幹什麼？」

徐元平道：「大丈夫豈肯讓人代為受過，你女兒是我氣死的，與易天行無干無涉，你要人償命，找我就是。」

宮裝美婦怔了一怔，目光投注在梅娘的臉上，說道：「梅娘，這是怎麼回事？」

梅娘略一沉吟，道：「兩個人都是兇手。」

宮裝美婦冷然一笑，道：「那很好，我正想著一命償一命，我女兒未免太吃虧了。」

易天行回顧了徐元平一眼，欲言又止。

那宮裝美婦緩緩地移動身軀，向前行了兩步，冷然說道：「你們兩個一齊上吧！」

徐元平陡然向前欺進了一步，道：「老前輩既要為令嬡索命，自然是在下領教。」

那宮裝美婦淡然說道：「先後之死，不過是片刻之差……」

揚手一掌，劈了過來。

徐元平面色凝重，肅然說道：「老前輩請恕晚輩放肆。」暗運內力，蓄勁掌心，硬接對方的掌勢。

宮裝美婦似是不願自己的手掌，和徐元平的手掌相觸，玉腕一挫，掌勢突然收了回去。

徐元平正想借勢欺身攻上，突覺一股暗勁，直逼過來，不禁吃了一驚，暗道：這女人的武功，當真不可輕視，竟能把沉猛的內力，蓄蘊在掌心之中不發，掌勢收回，內力卻排湧而出……

那宮裝美婦，原想這一震之下，徐元平縱然不當場重傷而死，亦必要被那陡間湧出的內力，震昏倒在地上。哪知事實大謬不然，徐元平雖然被震得向後退了一，但卻硬把這一掌接了下來。

雙方似都爲對方的武功震動，微微一愣，才一齊出手搶攻。

徐元平施展出少林寺的絕技十二擒龍手，掌指伸張，專以扣拿那宮裝美婦的大穴關節，變化奇奧，神鬼莫測。

那宮裝美婦卻是手法平實，出手封架招數，盡都是普通之學，但這等普通的招術，在她手中施展出來，威力卻是異常驚人，似是在那平凡的手法之中，含蘊著極爲神奇的招術，不論徐元平的十二擒龍手變化如何奇奧，均被那宮裝美婦的平實招數化解開去。

片刻工夫，兩人已相搏了二十餘回合，仍是個不勝不敗之局。

那一側靜坐的青衣老人，渾似不覺在他的身側，正展開一場激烈的搏鬥，一直低著頭，替那紫衣少女療治傷勢。

易天行卻是目不轉睛地望著那宮裝美婦和徐元平動手相搏情勢。

只見那宮裝美婦臉上逐漸泛現出驚異之色，一直不肯揮手反擊，分明在誘使徐元平盡量施展武功、手法。

易天行側望了那青衣老人一眼，施展傳音入密，道：「徐兄留心了，對方存心在誘你施展武功……」

徐元平臉色一變，掌法突變凌厲，左拳右掌，交相擊出，攻勢猛惡絕倫。

這一輪急攻，實爲武林罕得一見的惡戰，徐元平攻出每一拳、每一掌，都是罕聞罕見之學。

那宮裝美婦在徐元平凌厲的拳掌逼迫之下，掌法也隨著用出奇奧的招數，突穴斬脈，極盡詭異。

徐元平猛惡的攻勢，陡然受到了箝制，被那宮裝美婦的突穴斬脈手法，迫得施展不開。

激鬥之中，那宮裝美婦突然疾攻兩掌，逼得徐元平掌勢一緩，然後收掌而退，冷冷喝道：「住手！」

徐元平收住掌勢，道：「老前輩有何指教？」

那宮裝美婦臉色忽然泛上一層紅暈，欲言又止。

徐元平怔了一怔，道：「老前輩有何見教，但說不妨，晚輩知無不言。」

那一直垂首爲紫衣少女療傷的青衣老人，此刻突然抬起頭來，雙目中神光暴射在徐元平身上，冷哼一聲，揚手劈出一掌。

只聽那宮裝美婦怒聲喝道：「哪個要你插手！」素腕一揮，斜裡推來，擋開了那青衣老人

推出的掌勢。

梅娘黯然歎息一聲，說道：「東主，主母，大敵當前，難道你們還不能相互容忍，共禦強敵嗎？」

宮裝美婦心中似是憋了一股委屈怒火，臉色一變，道：「好啊！梅娘，你也敢管我了！」

梅娘垂首說道：「老婢不敢，主母明察。」

那青衣老人臉上的肌肉，微微抖動了一下，突然閉上雙目，顯然他內心已有著強烈的激動，但卻強自忍了下去。

易天行默察情勢，看出那宮裝美婦分明和青衣老人，有著一件終身不能相諒之嫌，而這嫌怨又正受到一種強烈的刺激，震撼著兩人的心弦，只要能找出原因，略一挑撥，就可引起兩人火併之心。

心念轉動，突然放聲大笑起來。

查子清呆了一呆，問道：「易兄爲何發笑？」

易天行收住了狂笑之聲，說道：「兄弟陡然想起了一個故事，十分好笑，故而一時間控制不住……」

楊文堯接道：「什麼事，這等好笑？可否說出來，讓兄弟也增長幾分見聞！」他爲人機警多智，略一思忖，已想出易天行決不會無故發笑，立時出言相和。

易天行目光一掠那青衣老人和宮裝美婦，說道：「數十年前，有兩個自負聰明之人，同居一室，共同採樵度日……」那青衣老人，抬起頭來，打量了易天行一眼，冷笑一聲，道：「你可是易天行嗎？」

易天行微微一笑，道：「不錯，怎麼樣？」

查子清道：「以後呢？」

易天行道：「這日二樵同出打薪，遇到一隻乳虎，一樵舉斧欲劈，另一人卻堅主收養，不久之後，那乳虎長大……」

只聽一個銀鈴般的聲音，接道：「虎大食樵，仁慈養患。」那橫臥不動的紫衣少女，突然挺身坐了起來。

易天行笑道：「姑娘猜得不錯，在下就是那二樵之一，尚有一位樵子，不知是哪一個？」

紫衣少女冷冷地喝道：「易天行，可惜你又白費了一番心機，我醒得太早了……」目光突然觸到那宮裝美婦身上，嬌軀一震，低聲問道：「爹爹啊，那人可是我的娘嗎？」

青衣老人點一點頭，默不作聲，顯然他心中餘怒未息。

徐元平突然對宮裝美婦說道：「令嬡已然得救，咱們之間已無恩怨……」霍然轉過身去，拔出了戮情劍，目注易天行，道：「易天行，咱們已見到這古墓主人，不論是生是死，即將立見真章，此時在下如不再報父母之仇，當真恐沒有機會了。」

易天行從懷中摸出一對金圈，說道：「在下一生和人動手，從未動過兵刃，今日要破例一用了。」

徐元平道：「多謝你看得起我。」

楊文堯一皺眉頭，道：「兩位之間的恩怨，最好待出了這古墓之後，再行了斷如何？」

徐元平笑道：「易天行喻樵養乳虎，提醒在下，縱虎歸山，後患無窮。」舉手一劍刺了過去。

易天行金圈一揮，幻化出無數金光流轉的圈影，接道：「我這雙圈之中暗藏機妙無窮，你可要小心些了。」

徐元平健腕一挫，收回劍勢，說道：「儘管施展，徐元平死而無憾。」手腕搖動，絕學突出，用出了一招佛門中上乘劍道「萬輪佛光」，戮情劍搖轉之間，閃化出重重光影，掩去徐元平的身子。

這「萬輪佛光」名雖一招，實則連續變化，奇奧絕倫。

只見那一幢閃動的光影，突然暴分出三道白芒，猛向易天行電射而出。

易天行雙圈互擊，鏘然有聲，金鳴一縷，繞耳不絕，金圈爆散出無數片輪月般的光影，護住了身子。

劍芒暴長，化作一道長虹，繞著那金圈光影，瀰漫全室，有如一片雲氣，環繞著一輪明月。

全室中人，都爲兩人這凶猛絕倫的搏鬥，吸引住了心神，凝神觀戰。

查子清、楊文堯原本存有相勸兩人暫息爭執之心，合力對付強敵，但見兩人一動上手，立時被那幻起的圈影、劍氣，掩遮住了身子，難以分辨敵我，雖有勸阻之心，但卻感無從下手。

激鬥間突聽一聲悶哼，劍光突斂，金影盡消，徐元平身不由主地一連向後退了三步。他臉色蒼白，汗落如雨。一條左臂軟軟垂下，顯然是受了重傷。

轉眼望去，只見易天行兩眉深鎖，緊閉雙唇，似是極力在忍受著痛苦。

兩人凝目相望，對峙了半晌，徐元平突然開口說道：「易天行，南嶽三傑，和你何仇何恨，你爲什麼要殺害我的父親，而且還不肯放過我那恩師？」

易天行緩緩地說道：「很簡單，他們背叛了我。」

徐元平星目中放射出憤怒的火焰，道：「我母親也是你害的嗎？」

易天行目光環掃了室中一周，冷然說道：「在下不願作答。」

徐元平道：「目下爲止，咱們這一場搏鬥，還無法決定誰生誰死！」

易天行道：「這個在下亦有同感。」

徐元平道：「我如一劍把你殺死，但仍無法知道我父母爲什麼遭你毒手。」

易天行道：「如你死於我的金圈，倒是可以和令尊、令堂，會晤於九泉之下。」

徐元平冷笑一聲，道：「亡父陰間有知，必助我手刃親仇。」

緩緩地舉起了手中的寶劍。

易天行雙手齊舉，疾快地把右手金圈交於左手之中，右手卻探入懷中，摸出一柄短劍。此劍長短和徐元平的戮情劍相仿，只是劍身之上多了七顆金星。左手平舉雙圈，右手橫劍待刺。

只見徐元平蒼白的臉上，逐漸泛現出艷紅之色，雙目中神光更見強烈，真似兩道冷電，投注在易天行身上，軟垂的左手，也緩緩地舉起，領動劍訣。

那宮裝美婦突然伸手一抓，抓住那紫衣少女的左腕，把她攬入懷中，低聲說道：「孩子，

不要怕。」

紫衣少女道：「我不是怕，唉！他們這一場搏鬥，不知是誰生誰死？」

忽聽徐元平大喝一聲，手中戮情劍一揮，登時暴長起一道青芒，直射過去。

就在徐元平喝聲出口的當兒，易天行手中的短劍也突然揮掃而出，一片光影，繞身而起。

查子清長歎一聲，道：「馭劍術……」

只聽噹的一聲輕響，青芒白光，一觸而分。

光芒消斂處，兩人仍然站在原來的停身之處，四目相對，只是兩人臉上的脹紅之色，已然消去，代之而起的是一臉睏倦之色，雙目中那強烈的神光，也完全消失不見。

易天行手中那支七星短劍，已經被削作兩截，殘餘一半，尚在手中捏著。

徐元平長長地喘息了兩口氣．道：「易天行，你只要回答我一句話，我母親是不是死在你的手中？」

易天行握劍五指緩緩伸開，殘餘的七星斷劍跌落在地上，徐元平厲聲喝道：「易天行，你可是不敢承認嗎？」

易天行身子一顫，突然長長地吁一口氣，道：「是又怎樣？」

徐元平狂笑一聲，道：「殺人償命！」手腕一震，青芒暴漲，直射過去。

易天行萬沒想到，徐元平在筋疲力盡之後，還能出手施襲，心中大吃一駭，慌急之間，一抖左手，一雙金圈，脫手飛出，直向那電射而至的青光之上迎左。

只聽嚓嚓兩聲微響，兩隻金圈吃那暴漲的青芒一劈兩半，金圈著地有聲，灑出一片黑水。

原來易天行這一對金圈之中，滿蓄了毒水，暗藏噴力強大的機簧，和人動手，一按機簧，圈中蓄藏毒水由兩處極細孔中噴射而出，激射甚遠，但噴珠如霧，極是不易發覺，一經中人，立即開始潰爛，歹毒絕倫。

如非徐元平這大出易天行意外的一擊，及憑仗手中寶刀的鋒利，一劍劈去雙環，久戰力疲之下，必將傷在金環噴灑毒水之下不可。

易天行經這一駭，倒是精神大振起來，朗朗一笑，道：「徐世兄果然是命大福大，這金環如被你晚毀片刻工夫，你即將傷在我毒水之下。」

徐元平看那灑落在地上的毒水，把光潔的石地侵蝕得斑痕纍纍，心頭大為震動，暗暗忖道：不知是何物調製這藥水，威力如此之大，噴中人身，那還得了。不覺搖搖頭歎道：「易天行，你的陰險惡毒，當真是名不虛傳！」

易天行縱聲大笑道：「絕境死地，生機茫茫，你不論加給在下什麼惡毒之言，我易天行也不會放在心上了。」

只聽青衣老人冷哼一聲，接道：「哪個講這是絕境，只不過諸位生死之機，操諸老夫的手中而已。」

易天行道：「你武功再高，只怕也難以擋得中原高手的合擊。想你在重傷之下，必將一舉破壞這古墓機關，大家玉石俱焚，同歸於盡。」

青衣老人冷笑一聲，道：「看眼下之人，只怕還沒有老夫敵手。」

易天行道：「好大的口氣！」轉眼向徐元平望去，只見他雙眉聳動，星目閃光，滿臉不服

之色，似是已被那青衣老人誇口之言激怒。

楊文堯心中一動，接口說道：「如若我們中原武林中人，都能夠顧全大局，暫棄個人恩怨，合力對付你，哼哼，只怕南海門下將盡做這古墓之鬼。」

徐元平神色連變，冷冷地說道：「殺父淩母之仇，似海如山，不能手刃元凶，奠祭於父母靈前，亦當以身殉仇，安心於九泉之下。易天行，咱們這筆帳，已難再拖下去，不是你死就是我亡！」

易天行右手一撩長衫，從腰中取出一條五寸寬窄的皮帶，皮帶之上插了四柄藍芒盈盈的柳葉飛刀，左手迅快地又從腰間抽出一把七星短劍，說道：「在下早已預料到冤家路窄，你我之間，終究是免不了一場火併，爲了你手中寶刃鋒利，在下早備了五支七星短劍，和二十口淬毒的緬鐵飛刀……」

徐元平道：「不論你帶多少兵刃，儘管施出就是。」

易天行笑道：「我這二十口淬毒飛刀上，毒性絕倫，見血封喉，你可要小心了！」

徐元平目注易天行手中那淬毒飛刀，心中暗暗忖道：那飛刀只不過五寸長短，定是當做暗器施用，如若他分取施放，不論手法如何快速，也難傷得了我。他既然再三提出淬毒飛刀，或將有奇奧手法，倒是不可掉以輕心，傷在他這淬毒飛刀之下，那可是大不合算的事。心念一轉，立時暗中運氣，捧劍而立。

易天行眉頭微微一聳，滾下兩顆汗珠，緩緩地把那插滿柳葉飛刀的皮帶，繫在腰間，隨手取出三口淬毒飛刀，扣在右手，左手七星短劍斜斜指出，蓄勢以待。

全室中突然靜寂下來，群豪個個屏息凝神，看著這一場即將展開的龍爭虎鬥。

場中對峙的徐元平和易天行，神色亦不相同，徐元平臉色愈來愈見莊嚴，易天行卻是緊張異常，頂門上，汗水淋淋。

忽聽那紫衣少女輕輕地歎一口氣，低聲對那宮裝美婦說道：「那人捧劍而立的姿態，可是上乘馭劍術的起手之式嗎？」

宮裝美婦道：「不錯……」

餘音未絕，突聽易天行長嘯一聲，右腕一振，三口柳葉飛刀，疾電而出。

徐元平吐氣出聲，右手疾揮一圈，戮情劍幻化出一圈繞體青虹。

只聽幾聲錚錚脆響，三把柳葉飛刀，分成六截，跌落在實地上。

徐元平又恢復了莊嚴的神情，捧劍靜立不動。

易天行突然縱聲長笑，聲如龍吟，四壁回聲，滿室中盡都是長笑之聲。

過了片刻，易天行揚腕撒出五口柳葉淬毒飛刀。

這次手法特殊，五刀去勢極緩，有如生翼海燕，盤轉而飛，當先兩把飛刀，相距徐元平三尺左右時，突然相撞一起，後面三口飛刀，後發先至，突然加快行速，電射而至，分襲徐元平前胸、咽喉和小腹三處要害部位。

徐元平戮情劍隨手一揮，幻起一片劍花，三口飛刀盡爲那劍花擊落。

神丐宗濤急急喊道：「當心那後至兩刀！」

話剛出口，那相撞一起的兩口柳葉飛刀，突然一齊疾沉而下，急襲徐元平的前胸。

徐元平掃出的劍勢尚未收回，兩刀已近前胸。

只聽那紫衣少女啊呀一聲，暈在那宮裝美婦的懷抱之中。她身體本來嬌弱，這番跋涉行動，體力早已不支，服毒被救元氣未復，眼看徐元平要傷在那淬毒飛刀之下，心頭一急，氣血上湧，一下就暈了過去。

匆急之中，只見徐元平陡然一收小腹，迅快絕倫地向後退了兩步。兩柄淬毒飛刀，掠著他衣服掃過，跌落在實地之上。就這一緩工夫，易天行已借勢攻到，七星劍幻起三朵劍花，迎面點到。

這等高手相搏，差不得一毫一厘，徐元平手中雖有寶刃，但已來不及舉起迎敵，只好疾向一側閃去。

寒鋒掠體，鮮血噴灑，徐元平左肩之上，連衣帶肉，被劃裂了一道三寸長短的血口。

易天行一劍得手，正待追襲，卻被徐元平飛起一腳逼退兩步。

瞬息間殺機變化，勝敗形勢，全盤轉變。

易天行似是自知傷敵之機已失，立時倒退，重歸原位。

徐元平右手舉劍平胸，蓄勢戒備，暗中卻運氣止血。

只聽神丐宗濤叫道：「兄弟，快些運氣封閉左臂穴道，當心易天行劍上有毒。」

徐元平微微一笑，道：「多謝……」

宗濤急急說道：「不要講話。」

徐元平立時住口不語。雙方又恢復了相持之局，四道目光，交互投注。

徐元平似是傷得不輕，眨眼之間，鮮血已滲透了整個左袖。

易天行左手緩緩探入腰間，取出六口淬毒飛刀，說道：「徐元平，左臂可是已廢了嗎？」

徐元平口齒啓動，正待答話，忽然又住口不言。

易天行淡淡一笑，道：「徐世兄劍術造詣，勝過在下，吃虧在對敵經驗不足。」

徐元平仍是默不作聲。

易天行笑道：「如若徐世兄覺著傷勢難再相搏，今日之戰，就此住手，留待傷勢復原之後，咱們再相約一戰……」

徐元平似是再難忍耐，冷冷地答道：「不勞關懷。」

易天行微微一笑，道：「徐世兄左肩傷勢，恐怕已深及筋骨，若再打下去，只怕難閉穴止血，兼顧傷勢……」

徐元平冷肅地接道：「殺父之仇不共戴天，除非你能一劍把我殺死，咱們今天已成勢不兩立之局。」

只聽那紫衣少女長長地吁一口氣，睜開眼睛，一見徐元平仍然屹立無恙，才似放下了心中一塊石頭，緩緩地依偎在那宮裝美婦身上，低聲說道：「媽媽，這些年你到哪裡去了，唉！雖然沒有一個人告訴過我，媽媽還活在世上，但我心中卻一直認定媽媽……」

宮裝美婦冷哼一聲，接道：「怎麼？他們說我死了嗎？」一面移動手指，仍然在那紫衣少女穴道之上推拿。

紫衣少女搖頭，道：「沒有，沒有人告訴過我你的生死，好像我是由那茫茫大海裡撈出來

的野丫頭。」

宮裝美婦黯然歎息一聲，道：「我該帶著你一起走的……」緩緩伸出手去，拉住那紫衣少女面上的黑紗一角，雙目中淚光濡濡地說道：「孩子，讓我瞧瞧你……」

紫衣少女驚叫一聲，「不要動我！」

宮裝美婦怔了一怔，放開了捏著黑紗的手指，道：「孩子，你怎麼啦？」

紫衣少女突覺滿腹委屈，泛上心來，伏在那宮裝美婦的懷中嗚嗚咽咽地哭了起來。

宮裝美婦吃了一驚，急急說道：「孩子，孩子，你怎麼啦？」

紫衣少女一語不發，只是不停地哭泣。

但聞那哭聲，愈來愈是淒涼，越聽越覺動人，場中群豪，雖都是殺人不眨眼的人物，但亦不自覺地被那哭聲所感，鼻孔發酸，熱淚奪眶而出。

徐元平和易天行手中的短劍，緩緩地垂了下去，臉上的殺機，亦逐漸消失不見，每人的神色都流露出無限的悲傷，似是天地間充滿了愁雲慘霧，人人的生命都充滿著黯淡、愁苦，人世間再沒有一件歡樂的回憶，也沒有一件留戀的事物……群豪心神，逐漸地都爲哭聲控制。

不知何人，首先唏噓出聲，緊接大聲哭了起來。

沒有人轉眼尋望那先哭的人，因爲那哭聲一起，立時有人相和起來。

片刻間，哭聲大震，全室中人個個淚滾如泉。

只聽噹的一聲，徐元平和易天行手中的短劍，一齊跌落在地上。

滿室的哭聲中，只有那青衣老人未爲所動，盤膝閉目而坐，但他的臉色上，卻泛現出一片豔紅，似是正在運用內力，和一種極強暗勁相抗。

# 三九　水落石出

那紫衣少女緩緩地由宮裝美婦的懷抱之中，抬起頭來，打量了四周一眼，看室中群豪，一個個哭得像淚人一般，陡然停住了啼哭之聲，緩步地向前行去。

群豪一個個被一種哀傷所感，哭得神志不清，沒有一個人看到她向前走去。

紫衣少女走到徐元平的身側，探手撿了戮情劍，緩步地向易天行走去，舉起右手，鋒利的戮情劍，對準了易天行的前心。

只要她用力一送，不管易天行有何等深厚的功力，也無法抵受戮情劍的鋒芒，勢必要傷在劍下不可。

只聽一聲低喝，傳了過來，道：「姹兒！快退回來，你不要命了嗎？」

這聲音異常熟悉，紫衣少女一聽之下，立時分辨出是父親的聲音。

回頭望去，只見那青衣老叟圓睜雙目，一瞬不瞬地望著自己，舉手相招。

紫衣少女輕輕地歎息一聲，慢步走到徐元平的身側，拉起他的右手，用力咬了一口。

徐元平只覺一陣疼痛，神志陡然地清醒過來。

紫衣少女把手中戮情劍交到了徐元平手中，說道：「你要報殺父之仇，就去把他殺了罷！」

原來她自知人嬌力微，憑手中之勁決難把徐元平推醒過來，只好用力咬他一口，使他由哀傷中清醒過來。

徐元平接過了戮情劍，兩道眼神卻凝注在那紫衣少女的臉上，直似要看透她的蒙面黑紗。

紫衣少女嗔道：「人家給你講話，你是聽到沒有？」

徐元平茫然應道：「什麼事？」

紫衣少女道：「你要殺易天行，就快些下手，他此刻毫無還手之力。」

徐元平搖搖頭，笑道：「男子漢大丈夫，豈肯乘人之危，我要等他清醒過來，再和他動手相搏。」

紫衣少女道：「他用飛刀暗算於你，你已被他傷了一臂，此刻殺了他，如何算乘人之危……」她微微一頓之後，又道：「易天行大奸大惡，外面卻又裝出一副大仁大義的面孔，全室中人沒有一個不爲他的僞善所動。哼！眼下中原武林人物，都以爲你比易天行更爲可怕，庸人自擾，妄生除你之心，哼！人世間就有這樣多自作聰明的糊塗人！」

徐元平茫然說道：「爲什麼？我和他們俱都無怨無仇，誰會立心除去一個與自己素無怨仇之人？」

紫衣少女幽幽一歎，緩緩道：「勝者招忌，強者易折，這道理你都不知道嗎？」

徐元平呆呆地愣在當地，不言不動。

紫衣少女道：「你難道忘了易天行屢次暗算於你，快動手吧！」

徐元平舉起手中戳情劍，腳步向前微微一動，紫衣少女喜道：「這就對了！」哪知她語聲未了，徐元平竟已向後退了兩步，「噹」的一聲寶劍垂落，劍尖觸著石地，深入了一寸多深。

紫衣少女輕輕頓足，嗔道：「若有了婦人之仁，縱有霸王之勇，也不算英雄，到頭來還是要被圍於垓下，自刎於烏江之畔，你此刻情況，已和西楚霸王差不了多少，易天行等人一醒，你立刻便要陷身於四面楚歌之中，那時你再後悔，就來不及了！」

徐元平長歎道：「西楚霸王，一代之雄，雖未成霸業，但也敗得光榮，敗得磊落。」

紫衣少女呆了半晌，道：「可是……可是你怎麼忘了，易天行與你的不共戴天之仇？」

徐元平身子一震，探手撿起戮情劍，緊握劍柄，凝立不動。

紫衣少女定睛凝注著他，過了半晌，只見他額上沁出了汗珠。知道他此刻心中，也正在矛盾衝突，不能速下決定。

他手掌直垂，劍尖指地，手腕發抖，劍尖不住地震動，接著顫抖了起來。

紫衣少女見他如此緊張，內心不覺也緊張起來，脫口說道：「當機立斷，遲則生變，你平日行事一向痛快，怎地今日……」

話聲未了，只聽又是一聲低喝，傳了過來，道：「姹兒，你可知道大丈夫立世行事，婦人萬萬不可橫加干涉，你還是快些退到一邊，什麼事都讓他自己決定得好！」

語聲威嚴中帶著慈愛，和悅中帶著嚴肅，正是她父親的聲音。

紫衣少女暗歎一聲，心裡雖然覺著委屈，卻也不敢反抗。

哪知一個清柔的女子聲音已然冷笑道：「誰說男子行事，婦人不能干涉，我倒要問問這究竟是什麼道理？」說話之人正是那宮裝美婦。

突聽徐元平大喝一聲道：「我決定了……」

紫衣少女本已轉身行去，聽得徐元平大喝之聲，突然停了下來，回頭望去。

只見徐元平挺胸大步而行，滿臉浩然之氣，走到易天行的身側。

紫衣少女低聲說道：「只要你舉手一劍，不但可報了殺父凌母之仇，而且替人間除了個大奸巨惡！」

哪知徐元平的行動，大出她的意料之外，竟然舉手一掌，輕輕拍在易天行後背的「命門」穴上。

只見易天行微微一顫，陡然醒了過來。

徐元平掉頭不顧，大步向查子清等走去，掌不停揮，片刻之間，所有之人，盡都被他的掌力拍醒。

這些人俱都是滿臉驚異，把目光投注在徐元平的身上，想到自己在那瞬息時光中，經歷的生死之劫，只要徐元平一揮寶刃，他們都將毫無抗拒能力，一個個血濺石室，但他卻把他們一個個由哀傷的沉醉中，推醒過來。

查子清輕輕地歎一口氣，低聲對楊文堯道：「楊兄，這人年紀不高，但行事態度，卻是光明得很。」

楊文堯默默不言，心中卻暗道：這小子舉動光明，心胸磊落，他這相救眾人之事，定使群豪心折，看來我這番聯手除他之心，算是白費了。

徐元平拍活群豪穴道，大步走回場中，朗聲對易天行：「易天行，你神智完全清醒了嗎？」

易天行微微一笑，道：「清醒了，徐世兄的英雄行徑，當真使人心折。」

徐元平大義凜然地說道：「大丈夫爲人行事，正當如是。」微微一頓，接道：「在下有一事，想和你約法三章，不知能否見允？」

易天行道：「願聞高論。」

徐元平肅容說道：「今日之局，已難兩立，不論咱們誰勝誰敗，總要有一個人流血五步，伏屍當場，有這多武林高手在場見證，死亦無憾了。」

易天行道：「能得一個武功相若的敵對之人，痛痛快快拚個生死，那也是咱們習武之人的一件樂事，只不知你的臂，是否已成殘廢？」

徐元平揮動了兩下左臂說道：「傷雖及骨，幸得未殘。」

易天行道：「在下爲徐世兄慶幸，唉！動手相搏，各逞奇招，那也是無可奈何的事。」

徐元平道：「在下要和易老前輩約法，咱們動手之後，我如幸勝一招，就請易老前輩答覆在下一個問題！」

易天行略一沉吟，道：「如是在下幸勝一招呢？」

徐元平道：「任憑吩咐。」

易天行道：「據在下推想，咱們這一場生死之搏中，彼此都有幸勝一招一式之機，只不過

終極生死，難以預料罷了。」

徐元平道：「在下亦知沒有勝你的把握，何況我左臂重傷，實力減去不少……」

易天行笑道：「如依你約法施為，咱們這一場相搏不知要打到幾時才能分出勝敗，須知咱們彼此之間能搶得一分先機，是何等困難之事，但在勝一招一式後，又必須停下手來，談論一件往事……」

他微微一頓之後，突然放聲大笑，道：「這約法你未免太吃虧了，你只不過想了然你的父母是否死在我的手中，這賭注下得太大了，不是我易某誇口，中原武林道上數十年來的風雲變幻，人人事事，我易某人縱未參與，亦無不了然的內情，如若談將起來，三日三夜，也未必能夠談完。」

徐元平道：「我雖未親眼看到你殺死了我的恩師，亦知道你是殺我父母的兇手，但詳細經過之情，卻是一無所知，我要明白你為什麼要殺害我的父母，用什麼方法害了他們。」

易天行淡淡一笑，默然不答。

徐元平突然放下手中戮情劍，道：「在下手中之劍，太過鋒利，中人不死亦將重傷，在我心中有疑未得了然之前，我不願讓你傷亡在我的劍下。」

易天行解下腰間淬毒的飛刀，和手中的七星短劍，一齊丟在地上。

神丐宗濤冷笑一聲，喝道：「易天行，你身上尚有三支短劍，為什麼不取出來？」

易天行笑道：「不勞費心，」伸手入懷取出三支短劍，一併棄置地下，略一猶豫，又從懷裡摸出一道尺許長的，烏黑生光，形如鐵尺之物，笑道：「諸位可有人識得這件兵刃的嗎？」

群豪凝目望去，竟無人辨認出是何兵刃！只好都默然不言。

徐元平右手一拱，道：「易老前輩當心，在下要出手了。」欺身而上，拍出一掌。

易天行右手一揮，笑道：「不知徐世兄的掌力如何？」

雙掌相觸，響起一聲砰然輕震，徐元平被震退三步，易天行也向後退了一步。

徐元平一退即上，飛起一腳，踢向易天行小腹。

雙方的攻拒之勢，逐漸地轉趨激烈凌厲，拳來腳往，變化萬端。

徐元平打了一陣，傷口受到了震動，鮮血淋漓而下，落在地上，但他仍是揮掌飛腳，一味搶攻，神態豪壯，勇不可當。

不大工夫，兩人已相搏了二十餘回合，易天行突然一側，避開了徐元平的右掌，斜斜欺上，立掌如刀，急切而下，疾向徐元平左臂上斬去。

徐元平左臂受傷，轉動不靈，眼看掌勢劈來，卻是無法閃避。

紫衣少女冷哼一聲，正待開口相罵，忽見徐元平右手一轉，劈出的掌勢，突然折了回來，掃在易天行右手臂彎之處，易天行右臂突然垂了下來。

徐元平微一仰身，陡然向後退了三尺，一拱手，道：「承讓，承讓，在下幸勝一招。」一面運氣止住傷口的鮮血。

易天行淡然一笑，道：「你問吧，但只限於一人一事。」

徐元平道：「可是你殺了我的父母嗎？」

易天行答非所問地說道：「我已經說過，只限於一人一事，令尊、令堂二人兩事，豈可混為一談。」
徐元平道：「好吧！依你就是。家父是你殺害的嗎？」
易天行道：「可以說是，也可以說不是。」
徐元平道：「你這話是什麼意思？咱們立有信約，滿室皆是證人，難道你還要賴？」
易天行微微一笑，道：「在下之言字字真實，令尊之死，雖由在下傳諭緝殺，但並非我親手所殺。」
徐元平道：「縱非你親自動手，但令諭由你傳下，也算是罪魁禍首。」
易天行道：「在下並無推脫之意。」
徐元平道：「執行的兇手是誰？」
易天行笑道：「你找我算帳就是，不用牽扯別人。」
忽聽金老二大聲叫道：「平兒，是我，易天行要我生擒你的父親，五馬分屍，我怕他忍受不住痛楚，一刀把他殺死……」話未說完，猛然一頭直向石壁之上撞去。
徐元平萬沒料到，最受自己敬愛，視做茫茫人世間的唯一親人，竟然是親手殺死父親的兇手，一時間悲痛交集，愣在當地。
只聽砰然一聲，鮮血迸射，金老二已撞壁碎頭而亡，屍體倒在地上。
徐元平如夢初醒般，大聲叫道：「叔父，叔父……」急急地奔了過去，一把抓起金老二，眼看大半個腦袋撞碎，已然無救，忍不住淚如湧泉而下。
緩緩地放下了金老二的屍體，長嘯一聲，道：「易天行，咱們的血債上又加一筆。」

一招「神龍出雲」，直劈過去。

易天行右手一揮，拍出一股潛力，逼住了徐元平的掌勢，左手一招「回風拂柳」，還擊過去。

兩人這番動上手，打得更是猛烈，拳腳的變化，也愈見凶險猛惡，當真是生死存亡之搏，掌指襲擊之處，無一不是足以致人死地的要害，旁觀之人大有目不暇接之感。

忽聽易天行厲聲喝道：「小心了。」一把扣向了徐元平右腕脈穴。

徐元平道：「只怕未必見得。」五指一轉，劃在了易天行右腕之上。

易天行只覺腕脈一麻，去勢頓時一緩，徐元平接著飛起一腳，踢向小腹，迫得易天行疾快地向後退了兩步。

徐元平收掌立胸，肅然說道：「易天行，這一招算是不算？」

易天行左手托著右腕，說道：「自然是算了，你問吧！」

徐元平道：「我母親可是你殺的嗎？」

易天行搖頭說道：「不是！」

徐元平望了金老二的屍體一眼，道：「那又是我金叔父殺的，哼！反正他已經死了，你可以把諸般罪惡，盡都推加到他的身上。」

易天行冷笑一聲，道：「徐世兄把我易天行看成什麼人了……」

他仰臉長嘯一聲，吐出胸中一口積憤之氣，接道：「至於令堂，倒非金老二所殺。」

徐元平：「那是誰殺的？」

易天行道：「她在令尊的墳墓之前自絕而死。」

徐元平黯然一歎，道：「此言當真嗎？」

易天行道：「事關令堂的貞德節烈，在下怎能隨口胡言。」

徐元平道：「我父母的屍體，現葬何處？」

易天行道：「南嶽衡山，事隔十餘年，詳細的地方，我也記不起了。」

徐元平道：「好！這次該你先行出手。」

易天行欺身而進，一指點去。

徐元平側身避開，一連劈擊三掌。

兩人三度交手，都已不敢稍存輕視對方之心，全力爭取先機，掌勢的變化，愈見奇幻。

群豪冷眼旁觀，發覺徐元平的武功有如江河潮來，節節上升，每一次動手，必有新奇招術用出，但他傷口迸裂，休息時運氣把血止下，一動手立時重又迸裂，失血愈來愈多，內力已見不繼。

易天行雖然連爲徐元平突出的奇招所制，但他一直保持鎮靜之容，心神不亂，從從容容，激戰之中，徐元平突然使出了一招「西來梵音」，迎胸拍了過去。

不爲惱羞激怒。

易天行急施一招「閉窗推月」，幻起一片掌影，封住了門戶。

哪知徐元平掌勢突然一轉，竟從他幻起的一片掌影中直攻而入，掌勢直逼易天行的前胸。

易天行眼看徐元平掌勢直切而入，封架已然不及，半途改變心意，想以深厚的內力，反震對方。

原來他早已發現徐元平因失血過多，體力早感不支，這一掌縱然被他打中，也不致身受重傷，心念一轉，運氣右臂不避反迎，右肩疾快地向前一送，正好擊在徐元平推來的右掌之上。

徐元平原無傷人之心，是以掌勢逼近易天行前胸時，突然一緩，卻不料易天行運肩反擊過來，肩掌相觸，只覺一股強大的反彈之力，直衝過來，身不由己地向後退了兩步。

易天行明敗暗勝，淡淡一笑，道：「徐世兄的掌法精奇，在下又敗一招。」心中卻大感歡喜，暗道：原來他已成強弩之末，看來再過一陣工夫，不難取他性命。

徐元平暗中調息兩口真氣，說道：「這一招，咱們該是互無勝負，你內力強我……」

易天行接道：「徐世兄手下留情，在下才得未傷。」

徐元平暗道：如從比武規矩而言，我倒是已勝了他。

當下說道：「既是如此，在下還有一事請教。」

易天行道：「但請吩咐？」

徐元平：「有一位慧空大師，不知你是否相識？」

易天行：「久聞其名，未見其人！」

徐元平道：「你可知道他生平的事蹟嗎？」

易天行笑道：「當今武林之世，除了在下之外，只怕再也無人知道了……」

他目光一轉，掃掠了金老二一眼，又道：「如若其人未死，他該知道的更多一點，可惜……」

突聽那宮裝美婦叫道：「你是慧空大師的什麼人？」

徐元平聽得微微一愣，回頭望去。

只見那宮裝美婦莊嚴的神色中微現激動，清澈的雙目中，隱見淚光，心中大感奇怪，暗暗忖道：此人不知何以識得慧空大師……

還未來得及答話，易天行接口說道：「慧空其人，一代奇傑，出道江湖，不足三年，已然盛名傾注天下，震撼武林，可惜如曇花一現，很快就消聲匿跡，風聞他被師長囚於少林寺中，此後不知所終……」

他微微一頓，又道：「在他行蹤江湖之間，另有一段動人的愛情傳說，因爲雙方當事人，都是那時代武林中一時俊傑，慧空又是跳出紅塵十丈的空門中人，故而極爲轟動……」

只聽那宮裝美婦冷哼一聲，說道：「須知這石室之中，還有兩個知道慧空大師的生平事蹟之人，說錯一句，你就別想再活……」

只聽那青衣老叟冷哼一聲，緩緩閉上雙目。

宮裝美婦怒道：「你哼什麼？我姐姐已死了數十寒暑，你還吃的什麼乾醋？」

青衣老人雙目未睜，冷冷地接道：「可是你和慧空老僧，還沒有死啊！」

宮裝美婦怒道：「你爲什麼不殺了他？哼！可是你自知武功打他不過嗎？」

徐元平長歎一聲，說道：「兩位不要再吵了，慧空大師已然西歸靈山了。」

那宮裝美婦似餘怒未息，還待出言相罵，紫衣少女長歎一聲，說道：「娘啊！看在女兒份上，你就少說兩句好嗎？」緩緩地走了上來，偎在她的懷中。

徐元平回顧了易天行一眼，說道：「請說下去吧！」

易天行微微一笑道：「在下得先行說明，我並未見過慧空其人，有關他的傳說，也是道聽塗說而來，在下決不增減一句，就我所知，原盤端出，至於其人事蹟是功是過，在下……」

徐元平肅然說道：「慧空大師，一代高僧，才學品格，豈是常人能及，間有訛傳，定然是別人的流言中傷。」

易天行笑道：「在下姑妄言之，徐世兄姑妄聽之就是……」

他輕輕地咳了兩聲，說道：「當慧空出道江湖之前，中原武林道上，已然出現了一位神出鬼沒，行蹤飄忽的妖女……」

那宮裝美婦怒道：「什麼妖女？女英雄！」

易天行淡淡一笑，道：「就算她是女英雄吧，那位女英雄，以黑紗蒙面，醜怪無比，據說是因情場受挫，因而滿懷怨恨……」

那宮裝美婦尖聲喝道：「且慢說下去。」

易天行一拱手，道：「女英雄有何指教？」

宮裝美婦道：「我姐姐容色絕世，只不過她不願被俗凡的目光所見，才製了副人皮面具戴上。」

易天行笑道：「容或可信。如說她真的像傳言那樣醜怪，也不會使那位遁身空門、跳出紅塵的和尚動心了。」

徐元平凜然說道：「慧空大師志行高潔，受誣被囚，你的口舌之間，切莫傷到了他。」

易天行目光一掠那青衣老叟，大笑了一陣，接道：「就算他志行高潔吧。當他出道江湖之時，那位黑紗蒙面的女英雄，已然是名傾四海，威震武林了。中原道上高手，大都已被她收服，大江南北，已無人敢再答應她的挑戰……」

忽聽那青衣老叟冷哼一聲，雙目中暴射出兩道懾人的神光，冷冷地接道：「老夫要得聲明一事，就是慧空尚未和那女英雄相遇動手時，她已經受到了一次挫敗。」

易天行淡然一笑，道：「那挫敗蒙面女英雄的人，可是閣下嗎？」微微一頓，不待那青衣老叟接口，又道：「不錯，這件事在江湖上尚未聽人說過。大江南北，黑白兩道，無人不知道那縱橫武林，名動四海的女英雄，是敗在慧空大師手中，對於在慧空之前，仍受到一次挫敗的事，卻是從未聞及。」

青衣老叟道：「孤陋寡聞！」

易天行也不放在心上，目注徐元平身側戮情劍，道：「那位女英雄用的兵刃，就是徐世兄現在的戮情劍了。不過這柄劍並非自她所始，在她以前，戮情劍已然出現於江湖之上，用劍之人亦是一位女子，那位姑娘不知遇到了什麼樣的傷心事，內心中充滿著怨毒，不論何人，只要一對她動了惜愛之情，她就用這柄鋒利絕世的寶刃，刺入他心中，戮情劍由此得名……」

他縱聲一陣大笑後，接道：「可是色膽包天，在那女人絕世的容色誘惑之下，仍然有很多自負才貌，不畏死亡的武林同道，前仆後繼，勇往直前，企望一親芳擇，雖死無憾。是故不過數年光陰，死在戮情劍下之人，不下百名之多。於是，江湖上替那女人取了一個綽號叫『無情妃子』，一時流傳，武林中無處不談無情妃子與戮情劍其人其事。正當她的事蹟傳誦江湖之

時，無情妃子卻突然失蹤不見。她來得就像一股狂飆，吹亂了武林人心，之後又飄然遠颺。數十年後，江湖上又出現了一個蒙面女郎，仍然是用那一把戮情劍，手段之狠，較那無情妃子猶有過之而無不及，一時間盛名大著，黑白道上人物聞名喪膽。正當她聲譽大盛之時，江湖上出現了慧空大師，追蹤千里，決鬥於金陵郊外，慧空技勝一著，半夕苦戰，奪下她手中寶刃。這一戰使慧空在一夜間威震武林，少林寺在武林中的地位也隨之水漲船高。以後的事，大概是兩情相悅，慧空忘記自己已經是三寶弟子，鬧出了一段纏綿情愛，少林寺出動高手，由掌門方丈親自率領，生擒慧空回寺。據說那蒙面女子一往情深，曾經三探少林寺……」

微微一頓，接道：「這就是在下所知的慧空大師，一代豪俠，斷腸英雄。如不是少林寺生擒他回寺治罪，當今武林可能又是一番形勢。」

徐元平肅然說道：「在下是親眼看到慧空大師西歸靈山，聽他的話，似是和閣下之言有些出入。」

易天行道：「我只知這些，而且又事先說過，是道聽塗說而已，未必盡然……」

那宮裝美婦忽向青衣老叟問道：「我姐姐手中的戮情劍，是你故意送給她的，你並向她提到劍匣上有一處神秘古墓的詳圖，而墓穴內藏有玉蟬、金蝶等奇珍異寶，目的在誘使她到此地來尋寶，一旦她遇到險阻，你便可以扮演英雄救美，來騙取她的好感了，是不是？」

青衣老叟哂道：「我送歸我送，她持有戮情劍之後，會不會來尋此古墓，完全是她自己決定，我可沒有催過她。」

宮裝美婦冷笑道：「你卻想不到，我姐姐竟故意以比武輸招的緣故，將戮情劍轉給了慧

空，使你偷雞不著反而蝕把米……」

青衣老叟悶哼一聲，悻悻道：「她究竟是故意送給慧空，抑或是輸了賭注，不得不交出戮情劍，我也無從確知。但慧空將此劍攜入少林寺，因緣巧合，三十年後，反而由這少年人將這些武林菁英一併引入此古墓，使我得以一網打盡；這樣說來，你姐姐不啻爲我做了一件超過我原先期望的大事——」

那宮裝美婦嗤之以鼻道：「我姐姐愛的是慧空，她三次闖入少林去探他，因見不到他，後來鬱鬱以終，足見她從不曾爲你動情。」

青衣老叟冷冷道：「動情又如何？慧空還不是空留遺憾？」

宮裝美婦轉向徐元平道：「慧空當真是死了麼？」

徐元平道：「死了，在下在他遺體前哭拜甚久，豈能有錯。」

宮裝美婦茫然地凝視著眼前的空白，緩緩地說道：「死了嗎？死了就死了，你們還等什麼？再打……吧！」

她緩緩地說出「再打」兩字，話聲未了，易天行已欺身而進。

他既不抬手，亦不動足，只是身軀逼近了徐元平的身前，彷彿送上去挨打一般。

徐元平微微一怔，輕叱一聲，旋身錯步，斜斜一掌拍向易天行左肩。

易天行肩頭突然一沉，恰恰避過了徐元平的掌鋒，使得徐元平那一掌縱能觸及他的肩頭，卻已真力消竭，力不能穿魯縞。

便在這刹那之間，易天行雙腿突地連環踢出，只聽風聲響動，他已閃電般踢出九腳。

神州一君易天行自恃身分，與人動手之間，從不動足，但此刻乍一施展腳法，卻是絕妙絕倫，江湖少見，當真有如驚濤駭浪，衝擊不絕。

徐元平一掌落空，先機已失，不求有功，但求自保，雙掌翻飛，幻起一片掌影，護住全身。

群豪眼見他新招奇式，層出不窮，武功刻刻激升，都只道已失了三招的易天行，這一番必定又要敗在徐元平手中。

哪知人影閃動間，突聽徐元平大喝一聲，急退三步，沉聲道：「敗了一招。」

易天行微微笑道：「誰敗了一招？」

徐元平肅然道：「在下敗了一招！」

易天行朗聲一笑，道：「在下雖未失敗，卻也未獲全勝，不過是稍佔先機而已。徐世兄既然如此謙讓，就算在下勝了一招好了。」

徐元平沉聲道：「勝即是勝，敗即是敗，誰和你謙讓？」

易天行緩緩道：「既是在下勝了，徐世兄此刻是否便要聽命於在下？」

徐元平朗然道：「自然！」

他挺胸而立，神色間全無半分畏縮憂恐之態，旁觀群豪，卻不禁暗暗爲他擔心，都只道易天行這番勝了，怎會再將徐元平放過？數十道詢問的目光，不禁一齊望到易天行身上。

只見易天行悠然一笑，道：「你先砍下自己的雙手……」

群豪心頭不禁齊地一驚，俱都聳然變色。

哪知易天行已自悠悠接口道：「這幾字在下實在不願，也無顏說出口來。」

徐元平大喝一聲，怒道：「徐元平不要你得乖賣好，你便是砍下徐元平的腦袋，徐元平也不會皺一皺眉頭！」

易天行微微笑道：「徐世兄果然不愧是在下生平敵手，在下此刻只願問徐世兄一言！」

徐元平朗然道：「問什麼？」

易天行道：「你的武功精奇博奧，在下生平僅見，可是從慧空大師學到的嗎？」

徐元平沉吟了一陣，道：「不錯，他對我雖有傳藝之情，但我們之間，並無師徒名份！」

易天行道：「既無師徒名份，他如何肯傳你武功？需知私授武功，乃諸大門派中大忌之事。」

徐元平道：「他是賭輸給我！」

易天行道：「這倒是個很好的辦法，藉口賭技，相授武功……」，微微一頓，又道：「夠了，你現在可以再行出手。但有一事，在下要先行奉告，你如再被我勝了一招，咱們這一場比武就算結束了。」

徐元平道：「如果在下幸勝呢？」

易天行笑道：「如若我料斷不錯，你心中尚有甚多不解之事要問……」他突然縱聲長笑，雙目中神光閃閃地接道：「當初比武時立法有錯，你實在太吃虧了。」

徐元平仔細想來，實是不錯，除非在動手一口氣時把他殺死外，自己將坐失甚多制敵良機。

沉吟良久，突然抬頭說道：「下手輕重不同，如若在下還有勝你的機會，下手只怕是很重的了。」

易天行目光環掃了全室一眼，道：「咱們動手相搏，別人袖手觀火，還白白讓別人聽到了甚多武林秘辛……」

徐元平道：「事無不可對人言，在下倒未覺有何不對之處。」

易天行眼看徐元平經此一陣調息，臂上的創口已逐漸收合起來，流血漸止，立時大喝一聲，道：「徐世兄，當心了。」呼的一拳「直搗黃龍」，當胸襲去。

徐元平身子一側，避過一拳，駢起右手食、中二指，點向肋間。

易天行竟然也不用掌封架，輕輕一閃，讓避開去。

這次動手，兩人都顯得小心翼翼，不願用掌指硬封對方的攻勢，也不願硬拚內力，似是雙方都生出了極嚴謹的戒懼之心。

只見雙方的掌指攻出即收，只要一發現對方擺出破解之勢，不待招術變化，即時收回，轉瞬之間，已相搏五、六十回合。

突然徐元平一聲大喝，兩條人影，直撞一起。

漫天的掌影指風，同時收斂不見，兩人相搏由迅快地招數變化，變爲純以內力相搏，由動入靜。

凝目望去，只見兩人各出一掌，相抵在一起，靜立不動。

相持了片刻工夫，兩人的臉色，都開始泛現出輕微的艷紅，慢慢地閉上了雙目，似是每人都想把全身所有的氣力，集中在手掌上。

又相持了一刻工夫，兩人的臉上都開始滾滾落下汗水，脹紅的臉色也愈覺艷麗。

徐元平的傷口，又行迸裂，鮮血湧出，滴在石地上。

在一側觀戰的神丐宗濤，突然暗暗歎息一聲，忖道：他傷口流血不止，能夠撐到幾時？縱是內力武功高過易天行甚多，也難免要傷亡在對方手中，怎生想個法子助他一臂之力才好……

忽聽易天行輕哼一聲，手上壓力突增，身子陡向前進了一步，掌勢也向下壓了一寸。

徐元平冷笑一聲，立還顏色，元氣一提，一股熱力，由丹田直衝上來，貫注於右臂，微由掌心反擊出去。

易天行潛運內功，掌力正綿綿不絕地迫攻過去，突覺掌心一熱，一股至剛至猛的暗勁，反擊過來，心頭微微一驚，人也被震得向後退了兩步。

徐元平一擊得手，突然眼前一黑，幾乎栽倒在地上。

易天行藉機緩過來一口氣，揮掌還擊過去。

徐元平心知自己因失血過多，體力已呈不支了，再打下去，必定因失血增多而至全身癱軟，情勢已到了速戰速決之境，除非在二、三十回合之內，把易天行擊斃於掌下，再不然就只有停下手來，獲得足夠的調息時間，待體力復元時再戰，如若就這樣地再打下去，不出五十回合必暈倒在地上……

心中念頭百轉，手上卻加了攻勢，連出四招奇奧之學，逼得易天行手忙腳亂。

驀然間，響起一陣軋軋之聲。

那端坐一側的青衣老叟，突然冷笑一聲，道：「什麼人？」伸手向壁角拂去。

一陣石壁移動的聲音，在那宮裝美婦身後處，突然裂現出一座石門。

只聽一聲：「阿彌陀佛！」一個身著僧袍，手橫禪杖的老僧，大步而入。

這突然的變故，使場中搏鬥的徐元平和易天行，都不覺地停下手來。

徐元平回目一望，立時抱拳一禮，道：「老禪師別來無恙！」

來人正是指引徐元平闖入「悔心禪院」的慧因大師，在他身後，緊隨一長列少林僧侶。

但見八個身披紅色袈裟的和尚，一個個手橫禪杖，緩步而入，護擁著一個身披黃色袈裟的大和尚，那和尚懷抱綠玉佛杖，正是少林寺的掌門方丈元通大師。

在他身後緊隨背負銅鈸的慧果大師。

一個身著道袍，背負長劍，仙風飄飄的道長，緊隨慧果而入。

易天行放聲大笑道：「好啊！少林、武當兩大主宰武林命運門派的掌門人，都到了。」

元通大師淡然一笑，合掌說道：「阿彌陀佛！諸位英雄都已先到一步了。」

那佩劍道長，乃武當派掌門人天齊道長，單掌立胸笑道：「江湖上九大門派，無不關心這一場古墓之戰，各派掌門人，皆親率高手趕來……」

那青衣老叟突然冷笑一聲，接道：「當真是一場盛會，何不請入一見？」

元通大師冷冷地接道：「只要你能使貧僧和天齊道兄傷死在這石室之中，何愁九大門派中人不效飛蛾撲火？」

青衣老叟道：「諸位如若想死，並非什麼難事！」
忽見徐元平臉上現出一層慈和的笑意，說道：「易天行……」
易天行回顧了徐元平一眼，愕然說道：「什麼事？」
徐元平指指身側的戮情劍道：「我父母可曾做過什麼惡事嗎？」
易天行道：「令尊？殺人無數，兩手血腥，南嶽三傑都算不得好人！」
徐元平長歎一聲說道：「天下沒有不是的父親，我父母縱非好人，這個仇我也得報，你快些撿起戮情劍自絕了吧！」
他說話神情自然，毫不牽強，叫人無法不信。
易天行道：「爲什麼？」
徐元平道：「我想起了幾招手法、武功，決然非你能敵，你如想保全一世英名，那就舉劍自裁吧！」
易天行呆了一呆，道：「在下雖然相信徐世兄出言至誠，但卻仍存了幾分僥倖之心。」
徐元平道：「好！人數愈來愈多，咱們得快些了斷你我間的事！」遂舉手一掌拍了過去。
易天行微微一笑，道：「好啊！看來咱們今天是非得分出生死了。」便也揮掌接去。
徐元平這一掌拍出，看似輕描淡寫，但易天行一掌接實，卻感覺心頭一震，內腑之中，感受到極大的壓力，不自禁地向後退了一步。
徐元平掌勢一收，隨即拍出，又是虛飄飄的一擊按了下來。
易天行看他這次拍擊過來的一掌，和上次一般的輕描淡寫，不敢再揮掌硬接，身子一側，

橫向旁邊閃了開去。

哪知徐元平身子一轉，緩慢的掌勢，突然轉變得迅快絕倫，追著易天行轉動的身子，擊了過去。

易天行原擬閃避徐元平一擊之後，再行運掌反擊，卻不料徐元平的追擊掌勢來得如此迅快，但覺左臂一麻，已爲對方掌勢擊中，登時筋斷骨折，劇疼刺心。

徐元平一掌擊中，人卻一躍而退，探手撿起了戮情劍，道：「你快些撿起兵刃。」

只見易天行兩頰上，黃豆大小的汗珠兒，一顆接一顆滾了下來，靜靜地站著不動，好似未曾聽見徐元平的喝叫之聲。

徐元平揚劍一揮，道：「易天行，快些撿起兵刃……」

易天行突然微微一笑，緩緩地說道：「在下左臂已斷，在一盞熱茶工夫之內，恐怕不能動手。」

徐元平微微一怔，道：「好吧！那我就等你一盞熱茶工夫。」

元通大師回顧了身側的慧果大師一眼，低聲說道：「去討回咱們的戮情劍吧！」

慧果應了一聲，高叫道：「徐元平！」

徐元平心中對慧果和元通大師，早有成見，聽得呼叫之聲冷冷地應道：「什麼事？」

慧果道：「你取用本寺的戮情劍，幾時交還？」

徐元平縱聲笑道：「這寶劍嗎？不錯，確似由貴寺所得……」

慧果厲聲喝道：「既由本寺所得，那自然是我們少林寺中之物了。」

徐元平道：「但在下既非偷竊，又非取用，乃打賭贏來之物，諸位要討這寶刃不難，除非慧空大師復生……」

元通大師厲聲喝道：「住口……」

徐元平冷冷地說道：「在下並非少林派中之人，大師言詞最好是客氣一點。」

元通大師回顧了天齊道長一眼，道：「道兄，此人這等狂妄，實叫貧僧難以忍耐下胸中之氣。」

天齊道長道：「待貧道問他幾句……」便目注徐元平說道：「施主貴姓？貧道受元通大師之邀，爲中原武林同道謀命，合力一會南海神叟，不願眼看著我中原武林同道，鬧出自相殘殺之局，故而想奉勸徐大俠幾句！」

徐元平道：「願聞高論！」

天齊道長道：「戮情劍隱失江湖數十年，此刻重現於這古墓之中，當真是開了一次眼界，只不知此劍來自何處？」

徐元平略一沉吟，道：「此劍雖來自少林寺中，但並非在下私自竊取。」

天齊道長笑道：「那是打賭贏來的了。」

徐元平道：「不錯。」

天齊道長道：「那輸劍之人是誰？」

徐元平道：「慧空大師。」

天齊道長道：「姑不論徐大俠此劍來法如何？但此劍確爲少林寺所有，那是不錯的了！爲

免傷中原武林同道和氣，徐大俠給予貧道一個薄面，原劍璧歸少林……徐大俠賭勝得劍，貧道願重效故技，再和徐大快賭上一賭。」

徐元平道：「如若少林寺元通大師，能夠憑良心答覆在下心中一件疑問，不用相賭，在下即可把戮情劍，原物奉還少林！」

天齊道長道：「什麼疑問？」

徐元平目注元通大師，冷冷說道：「佛門中講求因果報應，你說一句虛言，當心被打入十八層地獄之中……」而後突然嚴厲地說道：「你們少林上兩代掌門方丈，是怎麼死的？」

這一句話大出意外，場中之人，無不凝神而聽。

元通大師似是被徐元平的豪壯氣勢所懾，呆了一呆，才道：「當今之世，有誰不知是抱病而終……」

徐元平大聲吼道：「你這話可是從良心說出的嗎？」

元通大師微微一愣，答不出話。

徐元平高聲接道：「可是你串通師父害死的嗎？」

元通大師神志似是恢復了清醒，怒聲高喝道：「你胡說些什麼……」

徐元平長嘯一聲，朗朗接道：「我日夜思索此事，終於被我想通了，令師祖長徒慧空，是何等才氣之人，千古奇傑，一代人賢，雖因嫉惡，沾了殺孽，那也不該落得終身囚禁……」

元通大師冷冷地接道：「請慧因師叔出手，斃此瘋癲之人，以免傷了咱們少林寺的聲譽。」

慧因滿臉悲痛之色，合掌說道：「老衲之意，讓他說完了，再殺他不遲。」

徐元平厲聲接道：「令師祖罰慧空面壁幽室，只不過是讓其藉機參悟絕學，精研禪理，然再接掌門戶，以光大少林一宗武學，是以送他面壁幽室之時，曾有三年面壁之訓……」

元通大師厲聲喝道：「快給我斃此狂徒，免得玷污我們少林清白的聲名……」

兩個身披紅色袈裟的和尚，突然齊齊地向前衝了兩步，舉掌拍去。

徐元平身軀疾閃，避開了左面一擊，右掌一揮，硬接右側一掌，接道：「諸位大師容或不信在下，但諸位少林寺中甚有身分的高僧，想想當時的情景，當可知在下並非信口開河……」

左面的和尚雙掌本已並列排出，但卻又突然收了回去，退回原位。

元通大師怒火高燒，厲聲對幾個身著紅色袈裟的和尚叱道：「你們爲何都站著不動，難道不知本門規法森嚴嗎？」

群僧齊齊地合掌當胸，高喧佛號，垂首不語。

慧因突然插口說道：「掌門方丈息怒，這位徐施主一提，倒使老衲想起一件事了！老衲行腳關外，師父正臥病，言詞之間，告誡老衲，至遲不得超過三年回寺，以賀慧空接掌門戶大典……」

元通大師臉色一片赤紅，怒聲喝道：「住口，難道你認爲本座手中的綠玉佛杖，不能擊斃長輩嗎？」

慧空面色肅穆，莊嚴地說道：「老衲怎敢抗拒綠玉佛令。」

元通大師一揮禪杖，道：「既不敢抗拒綠玉佛令，那就快接法諭。」

慧因合掌當胸，垂首應道：「恭候法諭。」

元通大師高舉綠玉佛杖，緩步走了過去，眉宇間殺機閃動。

徐元平突然一側身子，攔住了元通大師去路。

兩個身著紅色袈裟的和尚，一左一右地閃了出來，各出一掌攻向徐元平。

要知群僧雖然對元通大師動了懷疑，但對他掌門的身分，仍極敬重，是以徐元平一攔元通大師去路，兩僧出手攻去。

徐元平似是不願和少林僧侶動手，是以縱身讓避開去，回頭對天齊道長說道：「道長身分崇高，一言九鼎，還望主持公道。」

天齊道長為難地歎一口氣，高聲說道：「元通道兄。」

元通大師頭也不回，隨口應了一聲，在群僧兩側相護之下，突然加快了腳步，衝向慧因大師，舉起綠玉佛杖，迎頭劈下。

慧因眼看綠玉佛杖劈了下來，既不敢閃身讓避，亦不敢運氣相抗，一閉雙目，歎道：「慧空師兄陰靈有知，等我一步同上極樂。」

忽聽一聲春雷般的大喝，一股強厲的掌風，直撞過來，震開了綠玉佛杖。

元通大師抬頭望去，只見一個蓬髮草履，身背紅漆葫蘆的老人走了過來，便怒聲喝道：「什麼人？」

那人冷笑一聲，道：「你連老叫化子也不認識嗎？」

元通大師綠玉佛杖一指慧果說道：「請慧果師叔出手，斃了這老叫化子。」

慧果縱身而上，冷冷喝道：「宗濤，我勸你少管閒事。」

神丐宗濤笑道：「老叫化一生沒有別的毛病，就是愛管閒事。」

慧果怒聲喝道：「你自尋死路！」呼的一掌，迎胸拍去。

宗濤右掌一揮，接下慧果一擊，人卻被震得向後退了一步。

慧果雙掌連環劈出，一招緊過一招地逼攻過去。

他內功深厚，發出掌力，一掌強過一掌，三、五回合後，兩人已入了性命相搏之境。

元通突然朗聲說道：「少林叛徒，抗拒綠玉佛令，律合處死。」

群僧齊聲高呼道：「掌門人手下留情，慧因大師乃目下寺中僅存慧字二大高僧之一，掌門人豈可遽而下令處死……」

元通大師厲聲接道：「容或有過激之舉，有本座一身擔待。」一揮綠玉佛杖，疾急地直向慧因頭上擊去。

徐元平看得心頭大急，但他與慧因之間，相隔有一排身穿紅色袈裟的僧侶，雖有相救之心，但勢非能力所及。

眼看一代高僧，就要殞命在綠玉佛杖之下，那閉目養息的易天行，突然一睜雙目，兩道神光暴射而出，冷冷喝道：「元通住手。」喝聲中疾快地點出一指，襲向元通大師的前胸要穴。

這一擊迅如雷奔，兩側相護的僧侶，心中不願慧因傷在元通的綠玉佛杖之下，出手封擋之勢，故意一緩。其實，易天行指襲如風，那相護僧侶縱然全速出手相救，也是封擋不及的。

形勢逼得元通大師不得不向後疾躍而退，他一杖固可把慧因擊斃，但自身亦難逃過易天行

指中要穴之危。

易天行一指逼開了元通大師，兩側相衛元通的兩僧掌勢，也一左一右地襲到。

易天行冷笑一聲，雙腳齊飛，逼退兩僧，說道：「世人均說我易某人心地險惡，野心勃勃，卻不知一向被譽爲領尊武林，自號正大門派的少林寺，卻發生了大逆不道的殺師慘局，而且一演再演！」

元通大師一張白胖的圓臉，早已氣成了豬肝顏色，厲聲喝道：「易天行，你胡說什麼……」

易天行縱聲長笑，道：「你心中害怕了嗎？大丈夫敢作敢爲，有什麼好害怕的？」

只聽砰砰兩掌，慧果和神丐，又硬接硬打了兩招。

慧果大聲喝道：「好個叫化子，你在哪裡偷學了我們少林的武功？」

神丐宗濤笑道：「達摩祖師親自教老叫化的，要我替你們少林寺整理門戶，清除孽徒。」呼呼二招，盡是少林寺不傳之秘的鎭山絕學。

只見元通大師連揮綠玉佛杖，催迫群僧，攻向了易天行。

進入古墓的少林寺僧侶，都是少林寺百中選一的高手，數人聯手群攻，威力何等強猛！易天行縱未受傷，也是難以抵擋，何況他一臂已廢，所幸少林群僧，已對元通動了懷疑，不願殺死易天行滅去活口，動手之間，暗自留情，易天行才能勉強支撐不敗。

但動手相拆了數十招後，少林僧人縱然手下留情，易天行亦已漸感不支。

元通大師手揮綠玉佛杖，急向易天行連攻七招，口中並向少林群僧厲喝道：「五十招內，若不能取易天行性命，立以門規處治！」

少林群僧知道掌門人已看破自己乃是手下留情，心頭一凜，全力攻上。

易天行本已心支力絀，此刻更是招架乏力，數招之間，他便已險象環生，看樣子無須五十招，便要喪生在少林群僧的拳風掌影之下。

楊文堯、千毒谷主等人，背負雙手，作壁上觀，神態雖似頗為悠閒，心中卻不免大感惶亂，誰也猜不出今日之事，如何結局。

那面南海門人，亦已悄悄結為一群，只見那青衣老人嘴唇微動，正以「傳音入密」之術，傳令於門下弟子。

駝矮兩叟、梅娘、王冠中，以及那紅衣缺腿的大漢，神情俱是十分凝重，各自悄然展動身形，佔據了四面扼要之處。

紫衣少女面對易天行動手之局，似是異常留心這一場搏鬥的勝敗。

就在易天行生死俄頃之際，突聽徐元平輕叱一聲，一掌擊向元通大師的肩頭。

他與易天行力拚數局後，此刻非但全無氣力難支之象，而且內力竟然更是凌厲。

元通大師甩肩擰腰，綠玉佛杖斜斜擊出，反點徐元平的腕脈要穴。

徐元平縱身一躍，竟撇下了他，向另外八個少林僧人一連拍出七掌。

這七掌招式之奇奧，使得旁觀群豪俱都為之聳然動容。

少林群僧武功雖高，卻也被這突然凌厲的攻勢，迫得章法大亂。

易天行鬆了一口氣，精神立振，一掌翻飛，奇學迭出，力掃群僧。

元通大師厲叱一聲：「妄退者死！」

少林群僧身形一閃，亂隊復整，又自攻上，拳風掌影，將易天行、徐元平兩人圍在中間。

他兩人雖是勢不兩立的深仇大敵，但此刻的情勢，卻逼得他們聯手對敵起來。在剎那之間，兩人是敵是友，連他們自己也分不清楚了。

在一側的慧果與宗濤，早已動手相搏了百餘招。

慧果正宗少林武功的施展，更激發了宗濤的思路，許多他不甚明瞭的達摩武功真訣，此刻竟能運用自如起來，拳勢變化，有如譎波詭雲，愈戰愈勇。

慧果初動手時取得的優勢，已被宗濤連出奇招，擋了回來，維持個不勝不敗之局，看樣子，兩個人已不是百招內，能夠分出勝敗。

元通大師似是已下定了決心，非得把徐元平、易天行等殺死不可，憑仗那綠玉佛杖的神威，一味地催群僧全力出手猛攻。

八個身披紅色袈裟的僧侶們，已然全都捲入搏鬥的漩渦，連同元通九個人，合力圍攻徐元平和易天行兩人。

少林群僧中，只有慧因大師一個人尚未出手。

易天行在群僧全力圍攻之下，逐漸地呈現疲睏，他一臂廢殘，單用一掌拒敵，尚未習慣，搏鬥之間，顧此失彼，常露破綻。

徐元平和他聯手拒敵，不得不兼顧他的安危，常常飛腳發掌解他之危，這一來，使他的凌厲反擊之勢，大爲減弱。

激戰之中，忽聽元通大師高聲喝道：「慧因師伯，你如不肯戴罪立功，本座以掌門身分，再傳綠玉佛令，命你立時自碎天靈要穴，以抵兩抗綠玉佛令之罪。」霍然向後躍退，高舉起綠玉佛杖。

慧因凝目望著那沿傳數十代、積威千百年的綠玉佛杖，神情間大為激動，顯然，這位道行深遠的高僧，在從命與抗命之間，大感費疑，不知何去何從。

徐元平心知慧因的武功，在眼下群豪中，是最強的一人，他如在綠玉佛令迫逼之下出手，這勉可維持的均勢，立時將被他打破。

回顧群豪，一個個背手而立，神情之間雖然流露出關心這場激烈之戰，但都無出手相助之意，是極怕開罪了少林一派。

只聽慧因長歎一聲，道：「掌門人如允諾回寺之後，立即召開長老大會，老衲就遵命出手，如若掌門人不允此請，老衲就只有坐以待綠玉佛杖擊頂了。」言下之意，並無自碎天靈要穴之心。

元通大師略一沉吟，道：「好吧，本座應你之請，回寺之後，立即召開長老大會。」

慧因道：「老衲敬領綠玉佛令。」目光一轉，低聲喝道：「閃開。」

兩個身著紅色袈裟的和尚，應聲閃退兩側，慧因欺身上了一步，一掌拍向易天行的後背。

易天行正封拒當面兩僧攻來的掌勢，對身後擊來一掌，顯然已無法兼顧。

徐元平知慧因掌力雄渾，這一掌如被他印上易天行的後背，非得當場殞命不可，急急地一個旋身翻了來，左掌一揚，接下一擊。

出。

雙掌接實，徐元平被震得向後退了一步，剛剛止血的左臂劍傷，重又破裂，鮮血急湧而出。

慧因微微一怔，徐元平已藉機掣出了戮情寶劍。

元通大師突然衝過來，綠玉拂杖一揮，點向徐元平的背心，徐元平圈臂一撩，寶刃斜斜向杖上斬去。

慧因沉喝一聲，一指點將過去，一縷凌厲的勁道，劃帶起一股尖嘯風聲。

需知那綠玉佛杖，乃少林寺中行使權令的象徵，戮情劍乃鋒芒絕世的寶刃，這一劍一杖，如若碰在一起，綠玉佛杖勢必為寶刃所傷不可，此杖如若傷毀在徐元平的手中，那等於砸了少林寺的招牌，勢將引起群僧拚命之心。

慧因心中之事，不便出口，只好全力攻出一指，迫使徐元平退避開去。

果然，徐元平認得這一指的厲害，匆匆躍避開去。

凌厲指力，急劃而過，同時阻擋了群僧追襲之勢。

元通大師急急喝道：「慧因師叔，請阻擋住徐元平，別再讓他衝了過來。」隨即綠玉佛杖一緊，攻向易天行。顯然的，元通大師已存心各個擊破，先殺了易天行，再全力攻向徐元平。

慧因大師應聲一橫身子，攔住了徐元平。

徐元平戮情劍平胸而舉，雙目中神光閃動，冷冷地喝道：「大師乃我徐元平最為敬重之人，在下不願和大師動手。」

慧因道：「對敵相搏，各憑武功取勝，施主儘管全力出手，老衲縱傷劍下，亦無怨言。」

徐元平劍眉聳動，仰天一陣大笑，道：「想不到名震江湖，號稱領袖武林的少林、武當兩大門派，竟然都是不守信義之人，那就無怪江湖中人勾心鬥角，各極陰毒了。」

這幾句話，字字如箭，射入了天齊道長心中，只見他一翻手腕，拔出背上長劍，用指彈了一彈，厲聲喝道：「元通道兄，如不肯賞給貧道一個薄面，貧道只有被迫出手了。」

元通大師聽得心頭一震，一面施展「傳音入密」之術，指示群僧全力出手，務必在十回合之內擊斃易天行，自己又收了綠玉佛杖，急急退下，緩步向天齊道長走了過去，說道：「道兄可是對貧僧說話麼？」

天齊道長道：「貧道面允徐元平兩面作保，代道兄討回戮情寶劍之言，道兄想是聽到了。」

元通大師道：「聽雖聽到一些，但卻不大清楚，道兄最好能再說一遍。」

他有意拖延時間，殺了易天行，造成既成之局，天齊道長縱然想出手干涉，也是無從下手了，單餘下一個徐元平，稍後再設法對付他。

忽聽徐元平長嘯一聲，面色肅然地對慧因說道：「大師既不肯爲弟子留步餘地，也該念到師長不白之死，慧空大師終生被囚的蒙冤之苦……」

慧因低喧了一聲佛號，道：「少林寺掌門人的權威，一向至高無上，綠玉佛杖更是沿傳數十代的權令信物，老衲何敢抗命？」

徐元平長歎一聲，道：「權令之物，竟有這等威勢，在下出道不久，已見它兩度爲害了……」而後聲音突轉嚴厲，道：「情勢迫我出手，大師勿怪。」

揮手一劍「魂斷望鄉台」，劍尖閃了幾閃，幻出三朵劍花，指襲向慧因大師。

慧因大袖一拂，掃出一股暗勁，一擋劍勢，右掌急急地拍出一招「金剛舒臂」，想封住徐元平的劍勢。

只聽徐元平冷肅地說道：「老禪師當心了。」劍勢忽然變了一招「金輪九轉」，但見寒光閃動，劍氣漫天，四面八方襲到。

這一招乃徐元平新近悟出的劍招，正是《達摩易筋經》三大絕招之一，他眼看易天行已成招架不住之勢，心中大爲焦急，一時急怒上衝，不自禁地用出絕學。

慧因長袖疾揮，飄飄而退。

只聽兩聲悶哼，已有兩個身披紅色袈裟的和尙，傷在劍下，鮮血透出那紅色的袈裟，滴在石地之上。

易天行壓力忽減，精神一振，雙腳連環飛擊，踢中一僧。

徐元平劍勢連變，逼迫群僧，高聲說道：「諸位師父，弟子和各位大師無怨無仇，少林寺在江湖上的聲譽，一向清高，但良田不無莠草，在下只望把慧空大師被囚之事，揭露出來，至於如何懲治惡徒，那是貴派中內部之事，在下也不便多問。」

群僧既被他精奇的劍招震懾，又想起上兩代變故內情，果然都停手不動。

徐元平回顧了易天行一眼，道：「老前輩可否把少林寺近兩代恩怨變故，說將出來，以昭大信，免得少林門下諸位師父疑心咱們有意挑撥？」

易天行縱聲長笑道：「咱們是敵是友，連我易某人也有些分不清楚了！」

只聽砰然一聲，慧果和神丐宗濤，又硬打硬接了一招。

宗濤被震得向後退了兩步，慧果大師也向後退了一步。

徐元平大聲喝道：「兩位老前輩暫請住手，待弄清楚了恩怨是非，再打不遲。」

慧果目光一轉，看群僧盡皆停下了手，也只好退到一側。

事實上，宗濤的絕招愈打愈奇，慧果早已失去了制勝之心，再打下去，鹿死誰手，甚難判論。

易天行目光環掃了一周後，說道：「少林寺上兩代的恩怨，在下雖非目見，但卻敢保證這是千真萬確的事……」伸手抓起了金老二的屍體，接道：「元通，你仔細看看，可識得此人麼？」

金老二碰壁而死，半個腦袋，都已碎裂，血肉模糊，元通藉機搖搖頭道：「不認識。」

易天行笑道：「可惜他早死了一步，沒有活口和你對質，不過在下還保有一樣東西。」探手入懷，取出一座古銅小佛，高高舉在手中，說道：「諸位師兄，可識得這座小佛嗎？」

群僧目光一掠那金色的小佛，立時臉色大變，目光轉動，投注到元通大師的臉上。

只聽元通大師冷笑道：「金佛雕像，何奇之有？這算是什麼證信之物……」一揮綠玉佛杖，接道：「本座再傳綠玉佛令……」

徐元平厲聲喝道：「住口，你如自信是清白之人，何以不待易天行把話說完。」

慧因突然一聳慧眉，道：「那座金色佛像，極似咱們少林寺三座金佛之一……」

元通大師似已亂了方寸，厲聲喝道：「是又怎樣？」

慧因微微一怔，道：「掌門人暫請息怒，一座金色佛像，豈能證實掌門方丈有什麼大逆不道之行？如若易天行有意栽誣，諒他今日難逸性命之厄……」

易天行哈哈大笑，道：「如若在下說的是句句真實呢……」

群僧面面相覷，默然不語。

易天行揚了揚金色佛像，道：「這座佛像，乃貴寺中掌門方丈親手送交金老二，由金老二轉交在下保存……」他目注元通，厲聲喝道：「元通，在下之言對不對？」

元通大師心中有鬼，目睹易天行嚴厲之色，不禁微微一怔，一時間答不上話。

易天行道：「你既然不敢答應，那是默認此事了。你送金老二這座佛像時，曾經許諾他，只要憑此佛像，不論何等大事，少林寺都替他擔待下來。」

元通大師眼看眾僧已爲易天行言詞所動，心中縱甚惱怒，也是不便發作。況他生性陰沉，略一沉思，已恢復了鎮靜，便冷冷地說道：「金老二何許人物？本座是何等身分，豈肯對他有所承諾？」

易天行笑道：「問題就在這裡了！少林寺掌門之人，是何等受人尊仰？但卻把隨身攜帶的金佛，送給一個武林聲名不著之人……」

元通大師冷冷一笑接道：「江湖之上，有誰不知你易天行僞善行惡，極善心機，一座金佛何以不可僞造……」

目光一掠易天行，接道：「舉出一個死無對證之人，編出一套聳人聽聞之事，這辦法真是高明得很，用心也夠惡毒了。」

易天行一皺眉頭，道：「一個出家之人，心機這等陰沉，無怪你能主謀大局，連殺兩代師長了。」

他的字字句句，都如利劍一般，洞穿了元通大師的心。

但陰沉的元通大師，竟然仍能保持鎮靜之容，淡淡一笑，道：「貧僧本該急傳綠玉佛令，立時置你死地，但你編造的聳人聽聞之言，已使人懷疑，本座索性由你說完謊言，弄個水落石出。」

易天行道：「你當真是沉得住氣……」一面高舉金佛，一面接道：「目下的關鍵，是這金佛是否偽製了，如若貴寺中人，能夠鑒別出這佛是貴寺的，不知你還有什麼話說？」

元通大師道：「少林寺三座金色佛像，現存放在『藏經閣』了，那閣中放了少林寺七十二種絕技真訣，以及天下武林人物，人人欲得的《達摩易筋經》，本座確信能進入那『藏經閣』之人，決不至只竊取一座金佛。」

易天行道：「唉！你這般的能言善辯，處處避重就輕，看來今日不費上一番口舌，實難使你俯首認罪了……」

語音一頓，回目望著慧因大師，接道：「大師乃目下少林一派中僅餘的長老之一，想必見過那三座金佛，你先鑒別一下，此物是否為少林所有？」一抬手，把金佛投擲向慧因大師。

慧因大師接過金佛，仔細地瞧了一陣，臉色大變。

元通大師道：「師伯可看出偽造的破綻了嗎？」

慧因大師道：「這個，這個……據老衲鑒識，這金佛似非偽造。」

元通大師道：「有這等事？拿給本座瞧瞧！」

慧因大師略一猶豫，把手中的金佛遞了過去。

元通大師接過金佛，翻來覆去地看了一陣，臉色突然一沉，肅然說道：「果非僞造之物。」

眾僧聽他承認，不知是喜是驚，都不禁爲之一呆。

易天行冷笑一聲道：「好一個刁猾險詐之人，可惜你今日遇上我易天行了……」

元通大師臉色一整，目光炯炯，環掃了群僧一眼，道：「藏經閣金佛居然失竊，本座何以一直未得稟報？」

群僧面面相覷，不知如何答覆。

元通大師緩緩地收了金佛，冷厲地說道：「易天行，武林傳言，你在各大門派，以及二谷、三堡之中，全都派有臥底之人，既能神不知鬼不覺的竊取了我們少林寺中金佛，想來偷竊之物，定然不少？」

他言語之間，暗含挑撥之意，想把易天行造成眾矢之的。

徐元平長歎一聲，說道：「易老前輩，你和他這般相辯，不知要辯到幾時？在下之意，易老前輩請把胸中所知，直說出來，不論少林寺諸位師父信與不信，咱們就算盡了心意。」

易天行道：「這也是個辦法……」

微微一頓，接道：「諸位師父都知道慧空大師是貴寺中數百年難得的一位奇才。其實他的才華，何只突出於貴寺，就整個武林而論，也是三百年來不見古人的一位奇才，上天賦他絕世的才華，但卻使他被囚一生，含恨而逝……」

忽聽那青衣老叟冷哼一聲……

那宮裝美婦不容那青衣老叟開口，立時接道：「你哼什麼？難道你還強得過他不成？」

青衣老叟似是不願和宮裝美婦衝突，立時默然不言。

易天行沉吟了一陣，接道：「二十年前的一個仲秋之夜，貴寺中慧字一輩的掌門人，身患急症而逝，諸位師父想必還未忘記。」

慧因大師道：「不錯，慧生師弟圓寂距今，剛好二十寒暑，老衲行腳西域，歸來時剛好八月十六，掌門師弟已氣絕半日之久了。」

易天行道：「慧生大師死於元通暗下的奇毒之上，但慧生死前的迴光返照，發覺了元通下毒之事，曾經大罵元通，當時元通還誤認奇毒失效，師父中毒不深，不敢出言反抗，故而跪地求饒，連連告罪，說是身受七師叔指示，才在茶中下毒……」

慧因大師微微一怔，道：「七師叔……」目光投注到慧果臉上，道：「七師弟，可有這件事嗎？」

慧果大師臉色一變，突然合掌說道：「師兄恕罪……」而後緩緩地閉上雙目，坐了下去。

元通大師一皺眉頭，厲聲喝道：「師叔如無此事，何以不肯出言相辯？」

他一連叱呼數聲，不聞慧果相應之言。

慧因大師長歎一聲道：「他已暗用小天星重手法，自震內腑而死，氣絕多時了。」

元通大師呆了一呆，緩步地向慧果走了過去。

所有人的目光，都投注在元通的臉上，只見他一步一步地走到了慧果的身側。

慧因大師突然高喧一聲佛號道：「易天行有意誣傷，掌門人萬勿受愚……」這一位德高望重的老和尚，忽然回想到少林寺在武林中的清高聲譽，本門的不幸恨事，豈能當著這麼多武林高手之前揭露出來？

只見元通大師緩緩地舉起了綠玉佛杖，道：「慧因師伯……」

慧因大師合掌欠身，急聲應道：「老衲在，掌門人有何吩咐？」

元通大師面色慘白，肅然說道：「這綠玉佛杖已在我們少林寺中傳了二十六代，權高令重，高過掌門，本座敬以權杖賜授師伯。」

慧因大師一怔道：「這個老衲如何敢受？」謙辭之間，元通大師已大步走了過來，沉聲大喝道：「師伯接杖！」一揮手，硬把綠玉佛杖投了過去。

這代表少林一派的權威之杖，受著少林僧侶無比的尊重，群僧一見綠玉佛杖脫手，齊齊合掌驚叫。

慧因大師一聳慈眉，伸手抓住了綠玉佛杖。

只聽元通歎道：「易天行說得不錯，本座確然犯了謀殺師長的大罪，那金佛也是我相贈給金老二的，這其間牽扯了上兩代師長間的恩怨，本座已有詳細記述，現在方丈室雲床之一座木箱內，師伯回寺後，憑權杖開啓木箱，當可了然諸般詳細經過，本座謀得權位，輕以本寺之寶送人，深覺愧對歷代師祖，實無顏再生人世了……」

慧因大師一個箭步，竄了上去，道：「掌門人且慢自輕……」

元通大師圓睜雙目，大聲喝道：「快退開去。」舉手一掌，直向慧因大師前胸推去。

慧因大師側身一讓，元通大師已迅快地揮動右手，猛向自己前胸一按。

群僧齊聲大喝，伸手欲救。

只見元通大師右手一拂前胸，立時收回，但他的「玄機」要穴之上，已多了一把直沒及柄的短劍。

群僧想不到他袖中早已暗藏兵刃，眼看救援不及，只好向後退去。

只見元通大師走近石壁，取出懷中金佛擺好，面佛跪了下去，高聲說道：「弟子身犯大逆不道之罪，願在我佛面前懺悔……」右手一揮，拔出前胸短劍，鮮血激射而出。

慧因大師呆了一呆道：「收了兩人屍體。」

四個身披紅色袈裟的和尙，應聲而上，把慧果大師、元通大師兩人屍體負在背上。

慧因大師緩緩地把兩道目光，移注在徐元平的臉上，嚴肅地說道：「你替我們少林寺洗刷了兩代含冤，但也傷損了少林寺在江湖數百年的清高聲譽，老衲真不知該視你作敵作友？」

徐元平淡淡一笑，道：「敵友之分，但憑大師心念……」仰起頭，縱聲大笑一陣，道：「兩樁心願已完其一，再能報得父母之仇，死而何憾。」

# 四十　英雄肝膽

這時，南海門中人已然分佈於各處要隘，冷眼旁觀著中原群豪的一舉一動，看樣子，先待中原群豪自相殘殺之後，再行出手。

易天行逼死了元通大師後，心知已到山窮水盡之境，二谷、三堡中人，似是已難再和他聯手，徐元平又心切父母大仇，不顧目下大局，勢必要和自己拚個生死出來不可，眼下唯一逃生之路，就是出其不意地衝入少林寺僧來時的甬道，但那甬道卻是南海門下武功最強的梅娘把守，橫看豎看，生機已渺，是以一語不發，暗中運氣調息，盡量使體力恢復，他已看清了目下的環境，多一分力量，就多一分生機。

慧因大師忽然長長地歎息了一聲，拱手對天齊道長道：「道兄，本門中連番不幸之事，道兄是親眼所見了……」

天齊道長道：「貧道深以爲憾，未能阻止元通道兄……」

慧因大師接道：「老衲萬念俱灰，不願再多管江湖上是非之爭，要先行告辭一步了。」

天齊道長沉吟了良久，道：「老禪師請。」

慧因大師合掌一禮，道：「由道長主謀大局，當可使干戈化作玉帛。」

天齊道長道：「只怕貧道無此德能……」突然改以「傳音入密」之術，接道：「南海門分扼各處要道，似是已下定了決心要和中原人物一決勝負，老禪師強欲奪路，只怕要先和南海門下衝突。」

慧因大師環顧了四周一眼，合掌對梅娘說道：「女施主行個方便，讓老衲等一步去路。」

梅娘仰臉望天，恍如未聞，望也不望慧因大師一眼。

忽聽那紅衣獨腿大漢，暴聲喝道：「快退回去……」

徐元平轉頭望去，只見上官婉倩長髮散披，抱著丁玲，直向石室之中走來。

上官嵩大叫一聲：「倩兒！」急急地向外奔去。

那紅衣獨腿大漢怒聲喝道：「站住。」鐵拐一掄，橫裡擊來。

上官嵩閃身一讓，避開拐勢，抽出背上長劍，一招「怒龍攪海」，直刺過去。

那紅衣獨腿大漢不避不閃，鐵拐疾向上撩，硬向上官嵩手中的長劍碰去。

上官嵩這把長劍乃特製的頭號大劍，重達數十斤，可以兼做鐵棍等使用，自是不肯相讓。

劍拐相觸，響起了一聲金鐵暴震。

上官婉倩似是被那金鐵擊鳴的聲音所驚，嬌軀忽然一顫，停下了腳步。

事實上，上官婉倩已到那劍拐交相攻守的邊緣，只要再往前行上兩步，不為劍傷，亦將為鐵拐擊中。

只聽那紅衣獨腿大漢大聲喝道：「好傢伙！」運拐如風，連連反擊。

他的招術奇奧，一連數拐，盡是出人意料之學，迫得上官嵩無法還手。

挾風的鐵拐，幾度掠著上官婉倩的面前掃過，看得人大爲擔心。

形勢迫得上官嵩不得不向後敗退，以便引開對手的拐勢，使愛女脫離險境。

豈知那紅衣獨腿大漢，一見上官嵩敗退下去，竟然一收拐勢，不肯追趕。

原來南海門中之人雖然各據要隘，但卻擺成了一座陣式，各人都有一定的範圍，一旦動起手來，可以相互接應。那紅衣獨腿大漢一見上官嵩退出了自己守衛的範圍，就不再追襲。

徐元平兩道目光，一直投注在上官婉倩和丁玲的身上，心中想著二女相待自己的情感，愈想愈覺不是味道，但感胸中熱血沸騰，突然大聲喝道：「易天行……」

這三個字呼叫之聲，甚是宏亮，響徹石室，回音震耳。

易天行微微一怔，道：「什麼事？」

徐元平道：「在下有一事相詢，不知肯否見告？」

易天行道：「徐世兄請問！」

徐元平道：「丁玲姑娘傷在你的手中，不知你用的什麼手法，有沒有救？」

易天行道：「隔空點穴手法！有沒有救，那得在下察看一下才能明白。」

徐元平道：「你能多救活一條人命，也可減去你幾分罪孽。」

易天行微微一笑，道：「在下今日縱然連行百善，那也不過是我一生中有限的幾件，難抵我積惡萬一了。」

徐元平道：「你如當真能救活丁玲，咱們之間的恩怨，當真是越來越複雜了！」

易天行目光投注在上官婉倩的臉上，緩緩地說道：「眼下的情勢，得設法先讓她們進入室

中……」

徐元平道：「在下迎接她們進來。」

大步地走了過去，拱手對那紅衣獨腿大漢說道：「這兩位姑娘，一死一傷，已毫無抗拒之能，大丈夫不傷婦女孺子，有勞大駕高抬貴手，放她們兩位進來。」

那紅衣獨腿大漢雖然生性暴急，但他乃自鳴英雄人物，聽徐元平這麼一說，不禁微微一怔，沉吟了一陣，道：「好吧！放她們進來可以，但在下卻不能再放她們出去。」

紅衣獨腿大漢身子一閃，讓開一條路來。

徐元平急行兩步，抱拳說道：「上官姑娘。」

上官婉倩茫然一笑，不動不言。

徐元平一皺眉頭，忖道：此人有如著了瘋魔，看來決難和她說得清楚，眾目睽睽之下，勢又不能動手拉她……

正感爲難之際，上官嵩突然大步衝了過來，低沉地喝道：「倩兒，你怎麼了？」拉著上官婉倩一隻手腕，向前行去。

上官婉倩對父親似亦不識，淡然一笑，隨著上官嵩牽著的一隻手腕，向前走去。

鬼王丁高急步衝來，接過上官婉倩懷抱中的女兒。

徐元平道：「老前輩請把令嬡交給易天行瞧瞧，能否有救？」

丁高口中不言，但人卻不自主地向易天行走了過去。

易天行雙目神凝，盯注在丁玲的臉上瞧了一陣，摸摸她左腕脈息，說道：「沒有救了……」微微一頓，接道：「不過，丁姑娘之死，決非在下所害……」

鬼王丁高怒聲說道：「我親眼看到你殺害了我的女兒，還要謊言狡辯！」

易天行道：「丁兄深諳武事，當知隔空打穴手法，不至一舉而傷令嫒之命。」

徐元平道：「既是無救，那也罷了……」

那久未接言的紫衣少女突然插口說道：「她內服劇毒，外受重傷，生機早絕，易天行隔空打穴手法，只不過促使她早死一步而已，眼下如有藥物先解她內腑之毒，或可有一線生機……」

徐元平雙目一閃，道：「易天行，丁姑娘的劇毒，可是你下的嗎？」

易天行：「不錯，但解毒並非難事，難在解毒之後的療救之法！」

徐元平道：「你先替她解了內腑之毒，再想救她之策。」

只聽慧因大師高喧一聲佛號，道：「女施主執意不肯讓路，貧僧只有硬闖了。」

接著，便是一陣兵刃掌風相擊之聲。

徐元平一心關懷著丁玲的傷勢，頭也不回，大聲道：「易天行，我說的話，你可曾聽到了嗎？」

易天行微微一笑道：「聽得清清楚楚。」

徐元平怒道：「丁姑娘內腑之毒，乃是你所下的！外傷亦是你以隔空打穴的手法所傷，你都不能救她，誰能救她？」

易天行道：「姑妄一試，未為不可，是成是敗卻是難以預料。」

徐元平道：「你只要真的盡心一試，我已十分感激了。」

易天行突地笑容一斂，道：「我與你積怨難解，勢難兩立，是以你切切不可感激我，我對你只有冤仇而無恩情，這一點你可要記清楚了！」

徐元平呆了一呆，突然長長地歎息了一聲，默然不語。

只見易天行面色凝重，把住丁玲的脈息。

徐元平雙目凝注著易天行的手勢，也不知四面的戰局，此刻已發展到什麼局勢。

突聽易天行微歎一聲，長身而起，霍然轉過頭去，目光直視著楊文堯！

楊文堯面色一變，道：「你看我做什麼？」

易天行一笑道：「兄弟爲何看你，楊兄難道還不知道嗎？」

楊文堯面上忽青忽白，內心中彷彿交戰甚劇。

徐元平心中大奇，說道：「你兩人到底在打什麼啞謎？」

易天行微微一笑道：「沒有什麼！在下只是看楊兄一眼而已。」

楊文堯胸膛起伏，忽然大喝一聲，道：「易天行，楊某用不著你討好賣乖，就是說出來又有何妨？」

易天行大笑道：「楊兄如要說出，在下亦不阻攔！」他此刻手臂雖已殘廢，大勢更已將去，但神態之間，仍不失一代梟雄的風姿。

楊文堯神情一怔，只見上官嵩、徐元平、易天行等所有的目光俱在凝注著自己，忍不住大聲道：「說就說！這丁姑娘早已被我暗中施了手腳，縱然易天行未曾傷她，她也活不長的！」

徐元平劍眉一聳，大喝道：「原來是你！」腳步一墊，向楊文堯衝了過去。

易天行一掌攔住了他，道：「徐兄且慢，常言道解鈴還需繫鈴人，徐兄若要救丁姑娘之命，還得楊兄出手相救才行！」

徐元平驀地停住腳步，目光凜然地望向楊文堯，眉宇間滿含殺氣。

楊文堯乾咳一聲，道：「易天行，不用你說，我也要救丁姑娘的！」緩步地走向丁玲。

要知此刻人人俱對徐元平起了一種畏懼之心，誰也不敢單獨和他動手。

突聽紫衣少女輕叱一聲，道：「且慢！」

楊文堯微微一怔道：「什麼事？」

紫衣少女冷冷道：「你們誰也不能救她……」

徐元平面色大變，厲聲道：「為什麼？」

紫衣少女道：「你們此刻縱能解除她身中的劇毒，也救不活她的性命！」

徐元平道：「先解她服下之毒，再想辦法。」

紫衣少女冷笑一聲，道：「再想什麼辦法？你此刻若不先解開她身中之毒，我還可設法保全她美麗的屍身，否則，哼！這一個美人的身子，立刻就要化做腐肉白骨了。」

徐元平呆了半晌，黯然道：「難道真的已無法可施了嗎？」

紫衣少女緩緩道：「辦法自然有的……」

徐元平大聲問道：「什麼辦法？」

紫衣少女輕歎一聲，道：「除非有人能將我爹爹、媽媽拉到一起，合他們兩位老人家之

力，便可救活丁姑娘的性命！」

徐元平望望那青衣老叟和宮裝美婦一眼，道：「此事當真嗎？」

只聽那紫衣少女長長地歎息一聲道：「你不用多費心了，我爹爹、媽媽如若不肯合作，縱然能得到千年靈芝、萬年人參，也是無法救得活她的；需知她此刻生機全失，內臟肌肉都已經失了效能，除了用藥物之外，必得有一種神奇能力，促使她內臟機能恢復，才有復活之望。」

徐元平望了望那青衣老叟，又望望那宮裝美婦，兩道眼神停注在丁玲的臉上，默然不語。

這一瞬時光中，他內心業已千迴百轉，報仇與救人，他必須作一個抉擇。

只聽沉重的喘息之聲，傳了過來，轉頭望去，只見慧因大師和梅娘，正以上乘內功相搏，一個白髮蕭蕭的老嫗，一個年屆古稀的老僧，兩人皺紋堆積的臉上，汗水如雨。

石室中鴉雀無聲，沉默中潛伏著無比的緊張。

徐元平突然重重地咳嗽一聲，打破了沉寂，對易天行說道：「世人都說你陰險苛毒，積惡如山，但我卻親眼看到你做了幾樁好事，敢作敢當，不失英雄氣度……」

易天行微微一笑，接道：「過獎，過獎！」

徐元平緩緩把目光投注到那青衣老叟的身上，說道：「老前輩處心積慮，築建這座孤獨之墓，借那戮情劍的傳說，編造出一套動人的謊言，造成了中原武林同道間的相互仇殺，實叫人難以了然你用心何在？」

青衣老叟冷然一笑道：「老夫要借這孤獨之墓，一舉盡殘貪名求利之人……」

徐元平厲聲接道：「你建這孤獨之墓引來天下高手，好讓武林道上人人知你之能，難道不是貪名？」

那青衣老叟怒道：「當今之世，從無人敢對老夫這般說話，你的膽子不小！」

徐元平道：「你不過是因爲情場、武功，兩皆敗於慧空大師手中，因此遷怒於整個中原武林，想借這孤獨之墓的創設，一網打盡中原武林的高手，既可揚名於世，傳誦百代，亦可挽回過去敗於慧空手中的顏面……」

青衣老叟臉色大變，道：「是又怎樣？」

徐元平道：「那你的居心，比起易天行更是狠毒百倍了！」

忽聽砰的一聲，慧因大師和梅娘同時摔倒在地上。

原來兩人互以內功相搏，半斤八兩，難分強弱，鬥到同時力盡，各受重傷，不支而倒。

徐元平突然仰臉長嘯一聲，高聲說道：「又一幕害於盛名之爭的慘局……」

只聽梵音繞耳，群僧齊齊對慧因拜了下來，口中誦吟不絕，想是唸的經文。

慈和的誦吟聲中，隱隱蘊含深沉的傷痛，顯然的，這些少林寺中的高手，內心之中充滿了悲苦。

天齊道長道：「眼下之人，縱然齊傷於石室之中，石室門外尚有九大門派中雲集的高手相候……」長劍一擺，直向石門衝去。

王冠中身子一橫，攔住了去路，道：「這石室只有死別，決無生離。」

天齊道長冷笑一聲，道：「可要試試貧道手中之劍嗎？」手腕微振，長劍連閃，灑出了一片劍花，直罩過去。

王冠中一揮手中兩儀尺，斜斜向天齊道長劍上撩去。

天齊道長冷笑一聲，左腳陡然向前踏進半步，長劍一沉，向前推去，忽覺一股不大不小的吸力，硬把自己長劍向一側吸去。

王冠中兩儀尺藉機下擊，右腕一揮，斜向天齊道長肋間敲去。

天齊道長預料這一劍雖然不能傷了對方，至少可以把對手迫退開去，哪知長劍吃王冠中手中之尺一吸，偏了一寸，以致攻勢中露出破綻，給予王冠中可乘之機。

形勢迫得天齊道長不得不向後躍退，長劍左搖右揮，封住了門戶。

王冠中固守原地，也不追襲。

紫衣少女急急地跑了過去，蹲下身子，抱住梅娘肩頭，一面搖動，一面大呼梅娘。

那宮裝美婦兩道眼神，一直緊追著紫衣少女，只要有人動手暗算她，立時出手相助。

天齊道長略一定神，似已想透了王冠中手中兵刃的吸力之因，長劍一擺，又衝了上去，這次他已有防備，不再輕敵躁進，攻出的劍招勢緩力強，王冠中揮尺還擊，兩人重又鬥在一起。

武當派的劍術，一向被譽為正宗劍學，施展開來，威風八面，大開大合，氣勢雄渾。但王冠中手中的兩儀尺，吸力強大，常常帶動天齊道長手中的長劍，高手相搏，出手攻勢，差不得一絲一厘，毫釐之差，往往就給敵人以可乘之機。天齊道長長劍受人兵刃所制，搏鬥之間，大為吃虧。

徐元平回顧了四周一眼，心中忖道：南海門中，個個武功詭異，這青衣老叟的武功，自是更為驚人，論目下實力，中原武林的同道，如能捐棄嫌怨，全力出手，不論結果如何，足可和

南海門放手一戰！可惜的是這些人彼此間的恩怨，太過複雜，想要彼此誠心合作，很是爲難。最後的結局，必然是被南海門各個擊破，盡殘古墓。眼下情勢，必需先使中原武林人放棄個人恩怨，共拒強敵，或可度此難關。

他看梅娘受傷倒摔地上後，那青衣老叟仍然神色如常，無動於衷，覺得此人之險毒，只怕更超過易天行，群豪處境更危了。

只見宗濤取過背後的大紅葫蘆，喝了兩大口酒，說道：「徐兄弟，老叫化有幾句話要向你說，不知你聽是不聽？」

徐元平道：「大哥儘管吩咐！」

宗濤目光一轉，掃掠周圍群豪一眼，道：「這些人個個都有該死之惡，但眼下卻不是受誅時機……」

忽聽那紫衣少女大聲叫道：「歐駝子，快過來幫我點活梅娘兩處穴道。」

歐駝子目光凝注在那紫衣少女的臉上，滿臉惶恐之色，結結巴巴地說道：「小姐，小姐……」

紫衣少女道：「你不用怕，只管過來，什麼事，都有我替你擔待。」

歐駝子無可奈何地對那紫衣少女走了過去，目光不時地溜向那青衣老叟，步履沉重，顯然他內心正有著無比的畏懼。

兩個身著紅色袈裟的僧侶，突然站了起來，橫身去攔住歐駝子。

那宮裝美婦只道兩人要對那紫衣少女有所不利，冷喝道：「躺下。」素手一揚，二僧果然

應手而倒。

一側旁觀的中原群豪，個個吃了一駭，暗道：這女人在六、七尺外，舉手之間，能使兩位少林高僧躺了下去，這份武功，當真是驚人得很。

徐元平一皺眉頭，低聲對宗濤說道：「大哥可是要我暫時不追究殺父之仇嗎？」

宗濤笑道：「你要報殺父仇，咱們這一輩子，都別想再出這古墓了。」

徐元平黯然說道：「救人勝過復仇，何況大哥之命。」

宗濤笑道：「殺父之仇不共戴天，老叫化也不能要你不報，出了這古墓之後，老叫化助你索報親仇就是。」

徐元平道：「相助倒不敢勞動大哥，屆時只要大哥臨場做個見證，也就行了。」轉過身子，大步對慧因走了過去。

少林寺群僧眼看又有兩位同門兄弟倒了下去，再也難以忍耐，滿腔沉痛，盡皆化成了悲憤怒火，暗中相商，準備聯手而出，和強敵一拚。

徐元平已看出群僧激動之情，抱拳說道：「諸位師父，暫請忍耐一二，先讓在下瞧瞧慧因老禪師的傷勢。」

慧因和梅娘，相距只不過兩、三尺遠，徐元平走到慧因大師身旁，已可聞到那紫衣少女身上陣陣甜香。

那宮裝美婦冷笑一聲，道：「哪一個如想暗算我的女兒，那可是自尋死路。」

徐元平心中一動，這青衣老叟既然把我們引入古墓中來，想必早已有備，遲遲不肯發動，

固然想先讓我們自相殘殺，以消實力，但他們夫妻相互牽制，只怕也是原因之一，再不然就是他早已胸有成竹，有把握一舉盡殲群豪，所以才那般從容冷漠，行若無事。

他愈想愈覺懷疑，不禁向四面搜望起來。

易天行自殘一臂之後，已知難再逃出徐元平的劍下，石室絕地，黔驢技窮，已不作求生之想，自聽徐元平答允宗濤之請，暫時放手父母之仇，合力對付南海門，不禁精神、機智盡復，眼看徐元平四外張望，立時恍然而悟。

那青衣老叟似是發覺了徐元平東張西望之情，冷笑一聲，道：「這石室中縱有埋伏，也不用老夫發動。」

徐元平暗忖道：這老人說的話不可信任，怎生想個法子，度此危局？

目光一轉，投注到那紫衣少女的身上，忖道：這紫衣少女，似是爲他們夫婦兩人所愛，如能生擒住她或可迫那青衣老叟就範，只要我們能夠離這古墓，就不怕他了。

心念一轉，突然一躍而起，右手疾快向那紫衣少女腕脈上面抓去，左手卻暗蓄功力，推出一掌。

這一段時光中，他連番和高人動手，不但武功大進，對敵的機智也增長了甚多。

果然，就在他一躍而起的當兒，那宮裝美婦右手一揚，劈了過來。

一縷細如髮絲的銀芒，疾射而來，卻被徐元平劈出的一股強猛勁力，彈震開去。

那宮裝美婦動作如電，暗器出手，人已同時衝了過來。

她快，徐元平的動作亦快，右手一揮之間，已扣住紫衣少女的腕脈，輕輕一帶，攔在自己身前。

那宮裝美婦突然微一仰身，不但收住前衝之勢，而且人已躍回原地。

徐元平低聲說道：「暫時委屈姑娘一下，情非得已，尚請原諒。」

紫衣少女冷哼一聲，道：「很好，很好……」

只見那青衣老叟雙目中暴射出冷電一般的神光，凝注在徐元平的臉上，冷冷說道：「徐元平，你可是要以我女兒性命，來要挾我嗎？」

徐元平道：「老前輩如以武功把我們個個殺死於這古墓，在下等自是輸得心服口服，但你如在這古墓布下機關……」

青衣老叟哈哈大笑道：「老夫拚著失女之痛，也把你們盡埋古墓中！」

徐元平呆了一呆，道：「你當真是鐵石心腸！」忽覺那紫衣少女纖指，微微在他手腕之上一劃，嬌吟一聲，倒在了他懷中。

原來徐元平抓住那紫衣少女脈穴後，忽然覺著此等作爲，不是英雄行徑，立時鬆了五指，倒是紫衣少女借長袖掩遮，反而緊緊地抓住了他的手腕。

那宮裝美婦冷冷地喝道：「誰要傷了我的女兒，我不但要把他碎屍萬段，而且還要殺絕他們一家雞犬不留。」

只聽那紫衣少女低聲吟道：「啊喲！疼死我啦！」

她最善做作，這一聲呼叫，喊得淒涼無比。

那青衣老叟望了那宮裝美婦一眼，欲言又止。

易天行突然大聲喝道：「此時不走，更待何時？」當先向那石門走去。
王冠中一揮兩儀尺，冷冷地說道：「站住！」
易天行道：「如你們南海門當真想打，咱們到古墓外面，找一地勢廣闊之處，好好的打上一場，如若你們南海門當真能把我們眼下之人，一鼓盡殲，中原武林的實力，至少已被你們滅去了一半。不過，咱們要各憑真功實學，拳腳兵刃，讓對方輸得心服口服。」
王冠中冷冷地說道：「諸位如想出這石室，只有兩條路可走，一條是憑借武功，硬闖出去，一條求告家師……」
易天行笑道：「在下等選擇第一條路。」揚手一掌，劈了出去。
王冠中一揮兩儀尺，斜斜向易天行手臂上敲去。
楊文堯厲聲喝道：「一起闖吧！」斜斜一掌，攻向王冠中的側背。
忽覺一股勁力，橫裡撞了過來，彈震開楊文堯斜攻過來的一掌。
楊文堯回頭望去，看那發掌之人，正是胡矮子。
查子清大喝一聲，打出一記百步神拳。拳風凌厲，嘯聲盈耳。
歐駝子回手拍出一掌，封擋開查子清一記百步神拳。
南海門中人，距離方位，取得甚是妥當，不論易天行等拳掌之力，攻得如何凶猛，對方或是閃避、或是封架，均能從容不迫地被擋開去。
局勢忽然間大亂起來，滿室盡都是拳風激盪，喝叱震耳。
只聽伏在徐元平懷中的那紫衣少女，低聲說道：「你不能放開我，我爹爹早已在這石室中預佈了天羅地網，縱然你武功再高，也是無法抵擋。他們遲遲不肯發動，是因爲我爹娘之間的相互牽制，和顧慮我的安全……」

徐元平聽得大爲感激，道：「姑娘這等……」

紫衣少女急急地說道：「你此刻不能說話，萬一被我爹爹看到你不會傷我，那就糟了。」

徐元平長歎一聲，默默不語。

只聽神丐宗濤大聲喝道：「各位停手，老叫化有話要說。」

群豪立時停下手來，向後躍退。

宗濤打量了石室一眼，只見那青衣老叟和宮裝美婦，仍然一片冷漠之色，生似這場搏鬥和他們毫不相干一般，不禁暗暗一歎道：這夫婦兩人當真是冷酷得很。

當下高聲說道：「他們取了方位，相互支援，咱們這等一陣亂攻，掌力彼此抵銷，如何能夠衝得出去？」

這般人都是久走江湖之人，聽得神丐宗濤一說，個個恍然而悟，原來南海門取的地方甚是巧妙，雖只王冠中和駝矮二叟三人，抵擋易天行、查子清、楊文堯、鬼王丁高等武林中一流高手，仍然能從容應付，全憑方位的移動變化，借力打力，使易天行等攻出的掌力相互對消，間隙還攻，久戰不敗。

宗濤一旁冷眼旁觀，看出南海門中人借力打力的舉動，喝住群豪，出言點破。

忽聽那宮裝美婦冷笑一聲，大步地向梅娘行去，舉手拍了她幾處穴道，從懷中取出一粒丹藥餵她吃下。

只聽梅娘長長地吁一口氣，緩緩地坐起身子，低聲說道：「多謝主母相救！」

宮裝美婦冷冷地說道：「自我離開南海後，姹姹多蒙你照顧，我救你一次，算是酬報你這幾年照看她的恩情。」

梅娘道：「老婢怎敢居功？小姐聰明絕世，老婢得以追隨，獲益極多……」

宮裝美婦道：「不要多囉嗦啦……」轉目望著那紫衣少女道：「姹姹，爲娘的要走了，你是跟娘走呢？還是要留在這裡？」

紫衣少女嬌吟了一聲，道：「我的腕骨快要被他捏碎了，疼死我啦！」

那宮裝美婦眉宇間閃動一抹殺機，緩步地向徐元平走了過去，冷冷地問道：「你傷了我的女兒，你自己也別想活！快放開她！」

徐元平凜然說道：「只要你下令要他們讓開去路，我就放了令嫒……」一揚手中戮情劍，架在紫衣少女玉頸之上，接道：「夫人只一出手，我立時要令嫒濺血石室。」

那宮裝美婦臉上的肅殺，突然消失，代之而起的是無限惜憐慈和，目中淚光盈盈，臉上情愛橫溢，回頭對王冠中等喝道：「你們退讓開去，打開石門，放他們走！」

王冠中愣了一愣，道：「這個，這個……」

宮裝美婦怒道：「你們聽到沒有？」

王冠中抱拳說道：「弟子聽到了！」

宮裝美婦道：「聽到了怎麼還不讓開？」

王冠中道：「師父命令弟子等死守此地，不得放行一人！」

宮裝美婦冷冷道：「好呀！我說的話等於沒有說了！哼……他想借這石室中埋伏毒物，一舉盡傷中原高手，連自己女兒生死都不顧了，我偏偏不讓他如願……」，大步地行了過去，一掌劈向王冠中。

王冠中不敢還手，也不敢讓避，只有束手待斃。

那青衣老叟突然遙發一記劈空掌，封開了那宮裝美婦掌勢，說道：「你們讓開去路！」

王冠中應聲退向一側。

駝、矮兩叟一見王冠中退了開去，立時齊向一側躍退開去，讓出了去路。

宮裝美婦冷笑一聲，道：「打開石門，放他們一起出去。」

王冠中又是一怔，不知所措。

青衣老叟突然大步地走了過來，冷冷說道：「我費盡千辛萬苦，築建了這一座古墓，被你這般一擾，勢將盡棄前功……」

宮裝美婦道：「你如有本領，就該正大光明的把他們一個個的殺死，憑仗這古墓中埋伏的毒蛇、毒蜂傷害別人，豈是大丈夫的行徑？」

青衣老叟怒道：「這事與你何干？誰要你來管了？」

宮裝美婦道：「我高興要管，你要怎樣？」

只聽那紫衣少女高聲叫道：「爹啊，娘啊！痛死我了。」

青衣老叟心頭一震，回顧女兒一眼。突然仰天大笑，道：「蒼天不從老夫心，那也是無可奈何的事！」伸手在石壁上面一拂，光滑的石壁，登時裂現出一座石門。

宮裝美婦回過頭去，冷冷地對徐元平道：「石門一開，你該放了她啦！」

徐元平目光轉動，只見群豪的目光全都投注在他的身上，個個臉色肅然。

青衣老叟目睹徐元平猶豫不決，大爲惱怒，厲聲對徐元平喝道：「等一會兒老夫定要把你碎屍萬段，以洩心頭之恨。」

那宮裝美婦似是有意和那青衣老叟作對，冷笑一聲，道：「他的武功得自慧空大師，只怕你也打他不過！」

青衣老叟面色忽青忽白，這一句話顯然大大地傷害了他的尊嚴。

徐元平突然長歎一聲，道：「兩位老前輩請讓開去路，先給受傷之人退出古墓，在下留此奉陪，只要受傷之人已離石室，在下立時釋放令嬡。」

青衣老叟和那宮裝美婦，相互望了一眼，各自後退了一步。

徐元平目注少林僧侶道：「諸位師父先請！」

少林群僧望了徐元平一眼，負起元通、慧果屍體，抱起慧因大師，大步向外行去。

徐元平心中一動，喝道：「諸位師父，暫請止步！」群僧一怔，果然都停了下來。

徐元平大邁一步，暗運真氣，連點慧因大師七處穴道，一揮手道：「諸位師父請吧！」

群僧合掌吟一聲佛號，大步地向外行去。

徐元平目光一轉，低聲說道：「上官堡主、丁谷主，兩位千金，傷勢甚重，早得良醫或有生望，先請離此石室吧！」

鬼王丁高望了徐元平一眼，抱起丁玲，大步向外行去。上官嵩牽著上官婉倩的一隻手，緊隨在丁高身後，向外而行。

徐元平的磅礡大氣，和視死如歸的豪壯風度，使他的聲威在群豪中直線上升。此刻，他已成爲群豪心目中的英雄人物，都對他生出幾分敬畏之心。

那青衣老叟和宮裝美婦，果然也未出手攔阻，放任兩人過去。

千毒谷主突然加快了腳步，疾向那石門衝了過去。

徐元平一皺眉頭，低聲喝道：「老前輩慢行一步！」

千毒谷主已衝近石門，但聽到徐元平喝叫之言，只好停下腳步，冷冷喝道：「什麼事？」

徐元平道：「老前輩逃命的舉動太快了……」

千毒谷主雖臉皮甚厚，但也不自禁地覺著一熱，自解自嘲地說道：「這早晚都是一樣！」

其實，想衝出這石門的人，又何止千毒谷主一個呢？楊文堯、查子清，都存有衝出石門之心，只是沒有做出罷了。

石室中，突然間沉寂下來，聽不到一點聲息。

徐元平凝目沉思，不知在想的什麼心事。

神丐宗濤輕輕地咳了一聲，劃破沉寂，說道：「兄弟，你在想什麼？」

徐元平道：「我在想咱們該不該留在這石室中，和南海門決一死戰。唉！也許咱們今天都可以全身而出，但事情並未解決。今日的江湖上，仍然是殺機瀰漫，到處勾心鬥角，那就不知道要拖累了多少無辜的人，陪上遭殃。如其拖延時刻，倒不如今天痛痛快快的拚上一場，是死

是活，就是我們這幾個人，和別人無干！」

宗濤哈哈大笑道：「不錯，這一著，連老叫化也沒想到！」

楊文堯突然插口說道：「如若徐世兄存此用心，那就不該放走了上官嵩和鬼王丁高，不但咱們減去了甚多實力，而且走了兩人，江湖上今後也不會太平。」

徐元平道：「他們老年傷女，這教訓應該很大，如若還不覺悟，仍然沉迷於江湖名利之爭，自然會再食惡果……」

查子清突然接口說道：「我們父子兩人，如若雙雙戰死石室，那未免太冤枉了……」微微一頓，又道：「玉兒，你也該走了。」

查玉道：「孩子願陪爹爹留此……」

查子清怒聲喝道：「留這裡陪我下葬嗎？快給我滾！」呼的一掌，劈了過去。

查玉不敢揮手相接，只好一側右肩，硬擋一擊，只覺一股強猛之力一撞，身不由己地向後退了數步，剛好到了石門旁側。

查子清疾快地又劈出了一掌，把查玉送出了石門。

徐元平忽然仰天一聲長嘯，推開那紫衣少女，目中神光閃閃，右手斜斜舉起了戮情劍，左手領動劍訣，欠身對那青衣老叟說道：「老前輩，在下……」

青衣老叟突然冷哼一聲，接道：「你可要試我一掌？」

徐元平道：「老前輩儘管下令閉上石室，擺成奇陣，在下願一試南海門中武功。」

原來，他在這片刻工夫，腦際中連連閃掠慧空大師相授武功之情，想他留在武林中的英

名，何等的崇高？自己雖未拜在他門下，但武功由他所授，自應奮力一戰，以全慧空大師留在武林間的崇高聲譽。

他這奇想，連一向精明的易天行，也有些猜測不透，一下愣在當地，兩道眼神怔怔地盯注在徐元平的臉上，緩緩說道：「元平兄，就在這石室之中相搏嗎？」

徐元平肅穆地說道：「石室中雖有埋伏，但在下相信，南海神叟老前輩決然不會發動。」

那青衣老叟怔了一怔，道：「你們之中，能有老夫敵手之人？」

徐元平道：「老前輩不過是記恨慧空大師，才費盡心機，築建了這座古墓，想把中原武林高手一網打盡，以挽回敗於慧空手中的顏面，其實，老前輩敗於慧空手中之事，中原武林人物，知道之人可算得少之又少，何況慧空大師早已西歸我佛？」

他微微一頓，又道：「在下雖非慧空大師弟子，但卻是唯一得他武功真傳之人，老前輩如若要報仇，找在下也是一樣。」

青衣老叟冷肅地說道：「好膽氣！」

徐元平道：「大丈夫豈能貪生避死？在下雖知非老前輩之敵，但極願捨命領教老前輩幾招絕學。而若在下傷在老前輩的手下，也許能使老前輩心中的積憤，稍微平息一些。如若在下幸勝了老前輩，老前輩敗於慧空大師之手一事，也該心平氣和了。」

那青衣老叟臉色一變，緩緩走了三步，道：「老夫見識一下你馭劍術，已有幾成功力。」

徐元平暗中提聚真氣，戮情劍緩緩在前胸劃了半圈的劍圈，肅然說道：「老前輩請！」

青衣老叟道：「老夫讓你三招。」

徐元平道：「老前輩如若定要相讓，一招也就夠了。」右腕倏然一振，直欺而上，戮情劍幻起了三點青芒，分襲向青衣老叟三處大穴。

青衣老叟右肩一晃，足不跨步，膝不打彎地避開了一擊。

徐元平收住劍勢，道：「老前輩請出手了。」縱身一躍，直欺而上，戮情劍左搖右揮，幻起了一片青芒，波翻浪湧直罩過去。

易天行冷眼旁觀，發覺徐元平出手的劍勢，似是更加凌厲許多。

那青衣老叟自恃身分，不肯施用兵刃，但憑一雙肉掌抗拒徐元平手中鋒利絕倫的戮情劍，但他的手法怪異，世所罕見，掌指運轉之間，著著指襲向徐元平雙腕脈穴，迫使他中途撤劍。

表面上看去，徐元平劍勢如虹，著著凌厲，排山倒海一般直罩過去。但事實上，卻已是打得十分吃力，那青衣老叟的掌指有如附腕之蛆，揮之不去，避之不開，始終不離他雙腕脈穴。

這兩人驚心動魄的惡戰，使一側旁觀的群豪，個個緊張無比，雙目圓睜，盯注在兩人的掌指和寶刃之上，臉上神情，也隨著兩人的險招變化。

那紫衣少女看了一陣，突覺熱血上衝，頭一暈，向地上摔去。

那宮裝美婦突然一伸手，接住了紫衣少女的嬌軀，抱入懷中，說道：「姹兒，姹兒……」

這一段時間，紫衣少女連受折磨，她原本嬌弱的身體，更顯得柔弱不堪，看到徐元平和那青衣老叟搏鬥的劇烈，心情大爲緊張，一個是生身之父，一個是心上情郎，這兩人，不論哪一個傷死，都將大傷她的芳心，但見兩人的搏鬥愈來愈是凶險，她的心神也隨著增加緊張，終於身體不支，倒了下去。

青衣老叟聽得那宮裝美婦呼叫姹兒之聲，不自禁地轉臉望去，精神一分，被徐元平疾掃兩劍，封閉了他的掌指，左掌呼的拍出一掌「夜半鐘聲」，擊向青衣老叟右肩。

那青衣老叟只防到了他手中的寶刃，卻不料徐元平突然拍出一掌，如要閃避，勢非向後躍退不可，那將授敵以可乘之機，當下一聲冷哼，右肩一抬，反向徐元平掌力之上迎去。

只聽砰然一聲，徐元平掌勢正擊在青衣老叟右肩之上。

那青衣老叟雖中了一掌，左手卻奇詭絕倫地一指點在徐元平的右腕上，戮情劍應手而落。

徐元平飛起一腳，橫裡踢去，左手反腕點出。

徐元平右腕被點受傷，雖然傷非脈穴，但那老人指力雄渾深厚，亦覺得一條臂痠麻難抬。

忽見徐元平探臂撿起了戮情劍，揮轉了一周，疾向那青衣老叟刺去。

只見徐元平步如行雲流水，劍似長江大河，奇奧怪招，層出不窮，打得輕快靈巧，但攻勢卻又綿密異常，無懈可擊。

所有觀戰的群豪，都爲之精神大振，凝神屏息而觀。

那宮裝美婦臉上，也泛現出愕然之色，凝神而觀。

忽見徐元平舉劍斜指，左手卻疾快地拍出了一掌。

那青衣老叟臉色忽然一變，屈指彈出，一縷銳嘯，疾湧而出，向徐元平的左臂「曲池穴」擊襲。

徐元平突然一矮身子，戮情劍脫手飛出。

一道青芒，盤空飛繞，但卻遲遲不落。

徐元平左手圈了一個圓周，劈出一掌。

青衣老叟揮臂接下一擊，徐元平突然長嘯而起，右手一招握住了戮情劍，團團亂轉起來。

群豪凝神看去，只見徐元平每轉上一周，手中的青芒就暴長甚多，心中若有所知，但又不甚了了。

只見團團飛轉的青芒，愈來愈大，片刻間暴長數尺。

徐元平的人影，已然隱失那青芒之中不見。

那紫衣少女低聲說道：「娘啊！這可是劍道中最上乘的……」

一語未完，團轉的青芒突然暴長成一道青虹，疾向那青衣老叟射去。

那青衣老叟似是早已有備，平收胸前的雙掌，突然一齊推出。

一股排山倒海般的內勁，直向那青芒撞了過去。

那疾飛青虹，似是被那強猛的掌力擋住，又開始在那青衣老叟身側團團旋轉起來。

青衣老叟兩掌連揮，不停地推出了強猛的內力，但卻始終無法把旋轉在身側的青芒推開。

雙方相持約一盞熱茶工夫，那青衣老叟的臉上突然開始滾落下汗水，但盤轉的青芒，卻愈離愈近。忽然間青芒直衝而入。

那紫衣少女突地尖聲叫道：「徐元平，你不能傷我爹爹啊！」

青芒忽斂，人影乍現，群豪還未看清楚，忽聽一聲大喝，一條人影，疾捧過來。

宗濤大聲喝道：「徐元平！」一把抱住了那條人影。

紫衣少女正向前狂奔，目睹其情，霍然止下了腳步，冷冷地喝道：「爹爹，你傷了他。」

青衣老叟肅然說道：「我收招不及！」

紫衣少女道：「我如不叫他一聲呢？」

青衣老叟面色慘白地說道：「那爲父的要傷在他鋒芒絕世的戮情劍下。」

紫衣少女道：「爹爹啊！你勝在女兒一聲喝叫中了。」

青衣老叟默然不語。

紫衣少女又道：「我娘恨了你一輩子，做女兒的不能恨你，但我要讓你嘗嘗老而失女的痛苦。」緩步地向徐元平走了過去。

那青衣老叟神情激動，轉眼向那宮裝美婦望去，只見她一臉冷漠，顯然並無相阻之意。充滿殺機的局勢中，混入父母的慈愛，兒女的柔情，頓然使肅殺的氣氛爲之緩和了不少。

易天行忽然長歎一聲，道：「宗兄，徐世兄的傷勢如何？」

宗濤道：「心脈已停，生機瀕絕，看樣子只怕是難得活了。」

紫衣少女忽然放聲大笑，道：「死得好啊！死得好啊！」

宗濤怒道：「不是你一聲喝叫，只怕你那爹爹早已經身首異處，他在生死交關之際，仍不忘情於你，你卻這般的幸災樂禍。哼！化外野民，當真是毫無情義！」

易天行歎道：「今日之局，唯死而已，先發制人，先操一分勝算。」呼的一掌，劈向那青衣老叟。

查子清探手摸出一把蜂尾毒針，手腕一揚，疾向那青衣老叟射去。

青衣老叟左袖一拂，一股罡風，應手而出，一片蜂尾毒針，盡爲那罡風擊落，右手一揮拍

出，迎向了易天行的掌力之上。

易天行只覺一股強凌的反震之力，撞了過來，心神登時為之一震。

駝、矮二叟和那紅衣獨腿大漢，齊齊揮動兵刃衝了上來，天齊道長也拔劍迎上，眼看一場武林第一流高手的混戰，即將展開，那青衣老叟卻突然大聲喝道：「住手，老夫有話要說！」

雙方齊齊停下手來，凝神而聽。

只見那青衣老叟一拂胸前長髯，說道：「老夫只道當今之世，只有一個慧空堪與老夫匹敵，但也未必能勝老夫，纏鬥之下，他卻勝了我一拳半腳。事後老夫思量那次相搏經過，愈想愈是不服，有心再找他較量一次，但他已被少林掌門人，罰於幽室面壁……」

他望了宮裝美婦一眼，歎道：「至於我們私人間的事，老夫不願公諸於世，諸位最好不要多問。」

那宮裝美婦忽然長歎一聲，垂下頭去。

宗濤早已放下懷中徐元平，準備出手，聽到此處，接口問道：「那以後的事呢？」

青衣老叟道：「慧空在老夫再三相激之下，答應出手，我們在他被罰面壁的幽室中，互以上乘內功相搏……」，他聲音忽然轉低沉，道：「半宵苦戰，老夫仍然敗在他的手下……」

他語聲越說越沉，到後來幾已聽不甚清。

神丐宗濤冷哼一聲，道：「這一次你輸得是否心服！」

青衣老叟長歎一聲，接道：「那一次我輸得仍未心服，只因我奔波千里而去，避過了少林寺那許多高手的埋伏後，方與他動手，但他卻一直安安適適地坐在石室中，未曾耗損半分真

力，一勞一逸，縱然分出勝負，也不能作準！至於老夫預先在戮情劍匣上鑄刻此孤獨之墓的草圖，則是意欲引慧空入墓。老夫可憑墓中的布置，與他再決勝負！但，」他面現激動之色，目光四掃一眼，接道：「直到今日，老夫遇著了徐元平後，才知道天地之大，萬物之奇，絕非世人所能臆測，天地間更有武林高手，老夫不能稱霸於世……」他激動的語聲，又自沉落。

神丐宗濤冷笑一聲，道：「算你還有些自知之明！」

青衣老叟雙目一張，眼神中突又射出逼人的光芒，厲聲道：「但各位不要忘記，普天之下，能與老夫一爭勝負之人，慧空之後，也不過只有徐元平一人而已，別的人……別的人……」

他緩緩地垂下目光，緩緩地頓住語聲，只因他心中已然心灰意冷，是以再也不願說出傷人的言語。

群豪似也覺得心頭十分蕭索，所以大家也都不願說話。

無言的沉默，使四下氣氛更見沉肅。

過了半晌，青衣老叟方自長歎一聲，道：「意氣相爭，徒逞一時之快，而留百年之憾，數十年的武林盛譽，到後來也無非是黃粱一夢……」

他突地仰天長嘯一聲，嘯聲有如龍吟，四下群豪相顧失色。

青衣老叟似乎也在這一聲長嘯中，洩盡了胸中塊壘，沉聲接道：「此時此刻，老夫終於大徹大悟，再也不願流血，更不願動手……」

沉痛的語聲中，他緩步地走向室外，隨著沉重的腳步，他緩緩地接道：「若有人要與老夫

爲難，只管出手，老夫決不還擊！」

眾人面面相覷，心頭俱是一片沉重，哪有一人還能出手相擊。

靜寂中只見他身形緩緩地走出了石室，腳步聲逐漸遠去……

這石室雖有他的愛妻、愛女和門徒，但他卻未回頭看一眼，似乎他此去後，便再也不會回到人間了。

直到那腳步聲也漸漸消失，紅衣獨腿大漢、王冠中以及南海門下之人，突地伏身痛哭起來，使得四下群豪也爲之聳然動容。

宮裝美婦凝目望著青衣老叟消失戶外，冷冷道：「走了最好……」語聲雖然冰冰冷冷，但雙目中卻已隱隱泛出一串晶瑩的淚光。

易天行回顧一眼殘廢的左臂，黯然道：「盛名累人，英雄氣短。宗兄，咱們也該走了！」

宮裝美婦背過身去，拭去目中淚水，說道：「姹兒，跟娘走吧！這十幾年來，我一直沒有照顧你，從今以後，我要好好對你……」

紫衣少女搖搖頭，道：「娘自己走吧！女兒要永留這古墓中了。」

宮裝美婦吃了一驚，道：「什麼？」

紫衣少女道：「女兒已經不是蕭姹姹了！從此時起，我已是徐夫人了！」

梅娘急急接道：「姹姹，你胡說什麼?徐相公不是死了嗎?」

蕭姹姹道：「就因他死了，如若他還活在世上……」

宮裝美婦接道：「你和他定過親了?」

蕭姹姹道：「女兒早已心許，寒玉釵定盟作證，伴著他一座青塚，卻不料他仍活在人世之上……」她忽然縱聲大笑了一陣，道：「娘啊！你一直沒有見過女兒之面，可知道女兒的容色如何嗎？」

那宮裝美婦一怔道：「爲娘的曾偷回南海數次，看到你遊戲海濱，只不過你沒有見過爲娘的罷了。」

蕭姹姹道：「媽媽可記得女兒的容貌嗎？」

宮裝美婦道：「尤強過爲娘幾分。」

蕭姹姹放聲大笑，緩緩地揭開了蒙面黑紗。

她的傾國容色，早已深深地印在群豪之心，此刻見她揭開黑紗，都不自禁地凝目望去。目光觸處，都不禁爲之一怔。

原來那紫衣少女勻紅的嫩臉上，此刻卻交錯著條條紅痕。

宮裝美婦目睹愛女臉上交錯的紅痕後，突然失常，尖聲叫道：「姹兒，姹兒！是誰毀了你的容貌？」

蕭姹姹忽然流下淚來，道：「是我自己。」

宮裝美婦嬌軀一顫，道：「你自己？爲什麼你要毀了自己？」

蕭姹姹望了仰臥在地上的徐元平一眼，道：「因爲他死了……」忽然探手撿起了戮情劍，放在前胸上，說道：「媽媽如是惜愛女兒，那就答應讓我留在這裡！」

宮裝美婦熱淚如泉，緩緩地從頭上拔下一支玉釵，道：「姹兒，寒玉釵本成雙成對，爲娘

的離開南海時帶走了一支，此釵乃千年寒玉製成，常帶身側，可駐容色，徐相公已經死去，你爹爹掌力雄渾，只怕已難有良藥可救，用此釵可保他屍體不壞！」

蕭姹姹接過玉釵，一揮戮情劍，道：「你們都該走啦！一盞熱茶工夫之後，我就要發動機關，閉上這座石門，那時，你們將永遠沉淪這古墓中，難再生離此地！」

群豪相互瞧了一眼，緩步地向外行去。

這時，群豪都有些心灰意冷，神態蕭索，不復適才那等生龍活虎，豪氣英風。

神丐宗濤回頭望那紫衣少女和仰臥在石地上的徐元平一眼，內心之中泛起來一股黯然的憐惜，暗暗歎道：蕭姹姹天仙花人，容色如花，舉世美女，無與匹敵，那如花盛放的笑容，仍然保留腦際，但此刻的她，卻已容色改變，滿臉交錯著紅痕；徐元平出道江湖，短短幾年的時光，已然盛名大噪，武林道上第一流的高手，都對他生出敬畏之心，少年英雄如日初升，近代霸才，鐵膽俠心，隱隱間已成了左右武林大勢的人物，卻猝然喪命古墓。她為他毀去了閉月容貌，他為她斷送了一條性命，這是因果報應？

忽見易天行大步走了回來，面對徐元平的屍體，曲下一膝，單掌當胸，朗聲道：「世人都知我易天行積惡如山，卻不知我易某人的霹靂手段，只是欲圖建立大功大業之階梯，仁善與兇殘未到真相大明時，極難分辨……」

群豪齊齊止步，凝神靜聽。

只聽易天行繼續說道：「我易某生平之中，除了對宗濤敬重之外，折服的只有你徐元平一人，上天假英雄之手，留下了一局殘棋，但望你英靈相佑，助我易天行完成你未竟之願，待武林底定，大局坦蕩之日，易天行將結廬孤獨之墓，以餘年相伴英靈。」
兩行英雄淚，點點灑落胸前。
神丐宗濤突然長歎一聲，道：「易兄，咱們該走啦！」
易天行站了起來，拭去淚痕，大步地向外行去，將要出門之時，突然又回過身，說道：
「蕭姑娘！」
蕭姹姹淡然一笑，道：「什麼事？」
易天行道：「姑娘胸懷絕才，世間無難你之事，不知世間有沒有能使徐元平復生之藥？」
蕭姹姹道：「告訴你也不妨事，但我相信沒有人能夠尋得救他之物。」
易天行道：「姑娘說出聽聽！」
蕭姹姹道：「萬年雪蓮子，千年毒蟒膽，百年鯉魚血，成形何首烏，四物齊全，缺一不可。」
宗濤怔了一怔，道：「能有相救徐元平的藥物，想來定有使姑娘復容之藥了。」
蕭姹姹微微一笑道：「縱然能恢復我絕代容光，憐世人有誰能欣賞？」微微一頓又道：
「古墓關閉在即，諸位快些走啦！」
宮裝美婦黯然一歎，道：「姹兒，千古恨事唯一情，爲娘的要去了。」
蕭姹姹道：「女兒不送啦！」
宮裝美婦目光一掃南海群豪，厲聲喝道：「你們還留在這裡做甚？」
南海門中群豪相互看了一眼，隨在那宮裝美婦身後，跟著中原群豪魚貫步出石門，行不及丈，突然響起一聲大震，那沉重石門疾合一起。

一縷婉轉的歌聲由石門中傳了出來，淒涼幽沉，動人心弦，群豪只覺腳步愈來愈是沉重，心頭如負重鉛，鬥志全無，豪氣盡消，神情蕭索地步出甬道，看落日西沉，已然是黃昏時分。

**全書完**

臥龍生武俠經典珍藏版 8

# 玉釵盟（四）大結局

作者：臥龍生
發行人：陳曉林
出版所：風雲時代出版股份有限公司
地址：10576台北市民生東路五段178號7樓之3
電話：(02) 2756-0949　　傳真：(02) 2765-3799
執行主編：劉宇青
美術設計：許惠芳
行銷企劃：林安莉
業務總監：張瑋鳳
出版日期：臥龍生60週年珍藏版 2022年3月
ISBN ：978-986-5589-61-5
風雲書網：http://www.eastbooks.com.tw
官方部落格：http://eastbooks.pixnet.net/blog
Facebook：http://www.facebook.com/h7560949
E-mail：h7560949@ms15.hinet.net
劃撥帳號：12043291
戶名：風雲時代出版股份有限公司

風雲發行所：33373桃園市龜山區公西村2鄰復興街304巷96號
電話：(03) 318-1378　　傳真：(03) 318-1378
法律顧問：永然法律事務所 李永然律師
　　　　　北辰著作權事務所 蕭雄淋律師

行政院新聞局局版台業字第3595號 營利事業統一編號22759935


**定價：320元**　

國家圖書館出版品預行編目資料

玉釵盟／臥龍生 著. -- 臺北市：風雲時代出版股份有限公司，2021.06- 冊；公分（臥龍生武俠經典珍藏版）
ISBN：978-986-5589-58-5（第1冊：平裝）
ISBN：978-986-5589-59-2（第2冊：平裝）
ISBN：978-986-5589-60-8（第3冊：平裝）
ISBN：978-986-5589-61-5（第4冊：平裝）

863.57　　110007325